L

Gl

- G

CW00863176

Luisa Deininger wurde 2003 in Aalen geboren. Bereits mit elf Jahren schrieb sie erste Geschichten - so auch den Vorläufer dieses Buches. Aktuell macht sie ihren Schulabschluss. Wenn sie nicht liest - oder selbst schreibt - verbringt sie die meiste Zeit mit tanzen. Manchmal unternimmt sie auch Ausflüge in den örtlichen Buchhandel, auf der Suche nach ihrem ganz persönlichen Helden - oder auch Bösewicht.

Für Jacqueline

Dank dir wurde diese Geschichte zu viel mehr

als nur zu einem Buch

Teil 1

„Wir kennen uns nie ganz, und über Nacht sind wir andre geworden, schlechter oder besser."

- Theodor Fontane

1

Der Tag, der mein Leben für immer zerstörte, begann eigentlich wie jeder andere.

»Guten Morgen Liebes, bist du wach? Du musst zur Schule.« , säuselte mein Vater in mein Ohr und ich konnte mich nur mühsam davon abhalten, nach ihm zu schlagen. Eine Sekunde später schrillte der Wecker auf meinem Nachttisch. Ich seufzte.

»Ja Dad, ich weiß. Kannst du das bitte lassen? Mir reicht ein Wecker morgens vollkommen aus und das habe ich dir schon oft gesagt.«

Ohne ein weiteres Wort aber mit einem letzten mitfühlenden Blick verließ mein Vater das Zimmer. Wie sehr ich diesen Blick hasste.

Seiner Meinung nach trauerte ich noch immer meiner Mutter hinterher. Sie war vor eineinhalb Jahren gestorben und ja, vielleicht hatte er ja Recht damit. Meine Mutter fehlte mir noch immer schrecklich, doch mein Vater versuchte sämtliches Verhalten meinerseits damit zu erklären. Aß ich einen Tag einmal nur wenig oder gar nichts, war es meine Mutter, die mir fehlte oder das Essen, das sie nicht mehr kochen konnte. Selbst als ich mit Freunden trinken gegangen und erst am nächsten Tag wiedergekommen war, und das mit einem starken Kater, hatte mein Vater nicht eine Sekunde geschimpft, sondern mich in den Arm genommen und gesagt, dass er sich Sorgen gemacht hätte und dass auch er Mom vermissen würde, dass jeder anders mit seinem Schmerz umgeht, weshalb mein Verhalten für ihn absolut okay war. Wie genau meine Mutter gestorben war, wusste ich nicht. Immer wenn ich versuchte, genauer auf dieses Thema einzugehen, machte mein Vater dicht und so wusste ich nur, dass sie eines Morgens mit unserem Auto wegfuhr und abends nicht wiederkam. Ich erinnerte mich daran, dass sie eigentlich nur zur Arbeit wollte und mein Vater seine Kollegen von der Polizei kontaktierte, als sie später nicht an ihr Telefon ging. Zwei Monate darauf klopfte es schließlich an unserer Tür und ein Polizist erzählte uns, dass meine Mutter in einer Stadt, mehr als 1000km weit weg von unserem Haus tot aufgefunden worden war. Nach der Beerdigung herrschte in unserer Familie stetes Schweigen über das Ereignis, niemand versuchte auch nur annähernd herauszufinden, was an dem Tag vorgefallen war und auch das FBI stellte die Ermittlungen nach einem halben Jahr wieder ein, weil sie in dem Fall kein Stück weiterkamen. Immer wieder hatte ich das Gefühl gehabt, mein Vater wüsste irgendetwas, was er sowohl mir als auch der Polizei und unserer ganzen Familie verschwieg, doch ich bekam nie die Antworten, die ich mir erhoffte.

Ich stand auf und drückte auf den Knopf meines Weckers, damit er endlich Ruhe gab, machte mich auf den Weg ins Badezimmer. Dort putzte ich meine Zähne und legte etwas Wimperntusche auf, bürstete meine widerspenstigen roten Locken durch und legte das einzige

Geschenk an, was ich noch von meiner Mutter besaß, eine Kette mit meinem Namen: *Carietta*. Ich mochte meinen vollen Namen eigentlich nicht, doch da ihn meine Mutter ohne die Zustimmung meines Vaters durchgesetzt hatte, war auch er gewissermaßen ein Geschenk von ihr, welches ich immer bei mir trug. Nachdem ich mich einigermaßen frisch gemacht hatte, ging ich zurück in mein Zimmer und suchte mir etwas zum Anziehen aus meinem Schrank zusammen. Eine schwarze, enge Jeans, ein schlichtes schwarzes T-Shirt. Ich fühlte mich eigentlich ganz wohl, doch nachdem ich einen langen, kritischen Blick in den Spiegel warf, entschloss ich mich doch noch dazu, einen schwarzen Pullover über das T-Shirt zu ziehen. Falls es spontan warm werden sollte, war ich also gerüstet. Nach einem kurzen Blick durch mein Fenster verwarf ich den Gedanken jedoch, denn draußen regnete es in Strömen. Ich nahm mir meine Schultasche - einen schlichten braunen Rucksack - und verließ mein Zimmer.

Als ich in der Küche platznahm, stellte mein Vater einen Teller mit Rührei und einem Buttertoast vor mich auf den Tresen. Er gab sich wirklich alle Mühe, gut für mich zu sorgen, doch kochen war einfach nicht seine Stärke. Er hatte, wie so oft, das Salz mit dem Zucker verwechselt und so hatte mein Rührei einen bittersüßen Nachgeschmack, den ich versuchte zu ignorieren, doch die zentimeterdicke Schicht Butter auf dem Toast gab meinen Geschmacksnerven den Rest. Mit einem traurigen Lächeln ließ ich die Hälfte des Brotes auf meinen Teller sinken und schüttelte nur leicht den Kopf, um meinem Vater zu signalisieren, dass mein Frühstück an dieser Stelle beendet war.

»Es hat wirklich gut geschmeckt!«, log ich und ging durch den Gang zur Garderobe an der Haustür. Es war schon halb acht und ich musste mich beeilen, um meinen Bus noch zu erwischen, sonst würde ich wieder Ärger mit den Lehrern bekommen, also schlüpfte ich in meine weißen Sneakers und zog meine schwarze Jacke an, bevor ich mir meine Tasche nahm, schnell ein »Tschüss, bis heute Abend!« in die Küche rief und die Haustür hinter mir zuschlug.

Vor lauter Eile fiel mir mein Regenschirm erst ein, als ich bereits die Tür hinter mir geschlossen hatte. Der Regen prasste auf meinen Kopf und schnell zog ich die Kapuze meines Pullovers darüber. Der Herbstwind wehte mir kalt ins Gesicht, wir hatten Anfang November, es war also um diese Uhrzeit noch stockfinster und der einzige Wegweiser war die Straßenlaterne, die die Bushaltestelle, nur gut 100m von unserem Haus entfernt, beleuchtete. Ich begann zu laufen, zuerst etwas langsamer, da ich in keine Pfütze treten wollte, als ich plötzlich einen Schatten in meinem Augenwinkel wahrnahm. Ich blickte in die Richtung der Gestalt, doch durch die Finsternis und den Nebel, der durch den Regen entstanden war, konnte ich nichts erkennen. Die Person stand reglos da und schien mich zu beobachten. Ich wandte mich wieder ab, den Blick fest auf die Bushaltestelle gerichtet, und lief schneller, immer schneller aus Angst, ich könnte der Person hinter mir nicht entkommen. Auf einmal ertönte ein lautes Hupen direkt neben mir und erschrocken blickte ich nach links, direkt in zwei gelbe Lichter. Starr vor Angst riss ich die Augen auf und hob schützend die Hände vor mein Gesicht, als mich plötzlich eine Hand an meinem Ellbogen von der Straße zog.

»Cari, was sollte das denn? Wolltest du dich umbringen, oder was?«, fuhr mich eine vertraute Stimme an. Es war Adrian, mein bester Freund, der mich vollkommen schockiert im Arm hielt. Sein Atem ging stoßweise und ich konnte sein Herz an meiner Brust schlagen spüren, fast genauso schnell wie mein eigenes.

»Nein, ich... ich weiß nicht was passiert ist. Ich bin nur so schnell gelaufen und auf einmal war da die Straße und das Auto und... und…«, begann ich zu erklären, doch ich bekam keine ganzen Sätze zustande.

»Da war ein Mann.«, sagte ich schließlich.

»Ein Mann? Wie kommst du jetzt auf so etwas? Der Weg, auf dem du hergekommen bist, ist komplett leer. Cari, ich warte schon seit 10 Minuten hier und habe dich beobachtet, da war niemand.«, erwiderte Adrian.

»Doch ich bin mir sicher! Ich wurde verfolgt. Da war jemand.«

»Bist du sicher, dass es ein Mann war und er dich verfolgt hat? Vielleicht war es ja auch nur ein Spaziergänger oder irgendwer, der auch zur Arbeit muss?«

»Du glaubst mir nicht.«, stellte ich resigniert fest und erwiderte den Blick, den Adrian mir aus seinen wütend funkelnden Augen zuwarf.

»Ich glaube, dass da eventuell jemand war, aber ich glaube auch, dass du überreagiert hast. Er wollte bestimmt gar nichts von dir.«, erklärte er sich.

Ich wurde sauer auf Adrian. Ja, mir war selbst bewusst, wie verrückt sich meine Geschichte anhörte und ich begann auch schon daran zu zweifeln, dass ich überhaupt jemanden gesehen hatte. Doch ich wollte, dass Adrian meinen Worten Glauben schenkte. Er war schließlich mein bester Freund. Ich wollte etwas erwidern und so vielleicht einen Streit vom Zaun brechen, doch in diesem Moment hörte ich die quietschenden Bremsen des Busses, welcher uns zur Schule bringen sollte. Ich löste mich aus Adrians Armen und kramte meine Fahrkarte aus meiner Jackentasche. Adrian stieg vor mir in den Bus und nahm am Ende des Gangs am Fenster einen Platz ein. Als auch ich einsteigen wollte, stellten sich plötzlich meine Nackenhaare auf. Ich schaute den Busfahrer an, mittlerweile flossen mir die Regentropfen ins Gesicht, da meine Kapuze komplett durchnässt war, was meine Sicht beeinträchtigte, doch irgendetwas an ihm stimmte nicht.

Irgendetwas an dieser kompletten Situation war falsch. Es war der gleiche Busfahrer wie jeden Morgen, doch irgendwie wirkte sein Teint zu bleich und kränklich. Er hatte starke Augenringe und einen drei – Tage – Bart um seinen Mund und an seinem Kinn. Seine Haare waren grau meliert und streng nach hinten gebürstet, er sah mich ungeduldig an.

»Steigst du jetzt ein oder nicht, Kleine?«, fragte er pampig.

Ich wollte eigentlich in den Bus steigen, doch eine leise Stimme in meinem Kopf versuchte, mich davon abzuhalten. Regen lief mir über die Wange und die Nase, während ich fieberhaft überlegte. Es goss in Strömen und da draußen lauerte vielleicht immer noch irgendwo diese Gestalt, also wäre es vermutlich äußerst dumm zu laufen. Ich blickte durch die Scheiben des Busses zu Adrian und er sah mich fragend an. Als ich einen Blick auf mein Telefon warf, hatte ich meinen Entschluss gefällt. Es war kurz vor acht und ich würde niemals pünktlich ankommen, wenn ich lief. Da ich meinem Vater weiteren Ärger ersparen wollte, stieg ich in den Bus ein, murmelte eine kurze Entschuldigung und nahm neben Adrian Platz.

»Was war das denn?«, fragte er mich verständnislos.

»Ich habe keine Ahnung, irgendetwas stimmt nicht. Ich habe ein ganz mieses Gefühl.«, gab ich angespannt zurück. Der Regen draußen schien immer stärker zu werden und ich hörte den Tropfen zu, wie sie rhythmisch auf das Dach trommelten, als sich die Dunkelheit etwas lichtete. Mir fiel auf, dass wir die einzigen Personen im Bus waren, was an sich nichts Besonderes war, da wir etwas außerhalb wohnten, in einem kleinen Dorf in der Nähe der Stadt.

Heute beunruhigte mich das allerdings nur noch mehr. Ich warf einen kurzen Blick nach draußen und wollte eigentlich schon wieder der Melodie des Regens lauschen, als mir schlagartig bewusst wurde, was ich gerade gesehen hatte. Normalerweise kannte ich den Weg, den wir fuhren, inn-

und auswendig, doch dieser Weg war mir gänzlich unbekannt. Ich berührte Adrian an der Schulter.

»Wohin fahren wir? Das ist nicht der normale Schulweg.«, sagte ich so leise, dass ich es selbst kaum hören konnte.

»Ich weiß, und ehrlich gesagt habe ich keine Ahnung. Vielleicht eine Umleitung oder Behinderung mit Stau, deswegen fährt er auf einer Landstraße?«, gab er schulterzuckend zurück.

»Hast du auf dem Weg hierher ein Umleitungsschild gesehen?«

»Nein.«

Angst machte sich in mir breit und ich stand langsam auf. Meine Beine begannen zu zittern, teils aus Furcht und teils aus Kälte, da ich komplett durchnässt war.

»Entschuldigen Sie, wohin fahren Sie? Ist das hier eine Umleitung?«, fragte ich so laut, dass mich zweifellos auch der Busfahrer gehört hatte, doch ich bekam keine Antwort.

»Cari, was machst du denn da? Setz dich wieder hin.«, meinte Adrian und versuchte, mich am Handgelenk wieder nach unten zu ziehen, doch ich entwand es ihm und ging langsam zum Busfahrer nach vorne.

»Entschuldigung? Könnten Sie bitte anhalten? Ich glaube das letzte Stück schaffen wir auch zu Fuß, Sie müssen sich wegen der Umleitung keinen Stress machen.«, erklärte ich so ruhig wie möglich, doch auch diese Mal blieb es still. Als ich schließlich beim Busfahrer ankam, immer noch zitternd, blickte ich aus der Frontscheibe auf die Fahrbahn. Erst jetzt fiel mir auf, dass wir eigentlich viel zu schnell fuhren, sicherlich 80 oder 90 km/h. Meine Angst wurde größer und bildete einen schweren Kloß in meinem Hals. Ich schaute auf den Busfahrer und mein Herz blieb für einen kurzen Moment stehen. Von den Füßen bis zu den Schultern sah er vollkommen normal aus, auch die Augen hatte er fest auf die Straße gerichtet, doch sie waren seltsam trüb, unfokussiert. Blut sickerte aus seiner Nase und seinem Mundwinkel. Ich fühlte seinen Puls, konnte jedoch kein Pochen unter meinen Fingern spüren, deshalb versuchte ich verzweifelt, seinen Fuß vom Gas zu ziehen oder seine Hände vom Lenkrad zu lösen, doch nichts half.

»Adrian! Ich brauche hier mal ganz schnell deine Hilfe!«, rief ich durch den Bus und ließ meinen Rucksack von meinen Schultern gleiten. Adrian kam stolpernd nach vorne und schaute mich skeptisch an.

»Was ist denn? Hat er sich verfahren?«, fragte er ironisch und zog eine Augenbraue nach oben.

»Kann man so sagen«, antwortete ich leise und zeigte auf die seltsam verfärbte Haut und die immer weiter anschwellenden Augen. Adrians Körper versteifte sich, er wurde starr vor Angst.

»Hey, du musst mir hier jetzt unbedingt helfen. Wir fahren viel zu schnell und ich bekomm seinen Fuß nicht vom Gas.«, sagte ich mit zitternder Stimme, doch Adrian rührte sich noch immer nicht.

»Er ist tot.«

»Ich weiß es nicht! Aber wenn du mir jetzt nicht hilfst, diesen Bus zum Stehen zu bringen sind wir das gleich auf jeden Fall!«, fuhr ich ihn an und zeigte auf die Straße vor uns. Der Regen hatte noch immer nicht nachgelassen, und mittlerweile war ein richtiges Gewitter aufgezogen. Ein Blitz hatte einen Baum getroffen, der direkt am Straßenrand gestanden hatte und nun den Weg vor uns blockierte.

»Adrian!«

Endlich löste er sich aus der Starre und packte gemeinsam mit mir den Fuß des Busfahrers, der sich endlich vom Gas ziehen ließ. Doch der Bus verlor nicht schnell genug an Geschwindigkeit, das Gefälle der Fahrbahn war zu steil. Ich versuchte, mich über den Mann zu beugen, um auf die Bremse drücken zu können, doch meine Arme waren nicht lang genug.

»Adrian, das funktioniert nicht!«, sagte ich und mir gelang es nicht länger, die Panik aus meiner Stimme zu verbannen.

»Ich weiß, wir müssen uns etwas anderes überlegen! Ich habe eine Idee. Versuch du es weiter.«, antwortete er und ließ das Bein los, ehe er in den hinteren Teil des Busses verschwand. Ich schaute ihm nach, als ich begriff, was er vorhatte. Er versuchte verzweifelt, die hinteren Bustüren zu öffnen.

»Der Mechanismus klemmt! Ich bekomme die Türen nicht auf! Versuch sie mit den Schaltern am Steuerpult zu öffnen!«, rief er mir zu.

Panisch drückte ich sämtliche Knöpfe, die ich finden konnte, doch ich schaffte es lediglich, dass Licht auszuschalten und die Scheinwerfer zu aktivieren.

»Adrian das geht nicht! Solange wir uns bewegen, lassen sich die Türen nicht öffnen. Hast du eine andere Idee?«, gab ich zurück. Als keine Antwort kam, drehte ich mich zu ihm um und blickte direkt in seine angsterfüllten Augen.

»Cari, runter!«, schrie er mir zu und ehe ich überhaupt auf die Straße blicken oder mich zu Boden fallen lassen konnte, wurde ich zusammen mit einem Scherbenregen durch die Frontscheibe geschleudert. Im Flug spürte ich die leichten Regentropfen und hörte Glasscherben scharf an meinem Ohr vorbeizischen. Ein Paar davon bohrten sich in meine Oberarme, in meinen Rücken und meine Waden, eine schrammte direkt an meiner Wange vorbei.

Ich überschlug mich in der Luft und kam zuerst mit dem unteren Rücken auf, was einen stechenden Schmerz durch meinen ganzen Körper jagte, ehe ich mit der Schläfe voran an den Bordstein prallte und das Bewusstsein verlor.

2

Dunkelheit. Schmerz. Sie trugen mich durch meine Gedankenwelt. Was war an diesem Morgen schief gelaufen? Was war mit dem Busfahrer geschehen? War ich wirklich verfolgt worden oder hatte Adrian Recht gehabt? Adrian. Was war mit ihm passiert? Lebte er noch oder hatte er das Unglück nicht überstanden?

Die Gedanken überschlugen sich in meinem Kopf und ließen mir keine Ruhe, allen voran aber gingen die Schmerzen, die mich an den Rand des Wahnsinns trieben. Mein ganzer Körper brannte und ich wollte nur noch, dass es endlich aufhörte. Wenn ich jetzt starb, würde ich Adrian vielleicht wiedersehen, vielleicht auch nicht, weil er noch lebte und gerade darauf wartete, dass ich die Augen öffnete und ihn ansah. Ich konnte ihn nicht einfach allein lassen. Ich musste zumindest wissen, ob es ihm gut ging. Also nahm ich alle Kraft zusammen, die ich aufbringen konnte und öffnete die Augen.

Weiß. Das war das erste, was ich erkennen konnte. Alles erschien viel zu grell und ich schloss meine Augen wieder. Ich musste das schaffen, ich musste aufwachen.

Als ich die Augen erneut öffnete, konnte ich bereits Umrisse erkennen und die Konturen der Möbel wurden schärfer. Es war ein Zimmer, ganz in Weiß gehalten. In einem Eck standen ein kleines Waschbecken und eine Duschkabine daneben. Direkt neben dem Bett, in dem ich lag, befand sich ein Schrank und auf der anderen Seite des Bettes ein Tisch mit zwei Stühlen, alles in Weiß. An dem Tisch saß mein Vater und hatte seine Nase in ein dickes Buch gesteckt, ab und an las er ein Wort laut vor oder seufzte tief.

»Dad?«, fragte ich leise, doch man konnte mich kaum verstehen, da mein Hals ausgetrocknet war. Meine Stimme schabte wie Sandpapier durch meine Kehle. Mein Vater ließ sein Buch sinken und sah mich ungläubig an.

»Carietta, du bist wach! Es ist ein Wunder! Die Ärzte haben gesagt, dass deine Chancen zu überleben sehr schlecht stehen! Du hast dir so viele Knochen gebrochen. Du warst fast vier Tage ohnmächtig.«

»Was ist mit Adrian?«

Ich musste es einfach wissen. Die Miene meines Vaters, die eben noch ungehalten und von Tränen gezeichnet gewesen war, verdüsterte sich und augenblicklich versteifte ich mich, was mir wieder einen stechenden Schmerz durch den Körper jagte.

»Nein.«, flüsterte ich. Nicht Adrian, nicht jetzt.

»Nein, nein du verstehst mich falsch. Er lebt. Aber er ist in kritischem Zustand. Die Ärzte vermuten, dass er über mehrere Sitzreihen geschleudert wurde und er hat sich dementsprechend Verletzungen zugezogen. Es tut mir so furchtbar leid Schatz.«, sagte mein Vater bedauernd und blickte nach draußen in die schneeweiße Landschaft.

Es hatte in der Zeit, in der ich ohnmächtig gewesen war, das erste Mal geschneit.

»Was ist passiert?«, fragte ich leise. Das letzte, woran ich mich erinnern konnte, war mein verzweifelter Versuch, die Bremse des Busses zu erreichen und wie ich hinaus in den Regen geschleudert wurde.

»Was ist mit dem Busfahrer passiert?«, setzte ich dazu. Mein Vater wandte sich wieder an mich und sah mich prüfend an.

»An der Sache sind wir gerade dran. In seinem Blut wurde ein äußerst seltenes Nervengift gefunden. Die Leiche, die wir am Unfallort fanden, war aufgeblasen wie ein Ballon.«, sagte er und neigte den Kopf ein wenig zur Seite.

»Habt ihr noch irgendetwas Seltsames bemerkt, an dem Busfahrer oder auch an dem Bus selbst?«, fragte er mich vorsichtig. Einen Moment war ich versucht, ihm von dem Schatten zu erzählen, der mich verfolgt hatte. Oder von dem seltsamen Erscheinungsbild des Fahrers. Doch ich entschloss mich, nichts von alledem zu sagen. Ich hatte es mir sicherlich nur eingebildet.

»Nein, mir ist nichts Seltsames aufgefallen. Nichts, was ihr nicht schon längst wisst. Ich erinnere mich nur daran, dass ich versucht habe, den Bus zu stoppen und anschließend aus der Frontscheibe geschleudert wurde.«, erklärte ich resigniert. Ich redete immer weiter, doch mein Vater schien allmählich die Geduld mit mir zu verlieren.

»Du hast Recht. Alles, was du mir gerade berichtet hast, haben wir selbst schon herausgefunden. Aber danke für deine Sicht der Dinge.«, unterbrach er mich.

Ich kannte meinen Vater gut genug, um zu wissen, dass unsere Unterhaltung über dieses Thema an dieser Stelle offiziell beendet war. Er würde mir keine weiteren Fragen stellen oder beantworten. So hatte er auch damals reagiert, als ich ihn über den Tod meiner Mutter ausgefragt hatte. Doch was er hier gerade tat, war noch schlimmer. Er rationalisierte die Dinge, wie er es immer tat, wenn Geschehnisse ihm zu nahe gingen. Das war ein Schutzmechanismus, den er sich im Laufe seiner langjährigen Laufbahn bei der Polizei zugelegt hatte. Er behandelte die Menschen nicht mehr wie Lebewesen, sondern wie Objekte, bei denen er einfach aufzählen konnte, an welchen Stellen sie kaputt gegangen waren. Ich hatte mir gerade eine gute Standpauke zurechtgelegt und wollte den Mund aufmachen, als die Tür des Krankenzimmers aufging und ein Arzt hereinkam. Er hatte schwarze Haare und ein glatt rasiertes Gesicht. Unter seinem Kittel trug er eine dunkle Jeans und ein weißes Shirt.

»Oh, Verzeihung, ich wollte niemanden stören. Carietta, wie ich sehe sind Sie aufgewacht. Das freut mich. Ich bin Doktor Hoke, Ihr behandelnder Arzt. Wie fühlen Sie sich? Sie haben schwere Verletzungen erlitten.«

»Mir geht es einigermaßen gut. Wie geht es meinem Freund? Ist er heil aus dem OP gekommen?«, fragte ich mit neu erwachtem Mut. Der Arzt sah mich mit einem forschenden Blick an und schien sich seine Antwort gut zu überlegen. Schließlich setzte er sich an mein Bettende und holte tief Luft.

»Ihr Freund ist dieser Junge namens Adrian, nicht wahr? Nun ja, er hat es lebend aus der Operation geschafft, sein Zustand ist aber immer noch kritisch. Wie Ihnen Ihr Vater vielleicht schon erzählt hat, hat Adrian viele Frakturen erlitten, darunter auch eine   Schädelfraktur. Bei diesem Bruch wurden seine Sehnerven irreparabel geschädigt. Ich bin mir nicht sicher, ob Sie wissen was genau das für ihn bedeutet.«, sagte er und machte eine kurze Pause, um erneut Luft zu holen. Ich begann zu verstehen was seine Worte bedeuteten und fühlte alle Farbe aus meinem Gesicht weichen.

»Nun ja, es bedeutet, dass dein Freund vermutlich nie wieder sehen können wird.«, beendete er seine Erklärung und sah mich mit eindeutig vorgetäuschtem Mitgefühl an.

Das hatte Adrian nicht verdient. Er hatte mir immer zur Seite gestanden. Mich immer verteidigt und dennoch hatte es ihn schlimmer getroffen als mich. Erst vor vier Tagen hatte er mich davor bewahrt, überfahren zu werden und nun würde er nie wieder in seinem Leben etwas sehen können? Das war nicht fair. Eine Träne löste sich aus meinem Augenwinkel und sie blieb nicht allein. Ich ließ mich zurück in die Kissen sinken, auf einmal hatte mich meine ganze

Kraft verlassen und die Tränen flossen ungehindert über meine Wangen.

»Es tut mir leid Sie in einem Moment der Trauer zu unterbrechen, aber die Kollegen von der Polizei stehen draußen vor der Tür. Sie würden Ihnen gerne ein paar Fragen zu dem Unfall stellen…«, setzte der Arzt an, doch mein Vater unterbrach ihn barsch.

»Entschuldigen Sie bitte, Doktor… wie war der Name noch gleich? Ach ja, Hoke. Ich glaube meine Tochter ist sehr erschöpft und sollte sich noch etwas ausruhen, bevor ihr irgendwelche Fragen über den Unfall gestellt werden. Ich hoffe Sie verstehen das. Ich wünsche Ihnen noch eine gute Nacht.«

»Aber natürlich. Ich werde den Beamten draußen Bescheid geben und morgen Vormittag nochmal nach Ihr sehen, wenn es in Ordnung ist. Eine gute Nacht allerseits.«

Mit diesen Worten stand Doktor Hoke auf und verließ das Zimmer.

»Carietta, du solltest jetzt schlafen. Ich werde nachher mit den Ärzten sprechen und dann gehen wir nach Hause. Ich glaube es ist besser für dich, dich in deinem eigenen Bett zu erholen als hier, in diesem sterilen Gebäude. Gute Nacht.«

»Dad?«

»Ja?«

»War das mit dem Bus wirklich nur ein Zufall?«

»Das ist eine Geschichte für einen anderen Tag. Du bist noch nicht bereit dafür. Auf dich wird noch Einiges zukommen. Das, was du bis jetzt mitgemacht hast, war noch nicht einmal der Anfang. Aber du musst jetzt schlafen. Du wirst deine Kräfte noch brauchen.«

Mein Vater stand auf und schaltete das Licht aus, vermutlich damit ich leichter einschlafen konnte, doch ich war hellwach. Zu viele Gedanken schossen mir in den Kopf. Ich konnte nicht aufhören, an Adrian zu denken und an die Worte, die mein Vater gerade zu mir gesagt hatte. Wofür würde ich meine Kräfte brauchen? Was war überhaupt passiert?

Ich blieb noch eine Ewigkeit reglos im Bett liegen und mit den ersten Sonnenstrahlen, die einen neuen, ungewissen Tag ankündigten, schlief ich schließlich ein, doch ein erholsamer Schlaf war es nicht.

Ich fühlte mich, als hätte ich die Augen nur für den Bruchteil einer Sekunde geschlossen gehabt und war dementsprechend müde, doch die Sonne stand bereits mitten am Himmel. Ich war allein in dem Zimmer und betrachtete ein paar Minuten einfach nur das Leben außerhalb der Glasscheibe, bevor ich den Entschluss fasste, dass ich aufstehen wollte. Langsam setzte ich mich auf und schlug die Decke zurück. Erst jetzt bemerkte ich, dass meine Beine von den Knien abwärts komplett verbunden waren. Das rechte war zusätzlich in einen weißen Gips gehüllt. An manchen Stellen zeichneten sich rote Schatten unter der obersten Schicht der Verbände ab, vermutlich nässten die Wunden. Ich betrachtete meine Arme. Hier waren nur einzelne, kleinere Verbände angebracht worden, unter denen sich ebenfalls rote Flecken zeigten. Ich hob vorsichtig meine Beine an, um die Schmerzempfindlichkeit zu überprüfen und musste feststellen, dass es fast gar nicht mehr weh tat. Also schwang ich die Beine langsam vom Bett und versuchte mit Hilfe der Krücken, die neben dem Bett bereitstanden, aufzustehen. Ein stechender Schmerz schoss meine Wirbelsäule entlang und ich sank zurück in die Matratze. Langsam versuchte ich wieder aufzustehen, es musste doch möglich sein. Ich stellte einen Fuß fest auf den Boden, dann den nächsten, stützte mich aber noch zusätzlich auf meinem Bett ab, aus Angst, wieder zusammenzubrechen.

»Einen Schritt nach dem anderen, du schaffst das.«, flüsterte ich mir selbst zu. Und tatsächlich schaffte ich es, zum Waschbecken zu laufen. Ich putzte mir zuerst die Zähne, bevor ich es wagte, mich im Spiegel zu betrachten. Meine Augen lagen tief in den Höhlen und ich sah abgeschlagen aus. Die Schramme über meiner Wange hatte mein Auge nur knapp verfehlt und war genäht worden. Meine Lippe war an einer Stelle aufgeplatzt und ich hatte allgemein einen kränklichen Hautton. Nur zögerlich traute ich mich, mir die Wunde an meiner Wirbelsäule anzusehen. Langsam schob ich mein schwarzes Shirt nach oben und sah das volle Ausmaß der Verletzung. Die Ärzte hatten zwar einen Verband angebracht, dieser umfasste allerdings meinen gesamten Brustkorb. Darunter konnte man die Schwellung und Rötung der heilenden Wunden erkennen.

»Carietta, du solltest noch nicht herumlaufen! Was denkst du dir bloß dabei?«, fragte mein Vater, der plötzlich im Türrahmen aufgetaucht war.

»Es tut mir leid, ich wollte nur sehen, wie schlimm es wirklich ist. Hast du mit den Ärzten geredet?«

»Ja, ich packe jetzt deine Sachen zusammen und wir fahren heim. Ich habe auch schon in der Schule angerufen und sie zeigen sich sehr großzügig. Sie geben dir alle Zeit, die du brauchst, um zu genesen. Du kannst währenddessen von zu Hause aus lernen.«

»Danke.«, sagte ich leise und schenkte meinem Vater ein trauriges Lächeln.

Nur zehn Minuten später saßen wir im Auto und fuhren zurück nach Hause. An der Haustür angekommen traute ich meinen Augen nicht. Auf den Treppen zum Eingang hinauf lagen überall Blumensträuße und Besserungskarten von Klassenkameraden und Freunden, alle an mich adressiert. Ungläubig blieb ich stehen. Sah es vor Adrians Haus genauso aus?

»Alles gut, ich mache das schon. Willst du sie in deinem Zimmer stehen haben?«, fragte mein Vater und riss mich abrupt aus meinen Gedanken. Ich nickte und hievte mich die Stufen hinauf bis zu meinem Zimmer. Als ich mich in mein Bett legte, fiel ich nach kurzer Zeit in den ruhigsten Schlaf, den ich seit langem hatte.

Die nächsten Wochen redete mein Vater noch weniger als sonst. Mein Handy war bei dem Unfall kaputt gegangen und so konnte ich Adrian vorerst nicht anrufen. Ich durfte das Bett nicht verlassen, außer wenn ich ins Bad musste, was irgendwann zu meiner Lieblingsbeschäftigung wurde. Auch Adrians Mutter schaute ein paar Mal vorbei und versicherte mir, dass er sich gut erholen würde, aber noch Zeit brauchte, um sich an seinen ›neuen Lebensstil‹ zu gewöhnen, wie sie es ausdrückte. Das war ihre Art mit Dingen umzugehen, sie redete sie einfach schön. Adrian schaute kein einziges Mal bei mir vorbei, vielleicht war das auch besser so, denn ich wusste nicht, ob mein Herz das ertragen könnte. Auch wenn ich ihn schrecklich vermisste, war es so vermutlich am besten. Und dann war es so weit. Nach endlosen Wochen durfte ich endlich wieder in die Schule. Ich vermisste die Freunde, die ich dort hatte und ich vermisste meinen normalen Alltag.

»Carietta, wach auf! Du kommst zu spät. Soll ich dich zur Schule fahren?«, fragte mich mein Vater, als ich stöhnend die Augen öffnete.

»Ja, das wäre sehr nett. Ich beeile mich auch.«, gab ich als Antwort und schlug die Decke zurück.

Zehn Minuten später saßen wir im Auto auf dem Weg zu meiner Schule. Es war ein bewölkter Tag, aber immerhin regnete es nicht. Ich sagte meinem Vater auf Wiedersehen, wünschte ihm einen schönen Tag und er versprach, mich nach der Schule abzuholen. Ich wurde freudig von meinen Klassenkameraden und Lehrern empfangen, die gar nicht mehr aufhören konnten, mich mit Fragen über den Unfall zu löchern. Problemlos fand ich mich im Unterricht ein, mein Alltag war endlich wiederhergestellt. Adrians Fehlen war dennoch deutlich spürbar, es lag wie ein Schatten auf dem Gesicht von jeder Person, die mit mir über das Unglück sprach. Der Schultag ging schnell vorbei und als die Klingel ertönte, glaubte ich zuerst gar nicht, dass ich schon wieder nach Hause konnte.

Ich lief hinaus auf den Parkplatz vor der Schule und wartete auf meinen Vater, der einfach nicht auftauchen wollte. Vermutlich hatte er mich wieder vergessen. Manchmal nahm ihn sein Job so in Beschlag, dass er alles andere vergaß, außer den Fall, den er in diesem Moment bearbeitete. Mit einem tiefen Seufzen entschloss ich mich schließlich dazu, nach Hause zu laufen. Ich war erst ein paar Schritte gegangen, als sich meine Nackenhaare aufstellten. Ruckartig drehte ich mich um und entdeckte im Wald eine schwarze Silhouette. Sie stand einfach nur da und beobachtete mich, wartete darauf, was ich tun würde. Ich versuchte, ruhig weiterzulaufen. Adrian hatte mit Sicherheit Recht gehabt. Es war bestimmt nur ein Spaziergänger oder jemand auf dem Weg zur Arbeit und ich hatte Hirngespinste. Die nächsten Meter drehte ich mich immer wieder um und als mir niemand folgte, beruhigte ich mich wieder ein wenig. Ich konnte bereits mein Haus erkennen, als der Himmel sich verdunkelte. Kleine Schneeflocken benetzen den Bürgersteig und mein Gesicht. Es war ein relativ warmer Tag gewesen, deswegen trug ich nur eine

Jacke ohne Kapuze und so wurde ich ziemlich schnell nass, als Schneefall sich verstärkte.

»Carietta, endlich sind wir einmal unter uns. Es freut mich dich kennenzulernen.«, ertönte plötzlich eine Stimme hinter mir. Erschrocken drehte ich mich um und blickte in das Gesicht eines jungen Mannes. Er war vielleicht 19 oder 20 und hatte schwarzes, lockiges Haar und tiefgrüne Augen, die an Tannennadeln erinnerten. Unter anderen, weniger angsteinflößenden Umständen hätte ich sein Gesicht mit den hohen, markanten Wangenknochen vermutlich attraktiv gefunden. Doch im Moment jagte er mir eine Heidenangst ein.

»Kenne ich Sie?«, fragte ich vorsichtig. Dieser Mann war mir nicht geheuer. Irgendetwas an ihm kam mir auf seltsame Weise vertraut vor.

»Ich fürchte nicht. Aber ich kenne dich. Du erinnerst dich doch bestimmt an das Busunglück vor ein paar Wochen? Das war ein wirklich schrecklicher Zufall an diesem Tag, nicht wahr? Und diese komische Tatsache, dass sie noch immer nicht feststellen konnten, welches Gift ihn umgebracht hat? Aber es ist etwas anderes, das dich nicht loslässt. Dieser Mann an jenem Morgen, du dachtest, er verfolgt dich und so falsch lagst du mit dieser Vermutung gar nicht.«, sagte er und stieß ein tiefes Lachen aus, das mir einen kalten Schauer über den Rücken jagte. Plötzlich wurde mir bewusst, was er da gerade gesagt hatte. Wie konnte er das alles wissen, ohne selbst dort gewesen zu sein? Ich hatte nur Adrian davon erzählt.

In einem plötzlichen Anflug von Panik versuchte ich wegzurennen, doch ich war nicht so schnell, wie ich hätte sein müssen. Die Verletzung an meinem Rücken beeinträchtigte mich noch zu stark. Ich vergaß, auf den Boden zu schauen und rutschte auf einer vereisten Pfütze aus. Mit schmerzverzerrtem Gesicht landete ich geradewegs auf meiner Verletzung und krümmte mich in der Hoffnung, den Schmerz irgendwie lindern zu können.

»Das war ein erbärmlicher Fluchtversuch, ich hoffe das weißt du.«, spottete der Mann, als er langsam näher kam.

»Du bist viel wichtiger als du glaubst, das wirst du schon noch verstehen.«

Mit diesen Worten versetzte er mir einen gezielten Tritt ins Gesicht und beförderte mich ins Land der Träume.

3

W ach auf!«

»Siehst du, ich habe dir gesagt du hast zu fest zugetreten. Sie wird nicht mehr aufwachen. Das hast du mal wieder grandios gemacht! Wir brauchen sie bei Bewusstsein, um an den Filer zu gelangen und das weißt du! Was hast du dir bloß dabei gedacht?«

Ich wollte meine Augen eigentlich nicht öffnen, zu groß war die Angst, was ich erblicken könnte oder was man dann vielleicht mit mir machte. Mein ganzer Körper brannte unerträglich und ich spürte das Pochen einer gigantischen Beule mitten zwischen meinen Augen. Die Stimme des einen Jungen hatte ich erkannt, als er das erste Wort gesagt hatte, es war der Schwarzhaarige, der mich auf meinem Nachhauseweg abgefangen hatte. Die zweite Stimme war mir nicht bekannt. Sie klang etwas tiefer, ihr Besitzer schien schon ein paar Jahre älter zu sein.

»Das stimmt nicht, wir brauchen sie nicht wirklich, um an den Filer zu gelangen, eigentlich brauchen wir nur die Halskette. Hast du sie ihr abgenommen, als ich sie hergebracht habe?«, fragt der jüngere Typ, dessen stechenden Blick ich noch immer vor meinem geistigen Auge betrachten konnte.

»Sie hatte keine bei sich. Ich dachte, das hättest du schon übernommen! Das darf doch wohl nicht wahr sein. Also brauchen wir sie doch, sie weiß vermutlich wo sich die Kette befindet. Und denk dran, wir wissen noch immer nicht, wo der Filer steckt. Versuch sie weiter wach zu bekommen, ich glaube nicht, dass sie tot ist. Vielleicht kann uns Cal weiterhelfen, ich rede mal mit ihm.«, gab der Ältere zurück und wenige Sekunden später hörte ich eine schwere Tür ins Schloss fallen. Warum war ich hier? Was hatte es mit diesem Filer auf sich? Wer waren diese Menschen und warum hatten sie mir hinterherspioniert? Tausend Fragen überschlugen sich in meinem Kopf, als der Junge, der im Zimmer geblieben war, plötzlich den Mund aufmachte und hörbar laut Luft holte.

»Ich weiß, dass du wach bist. Mach deine verdammten Augen auf und sag mir, wo die Kette ist.«, flüsterte er mir direkt ins Ohr. Kaum merklich zuckte ich zusammen, versuchte aber die Gänsehaut auf meinen Armen zu ignorieren und mich immer noch schlafend zu stellen, da ich einfach zu große Angst vor ihm und der ganzen Situation hatte. Für einige Minuten passierte nichts und ich war schon überzeugt, dass er vielleicht doch aufgegeben hatte, als mich plötzlich eine harte Ohrfeige traf. Erschrocken riss ich die Augen auf und holte zischend Luft.

»Na also. Versuch nicht, mich an der Nase herumführen zu wollen. Das funktioniert nicht. Wo ist die Kette?«, versuchte er es erneut und sah mich forschend an. Ich hatte Recht behalten. Es war der Junge, der mich ins Gesicht getreten hatte. Seine dunklen Locken hingen in Strähnen in seine Stirn und sein Blick war hart und unerbittlich, purer Hass traf mich. Ich schluckte schwer. Anscheinend musste ich am Mund geblutet haben, denn ein metallischer Geschmack füllte ihn und ich musste mich zwingen, nicht zu würgen. Ich musste auch ein paar Mal blinzeln, denn ich hatte eine Mischung aus Schweiß, Blut und geschmolzenem Schnee in meinen Wimpern kleben, die sich nun nach und nach löste. Ich spürte ein paar nasse Haarsträhnen auf meinen Wangen kleben und wollte sie wegwischen, doch ich konnte meine Arme nicht bewegen. Auch meine Beine rührten sich keinen Zentimeter. Als ich vorsichtig an mir herunterblickte sah ich, dass ich mit Metallschnallen an einer eisernen Trage befestigt war. Der Junge lachte leise.

»Oh nein, denk erst gar nicht daran zu fliehen, es ist zwecklos. Und selbst wenn du es irgendwie schaffen solltest, kommst du vielleicht zwei oder drei Schritte, bevor ich dich eingeholt habe. Die Tür ist verschlossen. Die Kette, wenn ich dich erinnern darf.«

»Ich weiß nicht, wovon du redest.« log ich und er schüttelte kaum merklich den Kopf, das Gesicht immer noch viel zu nah an meinem.

»Natürlich nicht. Hältst du mich eigentlich für komplett bescheuert, oder was? Deine Halskette! Wo ist sie?«, fragte er erneut und hob die Hand, vermutlich um wieder zuzuschlagen. Ängstlich drehte ich meinen Kopf von ihm weg und versuchte so, irgendwie dem drohenden Schlag zu entkommen.

»Ich weiß es nicht. Ich muss sie verloren haben.«, sagte ich so schnell ich konnte und seine Hand stoppte nur Millimeter entfernt von meiner Wange. Ein kalter Luftzug löste ein paar Strähnen von meinen Wangen. Langsam wandte er sich ab und stand auf. Er lief ein paar Schritte auf und ab, bevor er sich wieder mir zuwandte.

»Du hast sie verloren? Langsam müsstest du es doch verstehen. Du kannst mich nicht belügen Carietta. Ich kenne dich, besser als du dir vorstellen kannst und du würdest deine Kette nicht verlieren. Sie ist das einzige, das du noch von deiner Mutter hast. Sie ist zu wichtig für dich, als dass du sie einfach verlieren würdest. Aber ich habe eine Idee, wo sie ist. Du hast sie zu Hause, nicht wahr? Du warst vorgestern so spät dran, dass du vergessen hast sie anzulegen, habe ich Recht? Und jetzt liegt sie völlig allein bei dir im Badezimmer, während dein Vater und vermutlich das ganze Polizeirevier von Rosslyn vergeblich nah dir oder deiner Leiche suchen.«, antwortete er und sah mich forschend an. Mein entsetzter Blick schien für ihn Antwort genug, denn er nickte leicht und verließ den Raum, ohne mir noch einen letzten Blick zuzuwenden.

Wer war dieser Junge? Warum wusste er all diese Dinge über meine Familie und mich? Ja, ein paar meiner engeren Freunde wussten, dass ich nur diese Kette von meiner Mutter hatte. Wir waren nicht arm oder etwas in der Art, aber sie hatte nie wirklich Wert auf materielle Dinge gelegt. Für sie hatte ein gut gekochtes Abendessen mehr wert als ein Diamantring, und das war eine Eigenschaft, die ich schon immer an ihr geschätzt hatte. Aber woher wusste er, dass meine Mutter meinen Namen ausgesucht hatte? Sie hatte meines Wissens nach immer nur im engsten Familienkreis damit geprahlt, sich gegen meinen Vater durchgesetzt zu haben. *Vorgestern.* Ich war schon seit zwei Tagen weg? Der Junge hatte Recht. Mein Vater hatte mit Sicherheit schon das gesamte Revier alarmiert. Ich war niemand, der viel und lange wegging und normalerweise meldete ich mich, wenn ich über Nacht bei jemandem schlafen wollte, ich war schließlich schon achtzehn. Aber ich hatte auch kein Handy bei mir. Mein Vater hatte keine Chance mich zu orten oder anderweitig zu erreichen. Ich war komplett auf mich allein gestellt, in einem Raum, der mir einen Schauer über den Rücken jagte, gefesselt, und nur darauf wartend, dass der Junge zurückkam und die dunklen Mordfantasien auslebte, die er sich im Moment sicherlich zusammenreimte. Panik ergriff mich. Ich versuchte energisch, mich aus den Fesseln zu winden, doch die scharfen Metallkanten schnitten in meine Hand- und Fußgelenke. Ich spürte warmes Blut meinen Arm herunterlaufen und gab schließlich auf. In diesem Raum musste es doch eine Möglichkeit geben, wie ich mich befreien konnte. Fieberhaft suche ich jeden Winkel ab. Ein Waschbecken. Ein OP-Tisch, direkt neben der Bahre auf der ich festgeschnallt war. Kahle, dunkelgraue Wände ohne Fenster. Eine grelle Neonröhre, die den ganzen Raum in ein kaltes, unheimliches Licht tauchte. Da. Meine Chance. Auf dem OP-Tisch lag eine Fernbedienung mit einem großen, gelben Knopf in der Mitte. Ein dünnes, schwarzes Kabel schlängelte sich über den Tisch und verschwand unter meiner Bahre, aber ein kleines Stück des Kabels baumelte frei in der Luft, nah genug, um es mit meinem Mund zu fassen zu bekommen. Ich biss in das Kabel und zog daran.

Die Fernbedienung schlug mit einem dumpfen Knall auf dem Boden auf.

Schnell zog ich Stück um Stück an dem Kabel, die Fernbedienung kam immer näher. Endlich konnte ich den Knopf mit meinem Kinn drücken und tatsächlich, die Fesseln sprangen auf. Erleichtert setzte ich mich auf und rieb mir die blutigen Handgelenke, als ich das Schloss der Türe hörte.

Ich wurde panisch, hatte keine Ahnung was ich tun oder wo ich hin sollte und so blieb ich wie angewurzelt auf der Bahre sitzen. Die Tür schwang auf und ein mir unbekannter Mann kam herein. Seine Haare waren blond, wirkten aber ein wenig dreckig. Er hatte eine Narbe, die schräg über seinen Mund verlief, auf dem sich ein kleines Grinsen abzeichnete. Zuerst sah er mich herausfordernd an, wartete ab was ich tun würde und als ich aufsprang und verzweifelt Richtung Tür rannte, fing er mich mühelos ab und hielt mich fest.

»Du hast dich doch tatsächlich befreit, das hätte ich nicht erwartet. Du bist raffinierter als du aussiehst. Leider darf ich dich nicht frei herumlaufen lassen. Aber keine Sorge, sterben wirst du nicht. Zumindest nicht, bis wir den Filer haben.«

Ich erkannte die Stimme. Es war der Mann, der sich vorhin mit dem schwarzhaarigen unterhalten hatte. Panisch versuchte ich, mich von ihm wegzudrücken und davonzurennen, doch sein Griff wurde nicht lockerer. Ohne mit der Wimper zu zucken hob er mich hoch und trug mich aus dem Raum. Er lief einen dunklen Gang entlang, Tür um Tür, bis wir schließlich an einer Reihe dicker Stahltüren ankamen. Der Mann fummelte an einem Schlüsselbund an seiner Hose herum und zog schließlich einen großen, schwarzen Schlüssel hervor, mit dem er die Tür öffnete und mich hineinwarf, als wäre ich ein Sack Kartoffeln. Mit einem lauten Knacken landete ich auf dem harten Boden und stöhnte. Ich war zwar zuerst auf meinem Arm gelandet und bestimmt war auch nichts gebrochen, doch mein ganzer Körper war immer noch angeschlagen. In meinen Ohren rauschte das Blut und die Beule auf meiner Stirn pochte noch stärker als zuvor. Ohne ein weiteres Wort schloss der Mann die Tür vor meiner Nase und ich hörte ihn davongehen.

Die Zelle war dunkel. Nur ein paar winzige Lichtstrahlen fielen durch die Schlitze in der Tür und ein winzig kleines Fenster in einer Wand ins Innere. In einem Eck stand ein kleines Bett mit einer dünnen Matratze darauf und Bettsachen, die sehr benutzt aussahen. In einem anderen Eck stand ein altes Waschbecken, das schon Risse und Löcher aufwies und ein Eimer, der vermutlich als Toilette dienen sollte.

Zitternd stand ich auf und bewegte vorsichtig meinen Arm. Nichts gebrochen. Ich war immer noch komplett durchnässt und in der Zelle war es deutlich kälter als in dem anderen Raum. Langsam lief ich zu dem Bett und setzte mich darauf. Sie federte kaum und ich spürte deutlich den Schmerz an meiner Wirbelsäule. Als mein Blick zu dem Fenster wanderte sah ich, dass direkt gegenüber ein anderes

Gebäude aus grauem Beton errichtet worden war, das jeglichen Blick auf die Umgebung versperrte. Wieder kamen viele Fragen auf. Wer waren diese Männer? Was hatte Ich was sie wollten? Ging es meinem Vater gut? Was hatte meine Mutter mit all dem hier zu tun?

Ich bekam Kopfschmerzen. Von zu vielen Gedanken, zu vielen Dingen die keinen Sinn ergaben und von der Beule auf meiner Stirn. Nach einer gefühlten Ewigkeit des Wartens gab ich den Kampf gegen die Kopfschmerzen auf und ließ mich an die kalte Wand hinter mir sinken. Mein Vater hatte Recht gehabt, ich brauchte meine Kraft, und zwar sehr. Deswegen schloss ich meine Augen und versuchte zu schlafen. Nach langem, krampfhaftem Verharren sank ich schließlich in einen unruhigen Schlaf.

»Hey du, wach auf! Wir müssen hier weg.«

Langsam öffnete ich die Augen. Mein Nacken schmerzte, da ich an der Wand gelehnt hatte als ich eingeschlafen war und ich brauchte eine Minute, um mich zurechtzufinden. Der Junge, der mich geweckt hatte, besaß schwarze Haare und blaue Augen, die mich interessiert musterten. Auf seiner Stirn klaffte ein großer Schnitt, aus dem Blut sickerte. Er war ein gutes Stück größer als ich und komplett in schwarz gekleidet. In seiner Hand hielt er ein Messer von mindestens 40 Zentimeter Länge, die andere streckte er nach mir aus. Augenblicklich wich ich zurück und hielt schützend die Hände vor mein Gesicht.

»Bitte, lass mich in Ruhe. Ich will nur nach Hause. Bitte tu mir nichts.«, bat ich ihn leise, in der stillen Hoffnung, doch noch lebend von hier wegzukommen.

»Alles gut, ich will dich von hier wegbringen. Wie heißt du?«, fragte er sanft.

»Carietta.«

»Ich bin Jesper. Es freut mich, dich kennenzulernen. Darf ich dich Cari nennen? Geht schneller.«, fragte er freundlich. Ich nickte nur, vollkommen mit der Situation überfordert.

»Gut, dann komm jetzt Cari. Ich musste mehr als einen Wärter umlegen, um hierher zu kommen. Das ist die einzige besetzte Zelle im ganzen Gebäude, deswegen bin ich hier. Wir müssen uns beeilen. Ich weiß, dass du mir nicht vertraust und das nehme ich dir nicht übel, aber was ich dir übel nehmen werde ist meine Gefangenschaft und mein unausweichlicher Tod, wenn du dich nicht endlich bewegst.«, sagte er eindringlich und streckte die Hand noch weiter nach mir aus.

Sollte ich ihm vertrauen? Ich kannte ihn nicht, kein bisschen. Aber konnte es wirklich schlimmer werden, als es sowieso schon war? Ich musste meinen Vater finden und mehr über meine Vergangenheit herausbekommen. Vielleicht konnte er mir dabei helfen.

»Ich werde es bereuen, oder?«, fragte ich ironisch.

»Vielleicht. Aber noch mehr bereuen wirst du es hier sitzen zu bleiben und darauf zu warten was passiert.«

Mit diesen Worten ergriff ich zögerlich seine Hand, er zog mich auf die Füße und gemeinsam rannten wir aus der Zelle und den dunklen Gang entlang.

Nach der Hälfte des Weges ertönten hinter uns Stimmen. Ich schaute mich um und entdeckte Männer, die uns nachliefen.

»Stehen bleiben! Sofort!«, rief einer der Männer. Es war der dunkelhaarige Junge, der mich vor meiner Schule abgefangen hatte.

Eine ohrenbetäubende Alarmanlage ertönte und überall im Gang gingen rote, blinkende Lichter an.

»Bloß nicht stehen bleiben! Du kannst dir nicht vorstellen was die dir antun, wenn sie dich jetzt in die Hände bekommen. Beeil dich!«, rief mir Jesper zu, der ein paar Meter vor mir rannte und jede Tür aufstieß, die unseren Weg versperrte. Als ob ich wirklich stehen geblieben wäre.

»Wir haben es gleich geschafft. Nur noch ein paar Türen!«, fügte er hinzu, als etwas knapp an meinem Ohr vorbeiflog. Nur wenige Meter vor mir bohrte es ein kugelrundes Loch in die Tür, die Jesper nur Sekunden später aufstieß.

»Die schießen auf uns!«, rief ich ihm zu, was ihn noch schneller werden ließ. Er rannte durch eine Tür nach der nächsten und ich konnte schon Tageslicht erspähen. Eigentlich hatte ich keine Kraft mehr, meine Ausdauer war am Ende, doch dieser kleine Hoffnungsschimmer hier heil herauszukommen, beflügelte mich derartig, dass ich noch ein wenig an Tempo zulegte. Weitere Geschosse zischten an meinem Ohr vorbei und verfehlten Jesper und mich nur knapp. Er hatte mittlerweile einen großen Vorsprung vor mir und den anderen und hastete bereits durch den letzten Durchgang, als plötzlich ein anderes Signal erklang. Wände begannen sich aus Spalten zu schieben und die Durchgänge zusätzlich abzuriegeln. Ich versuchte mich noch mehr zu beeilen, doch meine Beine wurden unaufhaltsam müder und langsamer.

»Cari, los! Du schaffst das!«, rief mir Jesper aufmunternd zu. Er hatte es bereits hinter die letzte Abriegelung geschafft und streckte beide Hände nach mir aus. Panisch blickte ich nach hinten und sah, dass die Männer uns nicht mehr verfolgten. Ich wollte zuerst abbremsen, doch schlagartig fielen mir die Sicherheitsabriegelungen wieder ein. Ich würde es nicht schaffen. Die Tür war zu weit weg und ich war zu langsam. Mit schmerzverzerrtem Gesicht hechtete ich mich nach vorne und griff nach Jespers Händen. Schnell zog er mich zu sich und mit einem lauten Knall schloss sich die Tür hinter uns. Ich hörte noch ein paar Schüsse, die jedoch wirkungslos gegen das Metall prallten, bevor jegliche Geräusche hinter den Abriegelungen verstummten.

»Du hast es geschafft!«, sagte Jesper freudig und ließ mich ruckartig los. Ich nickte nur. Ein komisches Gefühl beschlich mich. Ich verspürte auf einmal einen starken Schmerz an meinen Rippen. Vermutlich Seitenstechen. Ich war eine so hohe Belastung nicht gewöhnt. Als ich die Stelle berühren wollte, um sie sanft zu massieren, wurde meine Hand von einer warmen Flüssigkeit umfangen und ein stechender Schmerz durchfuhr meinen Brustkorb. Entsetzt schaute ich auf meine Hand und auch Jesper schien es bemerkt zu haben, denn alle Farbe war aus seinem Gesicht gewichen. Meine Hand war voll mit Blut und auch mein Oberteil war blutdurchtränkt. Eine der vorbeifliegenden Kugeln musste mich getroffen haben und ich hatte es durch den Adrenalinschub gar nicht gemerkt. Meine Knie wurden weich und ich sank zu Boden. Plötzlich war ich zu erschöpft, um überhaupt noch einen klaren Gedanken zu fassen. Jesper kam mir zur Hilfe, damit ich nicht komplett zusammenbrach und hielt mich im Arm.

»Alles wird gut. Du wirst überleben. Alles wird gut.«, flüsterte er sanft in mein Ohr.

Die Schmerzen wurden immer schlimmer. Mir fiel es schwer zu atmen und ich krümmte mich zusammen. Mit letzter Kraft schaute ich in seine tiefblauen Augen, versuchte mich an sie zu klammern, bevor mich der Schmerz endgültig übermannte und alles um mich herum dunkel und still wurde.

4

Blaue Augen. So strahlend blaue Augen. Immer wieder erschien vor meinem inneren Auge Jespers Gesicht. Sein aufmunterndes Lächeln. Seine Hände, die mich schützend an ihn zogen, als die Sicherheitstüren sich schlossen. Ich kannte diesen Jungen erst seit so kurzer Zeit und doch kam er mir auf seltsame Weise vertraut vor. Ich wusste nicht, was es war, aber irgendetwas verband mich mit ihm. So viel war in den vergangenen Wochen passiert, was ich nicht erklären konnte, geschweige denn richtig verarbeitet hatte und es fraß mich innerlich auf. Das letzte, woran ich mich erinnern konnte waren meine Schritte auf grauem Beton. Die Sicherheitstüren, die sich knapp hinter mir schlossen. Der sengend heiße Schmerz. Dunkelheit.

»Wer bist du? Was ist mit Carietta passiert? Was hast du ihr angetan?«

»Sie wurde angeschossen.«

»Hast du etwas mit ihrer Entführung zu tun? Ist das dein Werk?«

»Würde ich sie sonst herbringen?«

»Warum bist du nicht sofort ins Krankenhaus gefahren! Was kann ich schon von hier aus tun?«

»Das erkläre ich Dir später. Können wir bitte ins Haus. Sie sind hinter uns her.«

Ich erwachte keuchend, als mir ein Glas eiskaltes Wasser mitten ins Gesicht gekippt wurde. Ich lag in meinem Bett, die rosa Decke vertraut und weich unter meinen Fingern. Links von mir saß mein Vater, rechts von mir stand Jesper mit einem Glas in der Hand.

»Ich habe doch gesagt sie wacht davon auf.«, sagte mein Vater und wandte sich wieder Jesper zu.

»Mag sein, aber ein gutes Gefühl hatte ich dabei trotzdem nicht. Sie hätte einen Schock erleiden können.«, gab er mit einem mitleidigen Blick in meine Richtung zurück.

Mit einem Schulterzucken verließ mein Vater das Zimmer und schloss die Tür hinter sich. Ich sah ihm verwundert nach. Warum hatte er mich nicht eines Blickes gewürdigt oder ein Wort an mich gerichtet, sondern war einfach gegangen? Vorsichtig tastete ich meine Seite ab. Ich konnte einen dicken Verband unter meinen Fingern erahnen. Auch Jesper sah meinem Vater noch einen Moment nach, bevor er sich wieder mir widmete. Ich setzte mich auf.

»Hey, bleib liegen. Der Schuss hat dich zwar nur gestreift, verletzt bist du aber trotzdem ziemlich schwer. Du hast viel Blut verloren, das ist deinem Kreislauf nicht gut bekommen. Erinnerst du dich noch an alles?«, fragte er sanft.

Ich nickte und ließ mich wieder in die Kissen sinken. Es war kälter geworden, das spürte ich sogar durch das geschlossene Fenster. Grelles Licht fiel ins Zimmer, vermutlich hatte es erneut stark geschneit.

»Warum hast du mich nicht ins Krankenhaus gebracht?«, fragte ich leise. Ich erkannte meine Stimme fast nicht wieder. Sie war brüchig und so dünn, als könnte sie vom kleinsten Windhauch weggeweht werden. Er holte tief Luft und schaute mich eindringlich an, als könnte er mir so die Antwort mitteilen.

»Ich war auf dem Weg dorthin doch kurz vor dem Eingang habe ich die Typen gesehen, die uns verfolgt haben. Sie haben auf uns gewartet. Vermutlich arbeitet das ganze Krankenhaus für sie. Also bin ich ins Auto gestiegen und habe so lange auf dich eingeredet, bis du mir deine Adresse verraten hast. Dein Vater war nicht sehr begeistert, als ich mit dir im Arm vor seiner Tür stand. Er hätte mich fast verhaftet.«

»Was ist hier eigentlich los? Warum passiert das alles?«, fragte ich ihn. Er überlegte lange Zeit, als müsste er überlegen, wie viel er mir anvertrauen konnte. Sein Blick huschte immer wieder zwischen dem Fenster und mir hin und her.

»Ich weiß es nicht. Hast du eine Ahnung, warum sie dich entführt haben? Haben sie irgendetwas gesagt?«

Ich erkannte die Lüge in seinen Worten, doch ich beschloss, das Spiel mitzuspielen, das er soeben begonnen hatte.

»Nein, nicht direkt. Sie sagten etwas von einer Halskette, die ich von meiner Mutter geschenkt bekommen habe, eine Namenskette, und dass sie sie dringend brauchen würden. Sie haben etwas von irgendeinem Filer gesagt. Was ist das? Was wollen die von mir?«

Als ich das Wort Filer erwähnte, erstarrte Jesper und schien durch mich hindurchzusehen. Alle Farbe wich aus seinem Gesicht, doch dann war es, als wäre ihm ein Licht aufgegangen. Er sah mich an.

»Ich wusste es. Vom ersten Augenblick an habe ich es gespürt.«, flüsterte er und erhob sich ruckartig, bevor er ohne ein weiteres Wort aus dem Zimmer stürmte. Was war das denn? Was hatte er gespürt? Wusste etwa auch er was hier ablief? Warum konnte mir niemand sagen was eigentlich los war? Es schien, als hätten die Menschen heute den Drang, aus meinem nahen Umfeld zu flüchten. Plötzlich ertönten laute Stimmen aus der Küche.

»Nein, sie ist noch nicht bereit dafür!«

»Du musst es ihr erzählen! Wir haben keine Zeit mehr, sie werden kommen. Sie muss wissen was hier abläuft, bevor ihre Welt zusammenbricht. Sie muss wissen, was damals wirklich passiert ist!«

»Sie wird es nicht verkraften. Das können wir ihr nicht antun. Das kann ich ihr nicht antun. Zwing mich nicht dazu, bitte.«

»Ich werde dich zu nichts zwingen. Irgendwann wirst du es von selbst erzählen. Wenn du es noch nicht für richtig erachtest, muss ich mich damit abfinden. So ist es nun mal. Aber es könnte schwere Konsequenzen haben.«

Ich wollte mich aufrappeln, in die Küche laufen und reinen Tisch machen. Ich hatte die ganzen Geheimnisse ein für alle Mal satt. Als ich gerade beide Füße auf den Boden gesetzt hatte, höre ich ein lautes Klopfen an der Haustür. Das Stimmengewirr davor war unverständlich, doch was auch immer die Leute da draußen wollten, nett waren sie bestimmt nicht. Es klopfte erneut an der Tür, diesmal noch lauter und noch aggressiver. Tritte folgten. Als schließlich eine laute Männerstimme ertönte, konnte selbst ich die Worte verstehen.

»Macht sofort die verdammte Tür auf oder wir erledigen das für euch!«
Jesper kam nur einen Sekundenbruchteil später ins Zimmer gestürmt, mein Vater folgte.

»Cari, wir müssen hier ganz schnell weg. Sie sind uns gefolgt. Kannst du laufen?«, fragte er besorgt und ich konnte die Anspannung in seiner Stimme klar und deutlich hören. Eine Ader zeichnete sich mitten auf seiner Stirn ab.

»Folgt mir, es gibt einen zweiten Eingang über den Keller, den können wir benutzen.«, sagte mein Vater und rannte aus dem Zimmer. Jesper legte einen Arm um mich und stützte mich, als ich zitternd auf die Beine kam. Gemeinsam stolperten wir aus meinem Zimmer, an rennen war überhaupt nicht zu denken. Wir liefen den Hausflur entlang und ich schnappte mir noch schnell ein Foto meiner Mutter - wer wusste, wann ich wieder gefahrlos hierher zurück konnte. Als wir an der Kellertreppe ankamen, schaltete Jesper das Licht ein, mein Vater war bereits unten angekommen.

»Hier lang!«, hörte ich seine Stimme, als er seinen Kopf aus einer Tür steckte, die sonst immer verschlossen gewesen war. Als Kind wollte ich die Tür immer passieren, doch sie war niemals offen gewesen und meine Eltern hatten mir stets verboten, sie aufzumachen. Nachdem ich immer größer wurde, verlor ich das Interesse an der Tür und irgendwann behauptete mein Vater, dass hier die Sachen meiner verstorbenen Mutter lagerten. Und somit war diese Tür und der dahinter liegende Raum für mich strikt tabu. Es war eine alte Holztür, so sah sie zumindest von der Frontansicht an aus. Im Vorbeistolpern bemerkte ich jedoch, dass das Holz nur eine Fassade war, die wahre Tür war aus dickem Metall. Ungläubig verlangsamte ich meinen Schritt. Mein Kopf drohte allmählich zu platzen.

»Wovon weiß ich sonst noch nicht? Was ist das alles? Ich lebe hier seit ich denken kann und wusste nicht, dass wir Atomschutztüren oder sowas in unserem Keller haben! Dad, du hast mir einiges zu erklären!«

»Cari, wir müssen dringend weiter. Du hast später noch genug Zeit dich mit irgendwem zu streiten! Komm schon.«, sagte Jesper in einem genervten Ton und zog mich weiter.

Mein Vater lief an uns vorbei, und warf sich mit seinem ganzen Gewicht gegen die Tür. Kurz bevor sie ins Schloss fiel, hörte ich ein lautes Knacken, dass vom oberen Stockwerk zu kommen schien, dann wurde alles dunkel und im Raum breitete sich eine unheimliche Stille aus.

»Sie sind in unserem Haus, nicht wahr?«, fragte ich leise, meine Stimme war kaum ein Flüstern.

»Ja. Sie beschatten das Haus seit dem Unfall mit dem Bus. Ich habe meine Kollegen auf sie angesetzt, aber sie waren immer ganz plötzlich weg, wenn jemand von der Polizei aufgetaucht ist. Nachdem sie auch nichts getan haben, dachte ich, sie hätten aufgegeben. Und dann kam dein erster Schultag und sie haben dich entführt. Ich hätte es besser wissen sollen. Ich hätte wissen müssen, dass sie etwas planen. Jetzt haben sie den Schlüssel für den Filer, dabei war es das Einzige, was sie noch von ihrer Mutter hatte.«, sagte mein Vater ins Dunkel und wie zu sich selbst.

Ungläubig hielt ich den Atem an und ließ seine Worte auf mich wirken. Redete er von der Halskette? Eigentlich wollte ich ihm sagen, dass ich sie vorhin schnell um mein Handgelenk gewickelt hatte, als ich sie auf meinem Nachttisch sah, doch irgendetwas hielt mich davon ab. Alles machte nun noch weniger Sinn. Verzweifelt versuchte ich, die gelieferten Informationen zu einem sinnvollen Bild zusammenzufügen, doch ich konnte nicht verstehen, ich wollte nicht verstehen. Ganz hinten in meinem Kopf, in den dunkelsten Winkeln meiner Gedanken, die ich sonst immer unterdrückte, hatte ich eine Variante dieser Geschichte parat, doch ich wollte nicht glauben, dass an dieser Möglichkeit auch nur ein Fünkchen Wahrheit dran war. Es war einfach zu absurd. Stattdessen versuchte ich, mich mit Fragen an die Situation heranzutasten und etwas in Erfahrung zu bringen.

»Was hat das Ganze mit meiner Mutter zu tun?«, fragte ich leise. Meine Stimme durchschnitt die Luft, obwohl ich kaum mehr als ein Flüstern zustande gebracht hatte und ich spürte an meinem Rücken, wie Jesper angespannt die Luft anhielt. Einige Zeit herrschte Stille, leise hörte man oben Schritte und ab und zu einen gebrüllten Befehl.

»Du musst wissen, dass deine Mutter das alles nur für dich getan hat. Du bist…«, setzte mein Vater an, als plötzlich ein lautes Krachen ertönte. Auch ohne irgendetwas sehen zu können, wusste ich, dass sie die Tür gefunden hatten. Ich drückte mich unbewusst näher an Jesper und er verstärkte den Griff um meine Taille. Mein Vater schob sich an mir vorbei und ich hörte ein Knarzen hinter mir. Plötzlich wurde der Raum hell von Licht durchflutet. Ich drehte mich um und sah, dass mein Vater eine Falltür geöffnet hatte, die nach draußen zu führen schien.

»Schnell, ihr müsst hier weg. Ich komme nach. Jesper, ich hoffe du bist ein guter Autofahrer. Sie werden euch verfolgen, wenn sie erst einmal merken, dass Cari weg ist.

Und wenn sie die Wahrheit über dich erfahren Jesper, dann werden sie nicht mehr aufhören euch zu jagen, ich hoffe das weißt du. Viel Glück.«

Mit diesen Worten warf er Jesper die Schlüssel seines Wagens zu und dieser fing sie ungelenk mit einer Hand auf. Jesper stieg zuerst die Treppe in den Garten hinauf und zog mich dann nach oben. Ich wollte mich zu meinem Vater wenden und ihm die Hand reichen, doch ehe ich richtig reagieren konnte, drückt er mir einen Kuss auf den Handrücken und zog die Falltür wieder über sich zu. Geschockt hockte ich einen Moment da, unfähig irgendetwas zu tun, als plötzlich Schüsse ertönten.

»Cari, dein Vater hat Recht. Wir müssen hier weg. Sofort!«, sagte Jesper, schlang den Arm wieder um meine Taille und zog mich mit ihm fort, mein Blick immer noch starr auf die Falltür gerichtet, die zwischen den Blumen und Gräsern zu verschwinden schien. Ging es meinem Vater gut? Hatten sie es geschafft, die Tür aufzubrechen? War er womöglich schon tot? Zwischen all diesen Gedanken, die wild in meinem Kopf kreisten, bemerkte ich gar nicht, dass ich schon längst im Auto saß und Jesper vergeblich versuchte, mich anzuschnallen.

»Du könntest ruhig etwas mithelfen!«, blaffte er mich an und riss mich so aus meiner Starre. Schnell nahm ich ihm den Gurt aus der Hand und er sprintete auf die andere Autoseite. Kaum hatte er den Motor gestartet, hörte ich laute Stimmen hinter uns. Obwohl ich meine Umgebung mittlerweile wieder aktiv wahrnehmen konnte, drifteten meine Gedanken immer wieder ab. Ich hörte die Reifen quietschen, als Jesper aufs Gas drückte und das Auto davonjagte. Einen kurzen Moment dachte ich, dass wir sie abgeschüttelt hatten, dass mein Vater unseren Vorsprung weit genug ausgebaut hatte, doch der Schein trog.

Zuerst erschien der schwarze Jeep hinter uns wie ein ganz normales anderes Auto, diese Straße war schließlich nicht ganz unbefahren, doch plötzlich drückte der Fahrer das Gaspedal durch und holte zu uns auf. Ich beugte mich nach vorne, um einen genaueren Blick ins Wageninnere werfen zu können, doch die Scheiben waren dunkel getönt und ich konnte nur unscharfe Schemen dahinter ausmachen. Ein paar Minuten fuhr das Auto neben uns her, beschleunigte dann erneut und überholte uns. Als es ungefähr 100 Meter Abstand zu uns aufgebaut hatte, schien es immer langsamer zu werden, der Abstand zwischen den Autos verringerte sich stetig. Vielleicht schaute der Fahrer ja auf sein Handy, das passierte heutzutage viel zu oft.

Oder er hatte doch noch bemerkt, dass er die Geschwindigkeitsbegrenzung deutlich überschritten hatte? Der Monolog in meinem Kopf ging unaufhörlich weiter, selbst dann als Jesper einen leisen Fluch von sich gab. Als ich wieder durch die Windschutzscheibe blickte - ich hatte, ohne es wirklich zu bemerken auf meine Finger gestarrt - sah ich auch, warum. Der Wagen vor uns hatte eine Vollbremsung hingelegt. Nur Sekunden später musste auch Jesper hart auf die Bremse drücken und ich konnte meinen Kopf gerade rechtzeitig davon abhalten, voll auf das Armaturenbrett zu krachen. Erschrocken schnappte ich nach Luft, den Blick jedoch immer noch wie gebannt auf den Jeep gerichtet.

»Scheiße, das sind sie. Wie konnte ich nur so blöd sein?«, flüsterte Jesper leise und legte schnell den Rückwärtsgang ein, nachdem er mit der flachen Hand gegen das Lenkrad geschlagen hatte. Aus dem schwarzen Jeep stiegen zwei Männer aus. Beim Anblick des einen lief mir ein kalter Schauer den Rücken herunter. Es war der Typ, der mich entführt hatte. Obwohl seine Augen hinter einer Sonnenbrille verborgen waren, spürte ich förmlich, wie er mich mit seinem Blick durchbohrte. Seinen Mund verzog ein schmales Grinsen. Als ich mich umdrehte, verstand ich. In einiger Entfernung hinter uns tauchte ein weiterer schwarzer Jeep auf. Er war zwar noch weit entfernt, blockierte jedoch die gesamte Straße. Im Auto schwanden unsere Chancen zu entkommen von Sekunde zu Sekunde. Wenn wir ausstiegen, würden wir entweder auf der Stelle erschossen oder gefangen genommen und ich konnte nicht sagen, welche von beiden die angenehmere Option war. In mir baute sich ein ungutes Gefühl auf, das zu blanker Angst mutierte. Verzweifelt sah ich zu Jesper, doch auch er schien keinen Plan zu haben. Seine Augen suchten fieberhaft unsere Umgebung ab, ehe sie sich in meinen verankerten.

»Cari ich weiß nicht ob…«

Jesper verstummte. Für einen kurzen Moment veränderte sich mein Umfeld. Alle Farben wurden intensiver, unsere Verfolger schienen nicht länger zu existieren. Und im Zentrum von Allem, Jespers intensive blaue Augen, die sich direkt in meine Seele zu bohren schienen. Mein Atem stockte und für eine Sekunde schien mein Herz stehen zu bleiben, ehe es kräftiger schlug als je zuvor. Ich fühlte ein angenehmes Kribbeln, das sich über meinen Hals in meinem ganzen Körper bis in die Fußspitzen ausbreitete.

Und dann war der Moment vorbei. Unsere Blicke trennten sich und die Welt wurde wieder grauer, trostloser und mein Herz verlor den starken Rhythmus, dem es eben noch gefolgt war. In den Fokus rückten wieder die Verfolger, die mittlerweile fast an unserem Auto angekommen waren. Sie schienen sich ihrer Sache sehr sicher, denn sie beeilten sich kein bisschen. Neben mir hörte ich Jesper tief Luft holen. Er legte den Vorwärtsgang ein, bewegte das Auto jedoch kein Stück.

»Vertraust du mir?«

Verdutzt drehte ich mich zu ihm, doch er wich meinem Blick aus. Ich bemerkte den winzigen Anflug von Angst in seinen Augen trotzdem.

»Habe ich eine andere Wahl?«, fragte ich und bemühte mich, meine Bemerkung wie einen Scherz klingen zu lassen. Es misslang mir vollkommen und alles was ich zustande brachte, war ein leises Lachen, das eher nach einem Husten klang. Jesper antwortete nicht sofort, die beiden Männer waren schon fast bei uns.

»Ich werde es bereuen, oder?«, setzte ich noch nach und er warf mir einen kurzen Seitenblick zu.

»Vielleicht.«

Mit diesen Worten riss er das Lenkrad nach links und drückte das Gaspedal komplett durch. Erschrocken klammerte ich mich an das Armaturenbrett vor mir, versuchte, die Augen zu schließen, doch es gelang mir nicht. Wie gebannt starrte ich auf die Straße vor uns, wartete ab, was er vorhatte. Auch die beiden Typen, die uns vermutlich aus dem Auto zerren wollten, rissen erschrocken die Augen auf und sprangen im letzten Moment zur Seite, bevor Jesper sie mit sich reißen konnte. Als ich schließlich erkannte, was er vorhatte, wurde ich panisch. Die Straße war viel zu schmal für zwei Autos geworden - vor allem wenn eines davon schräg stand - und daneben ging es einen kleinen Abhang zu einem Waldstück herunter. Er war nicht sonderlich steil oder lang, konnte im Auto jedoch trotzdem wirklich gefährlich werden, wenn die Reifen abrutschten. Der Wagen könnte sich überschlagen und wir würden ungebremst gegen die Bäume krachen. Keine sonderlich angenehme Vorstellung.

»Das kannst du doch nicht machen! Du wirst uns umbringen!«, sagte ich lauter als nötig. Die Panik hatte Besitz von meiner Stimme ergriffen und ich konnte meine Lautstärke nicht mehr kontrollieren.

»Und wie ich das kann.«, gab er ruhig zurück, den Blick fest auf die Straße geheftet und drückte das Pedal noch ein Stück weiter nach unten.

Die nächsten Sekunden verschwammen vor meinen Augen. Ich hörte ein lautes Kratzen, als würde jemand mit seinen Fingernägeln an einer Tafel entlang schaben, nur viel lauter. Plötzlich ertönte ein Krachen, dann ein dumpfer Schlag. Irgendetwas war hinter uns auf den Boden gefallen. Als Jesper wieder einlenken wollte, zog er zu weit nach rechts. Einer der Hinterreifen rutschte über die Straßenkante und drohte, uns den Abhang herunter zu ziehen.

»Komm schon! Komm schon! Wir müssen das schaffen!«

Verzweifelt schlug Jesper mit einer Hand aufs Lenkrad ein und drückte das Gaspedal durch, so stark er konnte und als ich gerade die Hoffnung aufgegeben hatte und die Augen schloss, schaffte Jesper es, das Auto zurück auf die Straße zu lenken. Als sich mein rasender Herzschlag einigermaßen beruhigt hatte, fand ich meine Stimme wieder.

»Wow.«, brachte ich mühsam hervor.

»Danke. Ich weiß auch nicht wie ich darauf gekommen bin. Du hattest Recht. Eigentlich war das der pure Selbstmord.«

Ein kurzes Lachen entfuhr ihm und sendete warme Wellen durch meinen Körper. Auch ich musste lachen, doch bei mir löste es einen stechenden Schmerz in meinen Rippen aus, was mich augenblicklich verstummen ließ. Drückende Stille senkte sich über den Innenraum des Autos. Ich schaute aus dem Fenster und versuchte meinen Kopf leer zu bekommen. Was war da nur passiert? Eben war ich noch ein ganz normales Mädchen gewesen und von einem Tag auf den anderen veränderte sich mein ganzes Leben, ohne mich auch nur ansatzweise um Erlaubnis zu bitten oder mich zumindest vorzuwarnen. Doch allem voran geisterte dieses seltsame Gefühl in meinem Kopf herum, dass ich beim Blick in Jespers Augen empfunden hatte. Es war wie ein Erwachen gewesen. Als hätte ich zum ersten Mal in meinem Leben gespürt, wie es war, richtig zu leben. Ich hatte alles intensiver wahrgenommen, die Farben, die Luft. Selbst mein Körper schien zu bemerken, dass sich etwas verändert hatte. Die Luft strömte tiefer in meine Lungen, mein Herz transportierte mehr Blut und ich fühlte mich wirklich lebendig.

Stunden vergingen, ohne dass wir auch nur ein Wort miteinander wechselten. Die Sonne verschwand immer wieder zwischen dicken grauen Wolken, bevor sie schließlich von einem Regenschauer verschluckt wurde, der in ein Schneegestöber überging. Entweder die Männer in den schwarzen Jeeps hatten die Verfolgung aufgegeben, oder sie hatten schlichtweg die Fährte verloren, auf jeden Fall verfolgten sie uns nicht länger. Es wurde spürbar kälter im Wageninneren und ich fuhr meinen Sitz zurück, um ihn in Liegeposition zu bringen, bevor ich eine Jacke meines Vaters von der Rücksitzbank nahm und mich damit notdürftig zudeckte, um der Kälte zumindest ein wenig entfliehen zu können.

Schließlich konnte ich es nicht länger aushalten und brach das Schweigen.

»Was war das vorhin zwischen uns?«, fragte ich leise und drehte meinen Körper zu Jesper. Er hatte seinen Blick immer noch fest auf die Straße geheftet, doch seine Miene wurde weicher. Schließlich holte er tief Luft.

»Du hast es also auch gespürt. Ich dachte, meine Fantasie geht mit mir durch, aber es war unglaublich. Ich habe mich anders gefühlt. Irgendwie so…«

»Lebendig?«

»Nein. Das war es nicht. Es war, als wäre ich nicht länger hier. Ich war irgendwo anders. Alles war dort so heiß, als stünde die Welt in Flammen. Alles ist mir entglitten, bis auf deine Augen. Sie waren wie ein Rettungsanker. Diese grünen Augen. Wusstest du, dass deine Augen nicht komplett grün sind? Da ist dieser braune Ring um deine Pupille und diese goldenen Flecken in deiner Iris. Es sieht aus wie eine Wiese im Sommer mit…«

Als er mein Grinsen bemerkte, verstummte er sofort. Anscheinend hatte er erst jetzt bemerkt, dass er einen Vortrag über meine Augenfarbe gehalten hatte.

»Entschuldige, das war unangebracht.«, sagte er und räusperte sich.

»Ach, ich fand es eigentlich sehr faszinierend.«, erwiderte ich und musste noch breiter Grinsen. Unweigerlich tauchte vor meinem inneren Auge das Bild seiner blauen Iris auf. So unendlich blau wie das Wasser am Strand. Und diese dunklen Flecken dazwischen, wie ein Nachthimmel. Schnell schüttelte ich den Gedanken von mir ab. Ich wollte nicht auch noch über seine Augen philosophieren. Am Ende würde mir noch ein Wort davon entschlüpfen. Mein Grinsen schwand und ich wurde wieder ernst, als ich bemerkte, dass er meine Frage noch nicht beantwortet hatte.

»Weißt du was das war, zwischen uns?«, wiederholte ich meine Frage von vorhin.

»Nein, ich habe leider so gut wie keine Ahnung was das war aber wir werden es herausfinden. Einverstanden?«

»Auf jeden Fall. Hast du gerade ›so gut wie‹ gesagt?«, fragte ich und hob eine Augenbraue. Er schwieg, öffnete den Mund, schloss ihn wieder, schwieg schließlich weiter.

»Eventuell. Aber das ist eine längere Geschichte. Du solltest dich ausruhen und wir reden morgen darüber, ok?«, fragte er und zog seine Augenbrauen zusammen, als würde ihm dieses Thema Kopfschmerzen bereiten. Ich wusste, dass wir beide erledigt waren und wollte ihn nicht weiter reizen, also beließ ich es bei einem einfachen ›ok‹, was ihn zu beruhigen schien. Ich drehte mich wieder zum Fenster und schaute in den immer dunkler werdenden Schneehimmel über uns, bis meine Lider schwer wurden und ich in einen traumlosen, tiefen Schlaf sank.

5

Als ich wieder aufwachte, war es mitten in der Nacht. Jesper hatte das Radio eingeschaltet und aus den Lautsprechern ertönte leise Musik. Ich musste gähnen und rieb mir die Finger, die von der Kälte der Nacht steif geworden waren. Jesper schien mich bemerkt zu haben, denn er warf mir einen kurzen Blick zu und schaltete dann das Radio aus.

»Wie lange habe ich geschlafen?«, fragte ich und musste erneut gähnen.

»Nicht so lange wie du hättest schlafen sollen. Vielleicht vier Stunden, wenn überhaupt. Wie fühlst du dich?«

»Es geht. Meine Rippen tun weh, aber das ist ja nichts Neues. Sie verfolgen uns nicht mehr, oder?«

Ohne eine Antwort abzuwarten, setzte ich mich auf, um nach hinten sehen zu können. Unser Wagen fuhr mutterseelenallein auf der Landstraße und in regelmäßigen Abständen säumten Laternen den Straßenrand. Der Schneefall von vorhin war wieder in einen Regenschauer übergegangen und ich hörte die Tropfen auf das Autodach prassen. Am Straßenrand hatten sich kleine Pfützen gebildet, die bereits dabei waren, zuzufrieren und immer, wenn Jesper durch eine von ihnen hindurch fährt, ertönte ein leises Knacken.

»Ich glaube nicht, nein. Du hast es zwar nicht mitbekommen, aber ich bin extra auf eine unbefestigte Landstraße ausgewichen, um Zivilisation vorerst zu vermeiden. So finden sie uns wahrscheinlich erstmal nicht. Hoffe ich zumindest.«, sagte er und ich nahm eine Bewegung in meinem Augenwinkel wahr. Ich drehte mich zu Jesper um und sah, dass er sich mit einer Hand die Augen rieb und die andere krampfhaft um das Lenkrad geschlossen hatte. Die Müdigkeit stand ihm trotz der Dunkelheit deutlich ins Gesicht geschrieben. Immer wieder musste er blinzeln, nur um die Augen danach wieder unnatürlich weit aufzureißen, bis sie begannen zu tränen.

»Wir sollten anhalten. Du wirkst müde.«, stellte ich fest und brachte meinen Sitz wieder in eine gerade Position.

»Ich würde ja anbieten, dass ich fahre, aber leider habe ich keinen Führerschein. Mein Vater hat es mir zwar grob beigebracht, aber ich bezweifle, dass das die Polizei überzeugt, falls wir angehalten werden. Obwohl, vielleicht ist genau das das, was wir tun sollten.«

»Die Polizei hinzuziehen? Ist dein Vater nicht Polizist? Sie wissen doch längst davon und sind an denen dran. Und noch mehr Aufmerksamkeit auf uns ziehen indem wir zur nächsten Wache fahren wenn die Gefahr besteht, dass sie auch da geschmierte Leute haben? Wir sollten lieber möglichst viel Distanz zwischen die und uns bringen. Ich kann weiterfahren.«, erwiderte er trotzig und rieb sich erneut die Augen.

»Bist du dir sicher? Komm schon, du bist den ganzen Tag durchgefahren. Wenn sie uns gefunden hätten wüssten wir es schon längst. Außerdem schläfst du doch praktisch schon mit offenen Augen oder nicht? Ich weiß, dass du weiterfahren willst, aber ich würde gerne auch noch ein wenig leben und wenn du am Steuer einschläfst und uns gegen den nächsten Baum lenkst wird daraus wahrscheinlich nichts.«

Dieses Argument schien ihn zu überzeugen. Er fuhr rechts ran und schaltete den Motor aus. Um uns herum wurde es dunkel, in der Ferne warf die nächste Straßenlaterne spärliches Licht ins Wageninnere. Ich fuhr meinen Sitz wieder zurück und drehte mich zu Jesper. Er machte es mir nach.

»Wenn die wieder kommen werde ich weiterfahren, egal wie müde ich bin.«, sagte er und löste seinen Sicherheitsgurt.

»Ich hoffe, dass du das tust.«, gab ich zurück und musste schmunzeln. Auch er zog einen Mundwinkel nach oben. Eigentlich wollte ich diese Stille genießen, sowohl Jesper als auch ich hatten dringend etwas Schlaf nötig, doch eine Frage in meinem Kopf ließ mich einfach nicht in Ruhe. Er war mir schon einmal aus dem Weg gegangen, noch einmal würde ich ihn nicht so einfach davon kommen lassen. Ich brauchte endlich Antworten.

»Du wolltest mir noch etwas erklären, erinnerst du dich?«, fragte ich leise und schaute unauffällig weg. Dennoch bemerkte ich im Augenwinkel, wie seine eben noch so milden Züge sich verhärteten und wieder diese Falte zwischen seinen Augenbrauen erschien.

»Wenn du es mir nicht erzählen willst, dann…«, setzte ich an, doch er unterbrach mich.

»Nein, du solltest es wissen. Naja, zumindest das, was ich darüber weiß, auch wenn das nicht allzu viel ist. Ich habe über dieses Phänomen gelesen, wenn man es als Phänomen bezeichnen kann. Kennst du dich in der ägyptischen Mythologie aus? Ich denke nicht. War für mich auch Neuland. Auf jeden Fall habe ich mich in ein Thema eingearbeitet, was in vielen Quellen als ›verwobenes Leben‹ bezeichnet wird, ich finde die Bezeichnung Seelenspaltung allerdings deutlich interessanter. Also, wie bereits gesagt geht das alles auf die ägyptische Mythologie zurück. Dort gab es diese Göttin namens Anat. Sie war die Göttin über Krieg und Liebe, gewissermaßen. Allerdings wurde sie zu einem Problem. Sie war bekannt für ihre Rachsucht. Oft hat sie Vergeltung in verheerendem Ausmaß verübt, sie war unberechenbar, deshalb haben sich die übrigen Götter einen Weg überlegt, sie in den Griff zu bekommen. Ihr wurde ihre Seele entzogen, zurück blieb eine leere Hülle. Nun kam allerdings ein anderes Problem auf sie zu, denn die Persönlichkeit von Anat war noch immer unweigerlich mit ihrer Seele verbunden und man konnte sie nicht einfach irgendwohin verbannen, ohne schreckliche Vergeltung befürchten zu müssen. Also hat man ihre Seele aufgespalten, in zwei Teile. Ihre rachsüchtige, kriegerische Seite und ihre liebenswürdige, leidenschaftliche Seite. Beide wurden aus Angst, sich wieder zusammenzufinden, in die entferntesten

Winkel der Erde geschleudert. Jedoch soll es ihren Seelenteilen möglich gewesen sein, in Sterblichen fortzubestehen. Diese Sterblichen sind dazu verdammt, die Charakterzüge zu übernehmen, die auch Anat gezeigt hat. Doch die zwei Seelenteile sehnen sich nach dem jeweils anderen Stück, ohne welches sie niemals wieder komplett sein können. Sollten sich die zwei Sterblichen, in denen Anats Seele weiterlebt, jemals über den Weg laufen, werden sie unzertrennlich sein, ihre Schicksale sind von nun an unweigerlich verwoben und sie haben angeblich die Macht, die Welt auf ewig zu verändern. Tut mir leid, ich weiß, dass das verrückt klingt.«

Ungläubig zog ich beide Augenbrauen in die Höhe und musterte Jesper skeptisch, der entschuldigend mit den Achseln zuckte.

»Du glaubst doch nicht an diesen Mist, oder?«, fragte ich schließlich.

» N e i n , nicht wirklich. Es ist nur Mythologie. Verrückte Geschichten, die sich verrückte Menschen vor vielen Jahren ausgedacht haben. Aber es beruhigt mich zumindest, irgendeine Erklärung zu haben. Dich nicht?«, gab er die Frage zurück und hob seinerseits eine Augenbraue.

»Normalerweise würde ich eine realere Erklärung vorziehen, aber wenn das das einzige, ist was ich bekomme, muss es wohl reichen. Hat mein Vater sich eigentlich gemeldet?«

»Nein, leider nicht. Ich habe versucht ihn anzurufen, doch es ist nur der Anrufbeantworter rangegangen. Vielleicht meldet er sich ja morgen.«, antwortete Jesper und sah mich mitfühlend an.

Wir verfielen in Schweigen. Ich lauschte den leisen Tropfen, die zuerst auf das Dach fielen und schließlich die Windschutzscheibe herunter rollten. In der Ferne konnte man leises Donnergrollen hören und der Schneematsch am Waldrand begann zu schmelzen. Lautlos fielen die kleinen, weißen Haufen in sich zusammen und wurden immer kleiner.

»Wir sollten beide versuchen noch etwas Schlaf zu bekommen.«, sagte Jesper leise und drehte mir den Rücken zu.

An Schlaf war jedoch nicht zu denken. Viel zu viele Gedanken schwirrten mir im Kopf herum und drückten unangenehm stark gegen das Innere meines Schädels. War an diesem Mythologie – Zeug vielleicht ein Funken Wahrheit? Nein, völlig absurd. Oder doch nicht? Das wäre tatsächlich eine Möglichkeit, alles zu erklären. Noch immer wusste ich nicht, was diese Männer eigentlich von mir wollten oder warum ich mich auf so unnatürlich starke Weise mit Jesper verbunden fühlte. An meine Eltern mochte ich gar nicht denken. Das Gefühl, dass meine Mutter mehr mit dieser ganzen Sache zu tun hatte, als ich mir im Moment vorstellen konnte, wurde unglaublich stark in meiner Brust und schien mir die Luft zum Atmen zu rauben. Und was war nur mit meinem Vater passiert? Er war der Einzige, der mir vielleicht alles hätte erklären können, der dafür sorgen könnte, dass sich alles noch zum Guten wendete und mir sagte, dass ich nicht verrückt war, sondern dass es für alles eine völlig normale Erklärung gab. Ich drohte, mich komplett in meinen Gedanken zu verlieren, als ich plötzlich ein leises vibrieren hörte. Ich suchte mit den Augen den Bereich ab, aus dem das Geräusch vermutlich kam und nahm einen schwachen Lichtschein in der Mittelkonsole wahr. Als ich begriff, dass es Jespers Handy war, zögerte ich, es gehörte schließlich ihm und ich wollte nicht in seine Privatsphäre eindringen, doch als er sich nicht rührte, beugte ich mich leise nach vorne und nahm es an mich. Auf dem Display erschien nur eine einzige Mitteilung, sie war von einer mir bekannten Nummer versendet worden: mein Vater. Erschrocken hielt ich mir eine Hand vor den Mund, um meinen Seufzer der Erleichterung zu unterdrücken und Jesper nicht zu wecken und öffnete die Nachricht.

Trefft mich morgen in Mokomon. Um zwölf Uhr an der Kreuzung vor dem verlassenen Haus. Ich warte auf euch. Versichert euch, dass ihr nicht verfolgt werdet. Geht es Carietta gut?

Mokomon. Das war nicht mehr weit weg!

Voller Freude musste ich grinsen und mir ein Schluchzen verkneifen. Er lebte! Und vielleicht konnte er mir alles endlich erklären. Ich starrte noch ein paar Minuten auf den Bildschirm, versicherte mich, dass ich wirklich die Nummer meines Vaters vor mir hatte und antwortete schließlich.

Alles klar. Wir werden da sein. Mir geht es gut Dad, wie geht es dir? Wurdest du verletzt? Was ist mit unserem Haus? Haben sie dich verfolgt? Hat Mom etwas damit zu tun? Ich brauche dringend eine Erklärung von dir!

Er brauchte ein paar Minuten, um zu antworten, doch seine Nachricht fiel knapp aus. Wahrscheinlich hatte er den geschriebenen Text mehrmals gelöscht und neu begonnen, was mich skeptisch machte.

Wir sehen uns morgen.

Mit einem mulmigen Gefühl in meinem Bauch legte ich das Handy zurück an seinen Platz und beobachtete, wie es langsam dunkler wurde und sich schließlich komplett ausschaltete. Es sah meinem Vater nicht ähnlich, so knapp zu schreiben. Normalerweise hätte er versucht, so viele Informationen wie möglich in diesen kurzen Nachrichten zu übermitteln oder mir zumindest eine meiner Fragen zu beantworten. Gerade wollte ich Jesper wecken und ihm erzählen, was unser morgiges Ziel sein wurde, da drehte er sich von selbst zu mir und atmete tief aus. Im Licht der Laterne und durch den Winkel, in dem er lag, konnte ich die dunklen Ringe unter seinen Augen deutlich erkennen. Wie lange hatte er wohl nicht geschlafen? Eine Nacht? Zwei? Vielleicht mehr. Ich überdachte meine Entscheidung erneut und kam zu dem Schluss, dass ich mich auch morgen noch entschuldigen könnte, sein Handy genommen zu haben und ihn zu informieren, wohin wir fahren müssten. Für den Moment sollte ich ihn allerdings schlafen lassen. Ich drehte mich mit dem Gesicht zur Scheibe und beobachtete wieder die Tropfen, die langsam das Glas herunterrannen. Das Donnern war leiser geworden, dafür konnte man jetzt am Himmel Wetterleuchten beobachten. Immer wieder wurden die Bäume zu meiner Rechten beleuchtet und für eine Sekunde glaubte ich, ein Reh erspähen zu können, welches allerdings in der nächsten Sekunde wieder verschwunden war. Obwohl ich noch immer sehr müde war, dauerte es lange bis ich meine Gedanken zum Schweigen bringen konnte.

Schließlich sank ich jedoch in einen unruhigen Schlaf, begleitet von Jespers blauen Augen.

Meine Ruhe währte nicht sonderlich lang. Nur gefühlte Sekunden hatte ich es geschafft zu schlafen, als ich unsanft an der Schulter gerüttelt wurde.

»Wach auf.«, sagte Jesper und als er bemerkte, dass ich bereits wach war, nahm er sofort die Hand von meinem Arm. Irgendetwas in seiner Miene verriet mir, dass er sauer sein musste. Ich blickte mich verschlafen um und sah, dass er bereits losgefahren war. Um uns herum befand sich nur Wald, auch die Straßenlaternen tauchten in immer größeren Abständen auf. In der Ferne konnte ich keine mehr erkennen. Es schien früher Morgen zu sein, man konnte beobachten, wie das dunkle Blau der Nacht den ersten Strahlen der Morgensonne wich. Den Übergang bildeten dicke graue Wolken, die verhängnisvoll über uns hinwegzogen. Als Gesamtbild sah der Himmel einfach nur fantastisch aus und ich staunte über das Farbenspiel.

»Ja ich bin wach. Was ist denn? Gibt es ein Problem? Werden wir etwa wieder verfolgt?«

Plötzlich alarmiert richtete ich mich kerzengerade auf und schaute mich um, nur um schließlich den Anflug eines Lachens auf Jespers Gesicht wahrzunehmen. Als er bemerkte, dass ich ihn musterte, verfinsterte sich seine Miene erneut.

»Nein, wir werden nicht verfolgt aber wir haben definitiv ein Problem!«, schnaubte er, plötzlich wütend.

»Du warst an meinem Handy. Warum? Hattest du vor, mir irgendwann davon zu erzählen?«

Sollte das ein Witz sein? Er fing wirklich einen Streit an? Wegen seinem *Handy*?

»Ist das dein Ernst? Ich habe geschlafen, falls es dir nicht aufgefallen ist und du übrigens auch. Ich wollte dich nicht wecken, so fertig wie du ausgesehen hast, entschuldige bitte. Mein Vater hat dir geschrieben, ich habe seine Nummer erkannt. Er will uns treffen, deshalb habe ich ihm geantwortet. Wäre es dir lieber gewesen, wenn ich die Nachricht ignoriert hätte?«, blaffte ich zurück und verschränkte die Arme vor der Brust.

»Hast du schon einmal etwas von Privatsphäre gehört? Du hast an meinem Handy nichts verloren.«

»Ich habe wirklich nur meinem Vater geantwortet. Wenn du denkst ich hätte herumgeschnüffelt... Er will uns in Mokomon treffen und da fährst du definitiv nicht hin, vielleicht wäre es besser, wenn...«, setzte ich an, doch er unterbrach mich forsch.

»Wir werden nicht hinfahren.«, sagte er schlicht und drückte noch ein wenig mehr auf das Gaspedal.

Geschockt von seiner Aussage ließ ich meine Arme sinken und drehte mich zu ihm. Seine Haare waren zerzaust, als hätte er sich im Schlaf wild hin und her geworfen, die Ringe unter seinen Augen waren jedoch deutlich kleiner geworden, was mich beruhigte. Immerhin würde uns ein plötzlicher Sekundenschlaf seinerseits nicht mehr umbringen. Er hatte beide Hände um das Lenkrad gekrampft, als versuchte er, irgendwie seine Wut abzubauen.

»W- Warum nicht? Ich dachte wir sollen uns mit ihm treffen? Das war doch auch dein Ziel, oder nicht?«

»Ja und das ist es immer noch. Ich wäre auch nach Mokomon gefahren, wenn dein Vater diese Nachrichten verfasst hätte, hat er aber nicht.«, behauptete er schlicht und verstärkte seinen Griff um das Lenkrad, sodass seine Fingerknöchel weiß hervortraten.

»Warum denkst du das? Es war schließlich seine Nummer!«, erwiderte ich bissig und drehte mich wieder von ihm weg. Was bildete er sich eigentlich ein? Ich würde doch wohl den Schreibstil meines Vaters erkennen!

»Weißt du eigentlich, wie einfach es ist, ein Handy zu stehlen? Warum hat er dir keine einzige deiner Fragen beantwortet? Warum hat er uns nicht angerufen, wenn es ihm doch so gut geht? Und glaubst du wirklich, dass er unverletzt aus dieser Sache rausgekommen ist? Komplett unverletzt? Ich bezweifle das. Wir werden einen Weg finden ihn zu kontaktieren, aber dieser Nummer solltest du in Zukunft nicht mehr antworten. Es wundert mich sowieso, dass sie uns über dieses Handy noch nicht geortet haben.«

Diese Erklärung verschlug mir die Sprache. Auch mir kam es gestern komisch vor, wie mein Vater geschrieben hatte, doch ich dachte es läge an den ungewöhnlichen Umständen. Langsam fühlte ich mich schlecht, da sogar Jesper meine Familie besser zu kennen schien als ich selbst. Gerade wollte ich ihn weiter über meinen Vater ausfragen, vielleicht wusste er ja noch irgendetwas, das schoss mir plötzlich ein vollkommen anderer Gedanke durch den Kopf.

»Du hast mir doch gestern von dieser ägyptischen Sage erzählt. Die mit der Seelenspaltung. Wieso hast du dich damit beschäftigt?«, fragte ich vorsichtig. Er wirkte sehr angespannt und ich wollte ihn nicht noch mehr verärgern. Seine Reaktion überraschte mich jedoch. Die Hände um das Lenkrad entspannten sich, sein Blick wurde etwas weicher.

»Es hat schon vor längerer Zeit angefangen. Ich hatte, naja, nennen wir es Probleme zu Hause. Ich bekam meine Gefühle einfach nicht unter Kontrolle. Alles fühlte sich falsch an, als ob ein Teil von mir fehlen würde. An einem Tag, an dem ich dachte, ich halte es einfach nicht mehr aus, die

Verzweiflung in meinem inneren war einfach zu groß, habe ich mich spät nachts noch an meinen Computer gesetzt und Nachforschungen betrieben. Das Phänomen der inneren Zerrissenheit war mir nicht komplett unbekannt. Und nach stundenlanger Suche bin ich auf diese Legende gestoßen. Und auf einmal hat alles Sinn gemacht. Meine Eltern haben natürlich versucht, mir das ganz schnell wieder auszureden und ich fing schon an, selbst komplett an mit zu zweifeln. Eines Tages jedoch wich meine innere Zerrissenheit einer unkontrollierbaren Vorfreude. So als wüsstest du, dass du ein wundervolles Geschenk überreicht bekommen wirst, du kannst es kaum noch erwarten, das Geschenk zu öffnen. Und dann habe ich mich in die Nähe dieses Quartiers getraut, in welchem du gefangen gehalten wurdest. Je näher ich deiner Zelle kam, desto stärker und unerträglicher wurde dieses Gefühl. Dann habe ich deine Zelle geöffnet.«

Jesper verstummte für einen Moment, atmete tief ein. Dann warf er mir einen langen Blick zu, als würde er überlegen, ob er das Folgende wirklich sagen sollte. Beim Gedanken an die Zelle überkam mich ein Schaudern, dennoch hing ich wie gebannt an seinen Lippen.

»Und dann hat sich dieses Gefühl in grenzenlose Erleichterung umgewandelt.«, beendete er seine Schilderung und wandte sich wieder ab.

»Erleichterung?«, fragte ich erstaunt. Das war es also schon?

»Naja, es war mehr als das. Es war eher, als hätte ich endlich meinen Seelenfrieden gefunden. Alle Lasten fielen von meinen Schultern und für einen kurzen Moment hatte ich das Gefühl, tiefer durchatmen zu können. Als du jedoch angeschossen wurdest, kam dieses Gefühl zurück, wieder war da diese bedrückende Sehnsucht und Verzweiflung.«

»Und jetzt?«, fragte ich und wartete gebannt auf eine Antwort.

»Jetzt im Moment? Jetzt ist alles gut. Ich fühle mich vollkommen normal, dieser innere Frieden ist wieder vorhanden. Ich glaube, und ja das klingt jetzt vermutlich einfach nur kitschig, dass du dafür verantwortlich bist wie es mir geht.«, sagte er und holte etwas zittrig Luft.

»Ja, das klingt tatsächlich sehr kitschig, wenn du mich fragst.«

Ich versuchte, einen ernsten Unterton beizubehalten, dennoch konnte ich mir ein leichtes Grinsen nicht verkneifen. Als er meinen Gesichtsausdruck bemerkte, schoss mir das Blut in die Wangen und ich wandte mich rasch ab. Eine Zeit lang fuhren wir schweigend weiter, Jespers Handy, welches noch immer in der Mittelkonsole lag, vibrierte dauerhaft, doch er ignorierte es gekonnt. Ein paar Mal wollte ich danach greifen, um den Anruf entgegenzunehmen, doch mit einem schlichten ›Nein‹ brachte er mich jedes Mal jäh zum Stocken, bis ich es schließlich komplett ließ. Meine Lider wurden schon wieder schwer, da ertönte ein ohrenbetäubendes Knurren aus meiner Magengegend.

»Wir sollten uns etwas zu Essen besorgen.«, stellte ich schlicht fest.

»Ich weiß, in ungefähr einer Stunde sollten wir in Sistonens Corners ankommen, da gibt es eine Tankstelle. Und duschen sollten wir vielleicht auch.«

Wieder verfielen wir in Schweigen. Ich betrachtete die Landschaft um uns herum. Der Dauerregen hatte sich endlich gelegt und eine graue Nebeldecke hing schwer über den Bäumen. Ab und zu erhaschte ich einen Blick auf das schwache Licht der Sonne, die sich einen Weg durch den grauen Schleier bahnte. Die Bäume, die den Straßenrand säumten, bogen sich unter dem Gewicht des schweren Schnees. Ein paar Mal glaubte ich, einen Elch in den Schatten der Bäume zu erhaschen, die Silhouette verschwand aber genauso abrupt wie sie aufgetaucht war und allmählich dachte ich, dass mein Verstand mir Streiche spielen wollte.

Der Wald lichtete sich schließlich und zum Vorschein kamen eine breitere Straße und einzelne Häuser, die den Straßenrand säumten. Alles war relativ einfach gehalten, wozu brauchte man hier draußen auch irgendwelchen Luxus außer einem funktionstüchtigen Ofen? Schmerzlich wurde ich an unser eigenes Haus erinnert. Die rauen Backsteinwände und der große Kamin im Wohnzimmer, in dem stets ein Feuer gebrannt hatte. Am Ende der

Häuserreihen kam eine kleine Tankstelle in unser Sichtfeld. Erleichtert stellte ich fest, dass die Tankstelle über ein kleines Nebengebäude verfügte, welches Toiletten und Duschen versprach. Wir hielten neben einer der Zapfsäulen und stiegen aus. Jesper tankte den Wagen voll, ich wollte mir lediglich die Beine vertreten, die von der langen Fahrt ganz taub geworden waren. Nachdem das Auto wieder vollgetankt war, ging Jesper in den Laden und kam wenig später mit einem Berg n Hygieneartikeln wieder heraus.

»Woher hast du das ganze Geld?«, fragte ich und starrte ungläubig auf die Zahnbürsten und anderen Duschartikel.

»Naja, ein bisschen was habe ich immer dabei. Notreserve. Und ich habe eventuell auch in einer Hose deines Vaters aus dem Kofferraum eine kleine Stange Geld gefunden?«

»Du hast das Essen vergessen.«, gab ich schlicht zurück und überspielte die Tatsache, dass er meinen Vater praktisch beklaut hatte.

»Erst gehen wir duschen, dann kannst du dir etwas zu Essen aussuchen.«

Eine halbe Stunde später kam ich frisch geduscht mit nassen Haaren und geputzten Zähnen aus dem Nebengebäude. Meine Socken und Unterwäsche hatte ich notdürftig in einem der Waschbecken gewaschen, die erstaunlich sauber waren. Im Eifer des Gefechts hatte ich mir ein altes T-Shirt meines Vaters aus dem Kofferraum geschnappt und meine Hose einfach ohne Unterwäsche angezogen. In die Schuhe war ich sockenlos gestiegen. Leider musste ich zugeben, dass ich das Gefühl ohne Unterwäsche in meinen Klamotten zu stecken, nicht gerade als angenehm empfand. Meinen Verband hatte ich in der Duschkabine gewechselt, penibel darauf bedacht, dass niemand die frische Naht zu Gesicht bekam. Beim Anblick der leicht geschwollenen Ränder, die eindeutig notdürftig und nicht professionell zusammengenäht worden waren, hatte mich ein Schauer überlaufen.

Jesper war noch nirgendwo zu sehen, deshalb entschloss ich mich dazu, die Toiletten aufzusuchen und einen der Handtrockner zum Trocknen meiner Wäsche zu verwenden, was sich allerdings als nicht sonderlich effektiv erwies. Weitere 15 Minuten verbrachte ich damit, meinen Slip zu trocknen, was mir ein paar seltsame Blicke einhandelte, die ich geflissentlich ignorierte, doch schließlich war er tatsächlich so trocken, dass ich ihn anziehen konnte.

Jesper wartete bereits vor der Tür der Toiletten auf mich. Auch seine Haare waren nass und kräuselten sich zu leichten Locken. Locken? Ich dachte immer, er hätte glatte Haare? Als ich bemerkte, dass ich ihn unbesonnen anstarrte, wendete ich schnell den Blick ab. Trotz dieser seltsamen Umstände musste ich zugeben, dass er in seinem Aufzug, wieder komplett in schwarz und mit nassen Haaren, verdammt gut aussah.

»Kommst du?«, fragte er unbeeindruckt und verlagerte sein Gewicht von einem Fuß auf den anderen.

Ich nickte nur und folgte ihm in den Laden. Im Inneren roch es nach Pommes und Benzin, die Einrichtung war karg gehalten und von der Decke baumelten alte Lampen, vielleicht aus den Sechzigern oder Siebzigern. Auf der linken Seite stand die Kasse der Tanksäulen, dahinter reihten sich Alkoholflaschen und Zigaretten die Wand entlang. Auf der anderen Seite schien sich ein kleiner Fastfood-Laden zu erstrecken. Daher kam also der Pommes Geruch. Die übrigen Wände waren mit Regalen versehen, auf denen verschiedene Snacks verweilten. Ich entschied mich gegen eine Portion Pommes oder einen Milchschake, griff stattdessen zu Chips und Schokolade. Ein bisschen Nervennahrung konnte nicht schaden. Vorsichtshalber nahm ich mehrere Packungen von beidem, weil ich nicht wusste, wie lange wir wieder unterwegs sein würden, bevor wir frisches Essen bekamen. Schließlich holte ich noch zwei große Flaschen Wasser und lief zurück zu Jesper. Er hatte sich für den Fastfood Stand entschieden und nahm gerade seinen Burger und einen großen Eimer Pommes entgegen.

»Du willst nichts Richtiges zu essen?«, fragte er und beäugte skeptisch meine Ausbeute.

»Ich bekomme gerade nichts runter. Vielleicht nehme ich mir später auch einfach die Pommes.«, erwiderte ich achselzuckend, musste aber dennoch schmunzeln. Wir gingen an die Tankkasse und bezahlten mein Essen, bevor wir wieder zurück zum Wagen liefen. Gerade wollte ich einsteigen, da bemerkte ich etwas. Der Seitenspiegel an meiner Tür fehlte. Ein paar lose herunterhängende Kabel waren die einzigen Beweise seiner ehemaligen Existenz.

Kurz musste ich überlegen, warum der Spiegel fehlte, da fiel mir Jespers halsbrecherisches Manöver wieder ein und das komische Geräusch, das ich gehört hatte. Er hatte den Seitenspiegel abgefahren. Na super. Wenn uns jetzt eine Streife anhielt, waren wir geliefert.

Kopfschüttelnd stieg ich ins Auto und ließ die Wasserflaschen und alles bis auf eine Tüte Chips in den Fußraum fallen. Jesper folgte mir nur Sekunden später. Er drückte mir den Eimer Pommes in die Hand, um fahren zu können und ich begann gedankenverloren, eine Pommes nach der anderen in meinen Mund zu schieben. Nachdem ich fast die Hälfte des Eimerinhalts gegessen hatte, drehte ich mich zu Jesper.

»Willst du keine Pommes?«, fragte ich kauend und schluckte den letzten Bissen herunter.

»Ich habe sie für dich gekauft. Mir war klar, dass du sie essen würdest.«, sagte er achselzuckend und verzehrte den letzten Rest seines Burgers.

War ja klar. Warum sonst hätte er mir den Eimer in die Hand drücken sollen. Aber tatsächlich hatte ich meinen Hunger bis zu diesem Zeitpunkt gar nicht bemerkt. Ich hatte eigentlich noch viele Fragen, die ich ihm stellen wollte, doch ich begann mit einer simplen, unverfänglichen Frage.

»Wohin fahren wir?«

»Nach Thunder Bay. In einer größeren Stadt haben wir die Chance ein günstiges Hotel zu finden. Ein richtiges Bett täte mir mal wieder gut. Außerdem ist dort das Risiko geringer, von diesen Typen gefunden zu werden. Leider gehe ich davon aus, dass wir noch zwei Tage brauchen werden. Also noch zwei Nächte im Auto.«, antwortete er und sah mich einen Moment an.

»An sich hört sich das nach einem guten Plan an. Aber warum brauchen wir zwei ganze Tage? Rosslyn ist nur zwanzig Minuten von Thunder Bay entfernt. Können wir nicht einfach die direkte Verbindung benutzen?«

»Leider nicht. Ich muss abgelegene Landstraßen benutzen, damit wir möglichst nicht gefunden werden können.«, erklärte er und sah mich mitleidig an.

»Wahrscheinlich musst du noch ein bisschen mit Tankstellenfraß zufrieden geben.«

Ich musste trotz der Umstände über seine Wortwahl schmunzeln und auch ihm entfuhr ein kurzes Lachen.

»Hat mein Vater sich gemeldet?«, fragte ich und warte gebannt auf eine Antwort.

»Noch nicht. Ich hoffe, dass wir in Thunder Bay irgendwelche Möglichkeiten finden, Kontakt zu ihm aufzubauen.«

Na super. Immer noch keine Antwort. Plötzlich schoss mir ein Gedanke durch den Kopf. Lebte er überhaupt noch? Vielleicht war er ja schon tot. Was, wenn ich ihn in unserem Keller das letzte Mal in meinem Leben gesehen hatte? Ein weiterer Gedanke folgte. Was war eigentlich in mich gefahren, diesem völlig fremden Jungen zu vertrauen? Ich kannte nichts außer seinem Namen! War ich komplett verrückt geworden? Plötzlich packte mich die Panik. Es schien, als würde die gesamte Last der vergangenen Tage mit einem Mal über mir zusammenbrechen. Heiße Tränen füllten meine Augen und ich konnte sie nicht davon abhalten, über meine Wangen zu fließen. Meine Hände begannen zu zittern und ich umklammerte den Eimer, um es vor Jesper zu verstecken, doch nach einem leisen Schluchzen drehte er sich erschrocken zu mir.

»Was ist los Cari?«, fragte er in plötzlicher Alarmbereitschaft.

»Ich... Ich kann... Ich kann nicht.«, erwiderte ich zitternd. Vor mir tat sich ein Abgrund auf, in den ich zu fallen drohte. Alles wurde immer dunkler, ich wurde von meinen Gefühlen erschlagen. Vage nahm ich wahr, dass Jesper den Wagen am Straßenrand anhielt und ausstieg. Nur Sekunden später öffnete sich meine Tür. Er beugte sich über mich und löste meinen Sicherheitsgurt, nahm mir den Eimer aus der Hand und drehte mich zu sich.

»Was. Ist. Los?«, fragte er eindringlich. Zwischen seinen Augenbrauen hatte sich eine Sorgenfalte gebildet. Ich versuchte, meine Stimme unter Kontrolle zu bekommen, doch das Zittern wollte einfach nicht aufhören. Und da kapierte ich endlich, was los war. Ich hatte eine Panikattacke. Als ich schließlich meinen Mund öffnete, hörte sich meine Stimme dünn und weinerlich an.

»Er... er ist vielleicht schon lange tot! Und ich... ich... fahre jetzt hier herum... nach Thunder...Thunder Bay. Ich habe keine Ahnung... ob er überhaupt noch lebt! Seit zwei Tagen warten wir auf eine Nachricht... irgendein Lebenszeichen, aber es kommt nichts. Und was tue ich in der Zwischenzeit? Ich sitze in dem gottverdammten Auto meines Vaters, mit dir! Ich... ich kenne dich nicht mal! Ich weiß deinen Namen und sonst... sonst gar nichts! Vielleicht bist du ja einfach nur ein Serienmörder, der mein Vertrauen gewinnen will oder sonst noch was! Weißt du eigentlich... wie verloren ich mich gerade fühle? Mein ganzes Leben... es ist einfach so auseinander gebrochen!«

Ich wurde immer lauter, warf ihm immer mehr Dinge vor, warf mir selbst immer mehr Dinge vor, meine Hände und Beine zitterten immer stärker. Tränenflüsse strömten meine Wangen herab und bildeten nasse Flecken auf meinem Shirt. Statt mich anzuschreien, blieb Jesper ganz ruhig, vermied jedoch direkten Blickkontakt zu mir. Ich war kurz davor zu schreien, so stark hatte ich mittlerweile in die Situation hineingesteigert, da zog er mich auf die wackeligen Füße und ich fiel praktisch gegen ihn, bevor er mich in eine enge Umarmung nahm.

»Shhh. Es wird alles gut.«, flüsterte er in meine Haare, die noch immer feucht an meinen Wangen klebten.

Erleichtert stellte ich fest, dass das Zittern langsam nachließ und mein Tränenschwall sich nach und nach in ein Schluchzen verwandelte, bevor ich mich komplett beruhigen konnte. Obwohl ich eigentlich so viel Distanz zwischen uns bringen wollte wie möglich, konnte ich mich nicht von ihm lösen. Tief in meinen Eingeweiden breitete sich eine wohltuende Wärme bis in meine Fingerspitzen aus, die meinen Puls wieder komplett beruhigte.

»Warum hast du diese Wirkung auf mich? Warum fühle ich mich in deiner Nähe so sicher? Es scheint, als könnte mir nichts auf der Welt mehr etwas anhaben, dabei kenne ich dich gar nicht!«, fragte ich schniefend.

»Willst du die Antwort wirklich wissen?«, erwiderte er und trat einen Schritt zurück, nachdem er mich aus seiner Umarmung entließ. Als Bestätigung nickte ich nur.

»Weil wir füreinander bestimmt sind. Ohne den jeweils anderen sind wir nicht vollständig, wir fühlen uns, als würde ein Teil fehlen. Zumindest geht es mir so.«, gab er leise zu und da trafen sich unsere Blicke. Die Wärme, die angenehm in meinem Inneren verweilte, verwandelte sich in eine kribbelnde Hitze. Alles um mich herum verschwamm in den buntesten Farben. Selbst die eisige Kälte spürte ich nicht mehr an meiner Haut nagen. Völlig fasziniert blickte ich in diese strahlend blauen Augen, die mich bereits in meinen Träumen heimgesucht hatten. Ich könnte versuchen, mich selbst anzulügen, doch das würde die Tatsache nicht ändern, dass ich drauf und dran war, mich in diesen Typen zu verlieben, den ich vor so kurzer Zeit kennengelernt hatte. Die Sekunden verstrichen quälend langsam und Jesper schien genauso fasziniert zu sein wie ich, gefangen im Moment. Sein Mundwinkel zuckte, langsam nährte sich sein

Gesicht meinem und zwischen uns schien es zu einem stillen Einverständnis zu kommen.

»Werde ich es bereuen?«, fragte ich leise und musste ein Schmunzeln unterdrücken.

»Hoffentlich nicht.«, flüsterte er und überwand die letzte Distanz zwischen uns.

Ich konnte seinen Atem auf meiner Haut spüren, nahm seinen Geruch wahr, eine Mischung aus Tannennadeln, Aftershave und Minze. Ganz langsam schloss ich meine Augen, lehnte mich nach vorne und meine Umgebung wurde still, als würde auch sie den Atem anhalten und abwarten, was als Nächstes passierte.

6

Zuerst nahm ich die Schüsse, die hinter uns abgefeuert wurden, nur als ein dumpfes Klopfen wahr, zu benebelt waren meine Sinne von der Nähe Jespers. Als er rasch einen Schritt zurücktrat, kam es mir vor, als hätte mich jemand vor den Kopf gestoßen. Alle Farben, die vorher intensiv gewesen waren, schienen jetzt wie Graustufen. Ich wollte mich beschweren, doch Jesper zog mich zurück zum Wagen, schubste mich auf den Beifahrersitz und hechtete auf die andere Seite. Noch bevor ich mich angeschnallt hatte, drückte er das Gaspedal durch und wir rasten davon. Ich wollte fragen, was überhaupt los war, hatte immer noch keinen Überblick über die Situation, da barst die Heckscheibe plötzlich in Millionen kleine Scherben, die auf uns prasselten wie Hagelkörnchen. Erschrocken drehte ich mich um und das Blut gefror mir in den Adern.

Der schwarze Jeep. Er war wieder aufgetaucht. Und er holte auf, und zwar schnell.

»Cari? Du musst mir jetzt zuhören!«, schrie mir Jesper über den plötzlich sehr laut gewordenen Fahrtwind hinweg zu. Ich war immer noch vollkommen starr vor Schreck, nickte jedoch.

»Wir haben hier auf offener, ebener Straße keine Chance gegen sie. Wir sind unbewaffnet, sie nicht. Wenn ich dir das

Zeichen gebe, reißt du deine Tür auf so weit wie du kannst und springst.«

Hatte er sie noch alle? Ich glaubte, Jesper war vollkommen übergeschnappt. Aus einem fahrenden Auto springen?

»Ich werde den Wagen hochgehen lassen. Du musst aus dem Auto springen, sonst stirbst du! Hast du mich verstanden? Denk einfach nicht nach und spring!«, warf er hinterher und sah mich eindringlich an. Wieder verschwamm alles um uns herum und ich wusste, dass ich keine andere Wahl hatte, als ihm zu vertrauen. Jesper drehte sich nach hinten, griff auf der Rücksitzbank nach irgendwelchen Dingen, während er mit den Knien steuerte. Als mir eine plötzliche Hitze in den Nacken stieg, duckte ich mich instinktiv und drehte mich um. Jesper hatte die Rücksitzbank angezündet.

»Wenn irgendetwas schief geht, benutz den hier. Lauf immer nach Osten. Ich werde dich finden. Du schaffst das. Sobald du gesprungen bist, lauf.«

Springen. Rennen. Osten. Ehe ich irgendetwas erwidern konnte, drückte er mir einen Kompass in die Hand. Einen Kompass. Sollte das ein Witz sein?

»Jetzt!«, schrie er mir zu und dann passierten mehrere Dinge auf einmal. Er verlangsamte den Wagen, damit wir besser springen konnten. Hinter uns ertönten Schüsse. Ich schaltete meinen Verstand aus und stemmte mich mit aller Gewalt gegen die Tür, kämpfte zuerst mit dem Fahrtwind, doch dann bot sich mir eine Gelegenheit. Ich presste den Kompass an meine Brust und sprang.

Der Aufprall verlief härter als gedacht. Ich hatte mir meine Umgebung nicht gut genug angesehen, eigentlich überhaupt nicht, deshalb hatte ich den steilen Abhang gar nicht bemerkt. Als ich mit der Schulter auf der Straßenkante aufkam, fuhr mir ein stechender Schmerz durch den ganzen Arm und ich schrie auf. Dann rollte ich den Hang hinab. Ich überschlug mich mehrmals, stieß mir meinen Kopf irgendwo, mein Sichtfeld verschwamm, mein Blick wurde noch unscharfer, als er durch das stetige Rollen sowieso schon war. Den Kompass drückte ich immer noch um jeden Preis gegen meine Brust, als wäre es das Wertvollste, das ich besaß. Eine gefühlte Ewigkeit rollte ich den Berg weiter herunter, alles drehte sich. Dann krachte mein Rücken mit einem dumpfen Schlag gegen den Stamm eines Baumes und ich spürte die Naht meiner Wunde aufreißen. Vor Schmerzen flossen mir Tränen über die Wangen, ein dünner Blutfaden beeinträchtigte meine Sicht, dennoch konnte ich das Auto meines Vaters, welches ein paar Meter weiter zum Stehen gekommen war, deutlich erkennen. Und dann erkannte ich etwas anderes. Der schwarze Jeep blieb nur zwei Meter hinter dem Wagen stehen, die Männer, die ausstiegen, kontrollierten mit gezogener Waffe den Wagen. Plötzlich ging alles ganz schnell. Ich hörte einen von ihnen »Achtung. Der scheiß Wagen brennt!«, schreien, dann flog die ganze Szenerie in die Luft. Autoteile segelten durch die Luft und rollten den Abhang herunter. Die Männer lagen alle auf dem Boden und rührten sich nicht mehr. Stoffstücke regneten in einiger Entfernung auf den Boden, manche brannten noch eine Weile im Schnee.

Geschockt beobachtete ich die Situation, doch nichts bewegte sich mehr, nur die Autos standen, fröhlich vor sich hin brennend, auf der verlassenen Straße. Ich versuchte aufzustehen. Mein ganzer Körper brannte, mein rechtes Auge war durch das Blut fast vollkommen blind. Vorsichtig tastete ich meine Stirn ab und spürte einen tiefen, brennenden Riss direkt über meiner Augenbraue, aus dem dicke rote Tropfen strömen. Verdammt. Danach versuchte ich, meinen rechten Arm zu heben und stelle erleichtert fest, dass außer den Schmerzen nichts Ernsthaftes vorhanden zu sein schien. An meinem Rücken konnte ich eine Schwellung ertasten und auch meine Rippen waren angeschwollen. Mein Oberteil war blutgetränkt. Ich wollte mich schon in Bewegung setzen, musste mich in der Kälte endlich bewegen, als ich schwarze Punkte am Rand meines Sichtfelds bemerkte. Ich würde ohnmächtig werden. Das durfte doch nicht wahr sein! Ich musste zu Jesper! Er hatte zwar gesagt, wir würden uns woanders wieder treffen, aber ohne ihn würde ich diesen Ort niemals finden. Für ein paar Schritte reichte meine Kraft noch, dann knickten meine Beine unter mir ein und ich stürzte auf Knie und Hände. Immer mehr schwarze Punkte tanzten vor meinen Augen, meine Sicht wurde immer unscharfer. Schließlich gaben meine Arme nach und ich fiel mit dem Gesicht voran in die weiche Schneedecke, bevor die Ohnmacht süße Träume um mich spann.

Es ist ein warmer Sommertag, die Sonne scheint grell und blendet mich. Ich halte einen Ball in der Hand. Mein Vater steht in ein paar Meter Entfernung gegenüber von mir und hält auffordernd die Hände vor sich.

»Na komm schon Cari! Wirfst du jetzt oder nicht?«, ruft er mir zu. Ich hole aus und werfe mit aller Kraft, dennoch schafft es der Ball nicht bis zu ihm, sondern fällt einen Meter vor ihm ins Gras und rollt ihm vor die Füße. Er will gerade zurückwerfen, da höre ich eine vertraute Stimme und drehe mich schlagartig um. Meine Mutter sitzt auf einer Picknickdecke im Gras und hält ein Sandwich in die Höhe.

»Na kommt schon! Ihr spielt schon viel zu lange, da muss man auch mal etwas essen!«, ruft sie und lächelt mich an.

Mein Blut gefriert mir in den Adern. Da sitzt sie, lebendig und gesund. Direkt vor mir. Ich erinnere mich gut an diesen Tag, es war eine Woche vor meinem zehnten Geburtstag. Das Wetter war so schön, dass meine Mutter uns gezwungen hatte, in den Park zu gehen. Ich will mich der Illusion hingeben, dass ich sie wirklich erreichen kann, dass ich sie in die Arme schließen kann. Ich beginne zu rennen, direkt auf sie zu, doch auf halbem Weg bemerke ich, wie meine kindlichen Beine immer länger werden, mein Körper wächst, mein Haar reicht mir plötzlich bis zu den Schultern, dann bis zur Hüfte. Ich stolpere über einen Stein und falle der Länge nach hin. Mit einem Stöhnen richte ich mich auf und blicke direkt in die warmen, braunen Augen meiner Mutter. Ich kann nicht verhindern, dass mir Tränen in die Augen steigen, so schön ist es, sie wieder zu sehen.

»Mom.«, flüstere ich mit brüchiger Stimme.

»Cari, du bist groß geworden. Und so wunderschön.«, erwidert sie und auch in ihre Augen tritt ein verräterisches Funkeln.

»Was ist passiert? Warum habe ich dich verloren?«, frage ich und mehr Tränen fließen über meine Wangen.

»Ich habe versucht dich zu retten.«

»Aber wovor denn?«

»Vor dir selbst. Und vor ihm. Er ist nicht der, für den du ihn hältst. Du wirst an ihm zugrunde gehen.«, sagt sie und zeigt in die Ferne. Zuerst kann ich nichts erkennen, doch dann zeichnet sich eine Silhouette am Horizont ab. Ich erkenne die Haare und diese Augen. Jesper.

»Wie meinst du das? Er hat mir das Leben gerettet. Nicht nur einmal. Er würde mir nichts antun!«, sage ich und meine Stimme geht in ein Flüstern über.

»Oder?«

»Er wird dich vernichten. Aber du liebst ihn, nicht wahr?«, fragt sie und lächelt mich wissend an. Es hat keinen Sinn ihr etwas vorzumachen und mein Schweigen scheint ihr zu reichen. Sie nickt.

»Dann muss es wohl so kommen. Hast du die Zeichen nicht bemerkt? Wirklich nie? Sie waren überall.«, fügt sie noch hinzu.

»Du sprichst in Rätseln Mom. Was meinst du? Wovon sprichst du?«

Sie steht auf und hält mir ihre Hand hin. Dankbar will ich sie ergreifen, um endlich auf die Füße zu kommen. Meine Fingerspitzen sind nur noch Zentimeter von ihren entfernt, da löst sich der Traum in schwarzen Nebel auf. Verzweifelt trommle ich mit meiner Faust in das Nichts. Ich habe meine Mutter verloren. Schon wieder.

Plötzlich verschwindet der schwarze Nebel und weicht einem Zimmer. Meinem Zimmer. Eine Wand rosa gestrichen, ein kleineres Himmelbett und ein Schrank mit rosa Akzenten. So sah mein Zimmer bis zu meinem sechsten Lebensjahr aus, doch jetzt sehe ich es mit anderen Augen. An der Wand neben meinem Bett hängt eine Landkarte von Ägypten. Es sieht aus, als wurden Hieroglyphen handschriftlich hinzugefügt, die die Ränder der Karte säumen. Auch auf meinem Boden sind überall Hieroglyphen auf Papier gezeichnet, doch sie sehen nicht vollständig aus. Eine Hälfte der Zeichen ist ordentlich schraffiert, die andere hat jedoch verschwommene Umrisse, als würde das Wissen fehlen, wie sie vollständig auszusehen hat. Ich blicke mich noch immer fasziniert um, schaue auf meine Hände und bemerke die bunten Flecken darauf. Habe ich diese Bilder gezeichnet? Die Tür geht auf. Meine Mutter sieht mich geschockt an, dann scheint sie die Fassung zurückzuerlangen und hebt eines der Bilder auf, mit dem sie hastig den Raum verlässt. Die Szenerie zerschmilzt zu schwarzen Rauchschwaden.

Eine andere Erinnerung taucht vor mir auf. Meine Eltern sind mit mir nur einmal in den Urlaub gefahren. Nach New York. Ich sehe mich selbst aus den Augen meines Vaters. Klein, mit kurzen, dünnen Härchen auf dem Kopf, im Kinderwagen liegend. Wir betreten das Brooklyn Museum und steuern geradewegs auf die ägyptische Sammlung zu. Mein Vater stellt den Kinderwagen neben die Ausgrabungen einer antiken Grabstätte und einen Sarkophag, der zur Schau gestellt wird, um ein Bild von einer imposanten Statue zu schießen, da passiert etwas Seltsames. Es wirkt, als würden blaue Rauchschwaden aus dem Sarkophag emporsteigen. Wie lange, dünne Tentakel bahnen sie sich einen Weg zu dem Kinderwagen, in dem ich liege. Mein Vater ist so in *seine Arbeit vertieft, dass er mein Weinen nicht wahrnimmt. Immer weiter gleiten die Nebelschwaden über den Boden und ranken sich an den Reifen herauf. Mein Schreien verstummt, als die kleinen Tentakel in Nase und Mund kriechen. Auch die anderen Besucher scheinen diesen seltsamen Vorfall nicht zu bemerken. Ein kleines Leuchten geht von dem Wagen aus. Jetzt endlich dreht sich mein Vater zu mir und aus seinen Augen spricht blanke Furcht. Ich sehe mich selbst, sehe, wie sich ein winziger goldener Ring um meine Pupille bildet der leuchtet und flackert wie eine Flamme.*

Wieder ein neues Bild. Nein. Nur Schwärze, die allmählich von Licht geflutet wird. Zuerst spüre ich nur ein leichtes Ziehen, als hätte mir jemand eine Schnur um den Bauch gebunden und würde mich damit führen wollen, doch das Ziehen verwandelt sich in en Zerren und Brennen. Meine Sicht verschwimmt, ich schreie aus vollem Leib.

Dann wachte ich auf.

Keuchend holte ich Luft und öffnete meine Augen, doch ich konnte nichts sehen. Vorsichtig tastete ich mein Sichtfeld ab und zog kurz darauf ein nasses, gefrorenes Blatt von meinem Gesicht. Ich sah weiß. Schnee. Und in ein paar Meter Entfernung den Beginn eines undurchdringlichen Waldes. Nach und nach kamen meine Erinnerungen zurück. Das Auto. Die Schüsse. Der Sprung. Erschrocken stellte ich fest, dass der Kompass verschwunden war. Ich suchte nach ihm, vergebens. Er musste mir aus der Hand gefallen sein und nun hatte ihn die Schneedecke unter sich begraben. Als ich mühsam aufstand, begannen meine Beine zu zittern. Meine Kleidung war vollkommen durchnässt und meine Haare hingen strähnig und mit Blättern übersäht, noch immer leicht feucht und inzwischen auch gefroren, in mein Gesicht. Als ich eine der Strähnen wegwischte, glitzerten meine Fingerspitzen rot. Die Wunde an meinem Kopf. Vorsichtig tastete ich meine Stirn ab. Anscheinend hatte der Riss aufgehört zu Bluten, der Schnee hatte das getrocknete Blut aufgeweicht. Es war ein Wunder, dass ich nicht schon längst erfroren war. Da kam mir ein anderer Gedanke. Ich blickte den Abhang zu meiner linken Seite nach oben. Dort standen noch immer die zwei Wagen, keine Polizei weit und breit. So verlassen war diese Straße also. Kein Wunder, dass sie uns ausgerechnet hier abgefangen hatten. Das Feuer war erloschen, beide Autos vollkommen ausgebrannt.

Ich kam nur langsam voran bei meinem Versuch, den Hang wieder herauf zu klettern. Immer wieder rutschten meine Füße weg oder mir verschwamm für einen kurzen Moment die Sicht, als würde ich wieder ohnmächtig werden. Mein Oberteil klebte unangenehm kalt und eng an meinem Oberkörper und auf meinen Armen und Fingern zeichneten sich allmählich Erfrierungen ab. Nach einer Ewigkeit bekam ich endlich den Asphalt zu fassen und zog mich auf die Straße. Mittlerweile dämmerte es. Die rötlichen und pinken Strahlen der untergehenden Sonne gemischt mit den dichten, grauen Wolken kündigten eine kalte Nacht an. Ich musste Jesper finden. Vermutlich war ich schon komplett unterkühlt und eine Nacht ohne Feuer oder irgendeinen Schutz hier draußen überlebte kein normaler Mensch.

Die Männer lagen noch immer reglos da. Manche Körperteile waren grotesk gekrümmt oder standen seltsam ab. In einem plötzlichen Anflug von Angst griff ich nach einer Pistole, die auf der anderen Straßenseite lag und relativ unversehrt aussah. Vielleicht funktionierte sie gar nicht mehr, doch als Abschreckung taugte sie sicherlich. Der Abhang, den Jesper genommen haben musste, war nicht mal ansatzweise so steil wie meiner, doch auch er könnte sich ernsthaft verletzt haben.

»Jesper?«, flüsterte ich, als ich am Waldrand angekommen war. Stille. Ich versuchte es lauter.

»Jesper?«

Wieder keine Antwort. Mittlerweile war die Sonne soweit gesunken, dass ich in dem Wald fast nichts mehr erkennen konnte. Das einzige Geräusch war das Knirschen des Schnees, als ich mir vorsichtig einen Weg in das dunkle Dickicht bahnte.

»Jesper!«, schrie ich aus vollem Hals und blickte mich verzweifelt um. Wieder keine Antwort. Verdammt! Das durfte doch nicht wahr sein! War er vielleicht schon nach Osten gelaufen und wartete jetzt vergeblich auf mich? Der Kompass war weg. Wo verdammt befand sich Osten überhaupt? Heiße Tränen sammelten sich in meinen Augen und ich ließ mich schluchzend gegen einen Baumstamm sinken. Meine Beine zitterten zu sehr, um weiterlaufen zu können. Ich spürte weder meine Zehen noch meine Fingerspitzen, als ich auf dem Boden aufkam. Schmerzhaft schlugen meine Zähne aufeinander. So würde also mein Ende aussehen. Langsam wurde es um mich erstaunlich ruhig. Das Zittern ließ nach, es war auf einmal gar nicht mehr so kalt wie ich angenommen hatte. Meine Lider wurden schwer. Müde kämpfte ich gegen den drohenden Schlaf an, ich würde erfrieren, doch ich war zu schwach. Die Pistole glitt mir aus den Händen und mein Kopf fiel gegen den Stamm. Die dunklen Umrisse der Bäume und Sträucher wurden immer unklarer, mir wurde immer wärmer. Erschöpft sanken meine Augenlider, immer tiefer. Ich meinte, eine schwarze Gestalt hinter einem der Bäume wahrzunehmen, doch mein Verstand spielte mir bestimmt einen Streich. Da sah ich plötzlich jemanden auf mich zu rennen.

»Hey, da bist du ja. Ich habe dich gesucht.«, flüsterte ich und lächelte müde, doch meine Augen schlossen sich, noch ehe Jesper mich erreicht hat.

»Cari! Verdammt, wach endlich auf! Bitte.«

Zuerst war es nur ein Wispern, doch dann wurde die Stimme immer lauter. Sie drang mir bis ins Mark und ich öffnete meine Augen.

Feuerschein war das erste, was ich sah. Ich lag noch immer im Wald, doch unter mir spürte ich nicht den Schnee, sondern etwas Wärmeres, Raueres. Ich musste ein paar Mal blinzeln, bevor ich eine Decke erkennen konnte. Ich war wie ein Sushi darin eingerollt und darüber lag nochmal eine Decke. Ich wollte mich drehen, da spürte ich noch etwas anderes. Ich lag nicht allein in meiner Sushi Rolle und ich hatte auch keine nassen Kleider mehr an. Ein übergroßes T-

Shirt bedeckte meine Brust und ich wurde zusätzlich von etwas gewärmt, das sich als Arm herausstellte. Mühsam drehte ich meinen Kopf und blickte direkt in die blauen Augen von Jesper. Erleichterung klärte die Falte zwischen seinen Augenbrauen. Sein Arm ruhte auf meinem Bauch, er war oberkörperfrei. Röte stieg mir in die Wangen, doch ich war zu schwach, um mich von ihm wegzuschieben.

»Na endlich.«, sagte er und stieß ein Seufzen aus.

»Ich dachte du wärst tot.«

»Ich glaube, das war ich auch fast. Was ist passiert?«, fragte ich und rieb mir über die Augen. Hastig schob Jesper meinen Arm wieder unter die Decken.

»Woher hast du das ganze Zeug?«, setzte ich noch hinterher und musterte ihn skeptisch.

»Ich bin aus dem Auto gesprungen und konnte mich direkt abrollen und wieder auf die Füße kommen. Als ich dich schreien gehört habe, wollte ich zurück rennen, ich wusste, dass irgendetwas schief gegangen war, doch ich wurde von zwei Typen verfolgt. Ich bin ewig vor ihnen weggerannt, bis ich eine Hütte gefunden habe. Dort habe ich mich versteckt, bis ich mir sicher war, dass sie verschwunden sind. Von dort habe ich auch die Decken. Ich wollte zurück zu dem Unfallort, da hab ich dich an dem Baum lehnen sehen. Deine Lippen waren schon ganz blau, du warst komplett unterkühlt. Eigentlich wollte ich dich zu der Hütte tragen, aber so viel Zeit blieb dir nicht mehr. Deswegen habe ich hier ein Feuer gemacht und zusätzlich versucht, dich durch meine Körperwärme zurückzuholen. Warum bist du so zugerichtet?«, fragte er und legte vorsichtig die Hand an den Riss auf meiner Stirn.

»Sagen wir es so: mein Abhang war etwas steiler als deiner. Ich hab mir eventuell den Kopf aufgeschlagen, meine Naht wieder aufgerissen und bin ohnmächtig geworden, bevor ich zu dir laufen konnte. Ich hab den Kompass verloren und hatte Angst, dass du schon losgelaufen sein könntest, deswegen wollte ich dich suchen. Dass der frische Schnee meine Kleidung komplett durchnässt und meinen Körper unterkühlt hat, habe ich erst ein paar Minuten später gemerkt. Dann bist du aufgetaucht.«

Lange Zeit schwiegen wir, ich schmiegte mich einfach nur an Jesper, versuchte, alles für einen Moment auszublenden. Versuchte zu ignorieren, dass ich aus irgendeinem Grund keine Erfrierungen mehr besaß und auch noch nicht verblutet und dass Jesper es geschafft hatte, mitten im Schnee ein Feuer zu entzünden. Aus dem Wald um uns herum hörte man immer wieder leises Rascheln, doch in seiner Nähe fühlte ich mich sicher. Ich wollte uns keine neuen Probleme auftischen, doch in meinem Hinterkopf randalierte ein Gedanke, den ich einfach nicht länger ignorieren konnte.

»Jesper, was wäre, wenn diese Legende, von der du mir erzählt hast, nicht nur eine Legende wäre, sondern die Wirklichkeit?«, fragte ich vorsichtig.

»Wie kommst du denn jetzt darauf?«

Stillschweigend überlegte ich, ob ich ihm von meinen seltsamen Träumen erzählen sollte. Doch er musste es wissen. Es wäre nicht fair von mir, ihm etwas vorzuenthalten, das auch ihn betraf.

»Als ich ohnmächtig war, habe ich von meiner Mutter geträumt. Ich habe ein paar meiner alten Erinnerungen durchlebt. Meine Eltern sind mit mir nur einmal in den Urlaub gefahren, nach New York. Wir waren im Brooklyn Museum. Mein Vater liebte es, Bilder zu machen, er fotografierte einfach alles. Manchmal vergaß er dabei auch seine Umgebung. So war es auch an diesem Tag. Ich war noch ganz klein, er hat mich im Kinderwagen vor sich her geschoben und nur kurz abgestellt, um ein Bild von einer Statue der Ägyptenausstellung zu machen. Ich habe geschrien, da waren blaue Rauchschwaden, sie sind in mich gekrochen, ich konnte sie spüren. Ich glaube…«, meine Stimme brach. Mit einem Mal stürmten alle Erinnerungen auf mich ein und fluteten meine Gedanken.

»Ich glaube, das war die Seele von Anat. Ich weiß das klingt verrückt und du glaubst mir wahrscheinlich nicht, aber ich…«, begann ich, doch Jesper fiel mir ins Wort.

»Hey, ich glaube dir sehr wohl. Du warst diejenige, die diesen Mythologie Nonsens nicht geglaubt hat, nicht ich. Ich weiß nur nicht, was das jetzt für uns bedeutet.«

»Wir müssen mehr über diese Legende herausfinden. Hast du dein Handy noch?«, fragte ich und setzte mich ruckartig auf, was mir einen heißen Schmerz durch den ganzen Körper jagte. In meinem Kopf nahm ein Plan Gestalt an. Er zerbrach jedoch so schnell wie er aufgekommen war als Jesper mir antwortete. »Nein. Ich habe es im Auto liegen lassen.«

»Dann müssen wir nach Thunder Bay. So schnell wie möglich.«

»Erstmal müssen wir dich ins Krankenhaus bringen. Du hast dir ernsthafte Verletzungen zugezogen. Denk bloß nicht, dass ich die Schwellung an deinem Rücken nicht bemerkt habe. Dann können wir vielleicht eine Bücherei aufsuchen und anfangen, nachzuforschen.«

»Und was willst du den Leuten da erzählen? ›Entschuldigen Sie, meine Freundin ist aus einem fahrenden Auto gesprungen und einen Berg heruntergerollt. Ich weiß nicht, ob sie sich etwas gebrochen hat oder nicht. Können Sie sie bitte durchchecken?‹ Die werden denken, dass du mich verprügelt hast oder sonst irgendwas und die Polizei rufen.«, gab ich zu bedenken und drehte mich zu ihm um. Mir war noch immer kalt, doch die Decken und das nahe Feuer boten einen guten Ausgleich.

»Deine Wunde muss genäht werden und auch nach der aufgeplatzten Naht muss geschaut werde, sonst verblutest du womöglich noch. Wir müssen es versuchen. Ich bekomme das schon irgendwie auf die Reihe, lass das meine Sorge sein.«, antwortete er schlicht.

»Aber jetzt da du anscheinend wieder fit bist, können wir uns auch zu der Hütte aufmachen.«

Ich riss die Augen auf.

»Du machst Witze, oder? Weißt du wie viele gefährliche Tiere hier draußen rumlaufen? Die warten doch nur auf so leichte Beute wie uns. Die können doch bestimmt mein Blut wittern.«, sagte ich entsetzt und zog die Decke höher.

»Dir ist klar, dass wir hier schutzlos am Feuer eine deutlich leichtere Beute darstellen als in dieser Hütte? An deiner Stelle wäre ich schon losgelaufen.«, scherzte er und zog einen Mundwinkel nach oben.

»Na schön. Aber du läufst vor! Und ich werde dich zurück lassen, wenn wir angegriffen werden! Die können dich nehmen, wenn sie dafür mich verschonen!«, erwiderte ich und musste über meine eigenen Worte lachen.

»Meinetwegen.«

Er schälte sich aus den Decken, achtete dabei aber genau darauf, sie mir nicht auch vom Körper zu ziehen. Dann schnappte er sich die oberste Decke und wickelte sie sich um seinen Oberkörper. Schlagartig wurde es kälter und ich rollte mich wieder zusammen, bevor er mir seine Hand anbot. Fröstelnd kam ich auf die Beine, immer noch war mein Stand nicht sicher. Ich machte es ihm nach und wickelte die Decke eng um meinen Körper. Jesper nahm einen brennenden Ast vom Feuer und begann dann, die Stelle mit Schnee zuzuschaufeln. Nach und nach wurde es immer dunkler um uns, nur der Schein der improvisierten Fackel erhellte sein Gesicht. Er lief zu der letzten Decke hinüber und rollte sie mitsamt meiner nassen Kleidung ein. Als er gerade aufbrechen wollte, fiel mir plötzlich etwas ein.

»Warte kurz!«, rief ich ihm zu und machte auf dem Absatz kehrt. Als ich mich vorhin erhoben hatte, war mir die schwarz glänzende Stelle im Schnee aufgefallen. Mit zittrigen Fingern hob ich die Pistole auf und ließ sie zwischen den Falten der Decke verschwinden.

»Was hast du da hinten geholt?«, fragte mich Jesper als ich wieder zu ihm zurück gelaufen war. Stolz zeigte ich ihm die Waffe und er zog eine Augenbraue nach oben.

»Funktioniert sie überhaupt noch?«

»Ich habe keine Ahnung. Eigentlich habe ich sie in erster Linie mitgenommen, um potenzielle Feine abzuschrecken.«, sagte ich achselzuckend und er grinste belustigt.

»Du weißt doch nicht mal wie man so ein Ding bedient.«

»Und die wissen nicht, dass ich das nicht weiß.«, gab ich zurück.

»Also, wo müssen wir lang?«

Er nahm meine Hand in seine, mit der anderen hielt ich die Pistole und versuchte, meine Decke zusammenzuraffen. Unsere Füße hinterließen Spuren im Schnee, als er mich durch den dunklen Wald zog.

7

Von einer verlassenen Hütte im Wald erwartete man eigentlich gar nichts, eine funktionierende Tür wäre allerdings ein guter Anfang gewesen. Die Bretter waren morsch und im Inneren roch es, als wäre ein Tier gestorben. In der Mitte der Wand gegenüber der Tür stand ein weitgehend unbeschädigter Kamin mit einem Schneehaufen darin, der anscheinend durch den Abzug im Dach gefallen war, daneben stapelte sich Feuerholz. In dem Bett an der linken Seite befanden sich zwar Matratzen, diese strotzten jedoch so vor Dreck, dass ich mich freiwillig auf den Boden davor sinken ließ. Jesper zog hinter uns die Tür zu, laut schabte das Holz über die Veranda und blieb schief im Türrahmen stecken.

»Ich weiß nicht, ob wir die später wieder aufbekommen.«, sagte er und lachte. Er schaffte es, selbst aus dieser misslichen Lage etwas Positives zu ziehen. Nach einer Ewigkeit schaffte er es, ein Feuer im Kamin zum Brennen zu bekommen. Das Holz war feucht, es qualmte die ganze Hütte voll, bevor der Rauch schließlich im Abzug durch das Dach verschwand. Vorsichtig legte er meine nasse Kleidung auf den Stein über der Öffnung. Mit einem Gähnen ließ Jesper sich neben mich vor das Bett fallen.

»Kluge Entscheidung dich nicht da drauf zu legen. Am Ende bekommt man noch Läuse von dem verseuchten

Ding.«, sagte er und drehte sich prüfend zu der Matratze um, bevor er ein abfälliges Schnauben von sich gab.

»Ich glaube, dann krabbeln weitaus schlimmere Parasiten auf dir herum als nur Läuse.«, erwiderte ich und musste ebenfalls lachen. Das Feuer tauchte die Hütte in ein angenehmes, warmes Licht und allmählich entspannten sich meine verkrampften Muskeln. Mein Kopf wurde schwer und ich ließ ihn auf Jespers Schulter sinken.

»Danke.«, flüsterte ich und schloss die Augen.

»Wofür?«
»Ohne dich wäre ich da draußen erfroren.«
»Schon gut. Wir bekommen das schon irgendwie hin.«

Er redete weiter, doch ich hörte seine Stimme nicht mehr klar. Mein Atem beruhigte sich, mein Herzschlag wurde langsamer und schließlich gelang es mir irgendwie, einzuschlafen.

Ich konnte nicht sagen, wie lange ich geschlafen hatte. Als ich meine Augen öffnete, kitzelten mich Sonnenstrahlen, die durch die Löcher in den morschen Brettern nach innen drangen. Als ich bemerkte, dass mein Kopf im Schlaf nach hinten gekippt sein musste, richtete ich mich angeekelt auf. Ein Schauer jagte mir den Rücken herunter. Ich sah mich um. Jesper saß nicht mehr neben mir. Seine Decke lag ordentlich zusammengefaltet auf dem Bett, darauf meine Kleidung. Das Feuer war erloschen und qualmte noch ein kleines bisschen. Ich stand auf und zog mich hastig an, bevor ich erleichtert bemerkte, dass ich fast keinen Muskelkater hatte. Allein mein Rücken schmerzte und als ich die Stelle abtastete, an der ich den Baum gerammt hatte, spürte ich noch immer eine dicke Schwellung. Meine Erleichterung wurde jedoch so schnell zermalmt, wie sie in mir aufgekommen war, denn mir wurde sehr schwindlig. Schwarze Punkte tanzten vor meinen Augen, begrenzten mein Sichtfeld. Taumelnd stützte ich mich an einer der Holzwände ab und wartete, bis der größte Schwindel verflogen war. Ich wollte mich wieder aufrichten, da überkam mich eine plötzliche Übelkeit und ich übergab mich in die Kaminasche. Erneut drehte mich der Schwindel und ich sank auf die Knie. Ich hörte hinter mir die Tür quietschen und spürte kurz darauf eine Hand an meiner Schulter.

»Was ist los?«, hörte ich Jesper fragen. Angst schwang in seiner Stimme.

»Ich... ich weiß es nicht. Ich bin aufgestanden, da wurde mir plötzlich…«

Wieder musste ich mich übergeben und krümmte mich unter den Schmerzen in meinem Bauch und meinen Rippen.

»Dein Sturz gestern. Die Wunde. Ich wusste, du hast dich ernsthaft verletzt. Wahrscheinlich ist es ein Schädel–Hirn–Trauma. Wir müssen dich in ein Krankenhaus bringen. Ich habe draußen Schnee gesammelt und wollte den gerade eigentlich zu Wasser abkochen. Denkst du, dass du allein bleiben kannst, bis ich wieder da bin? Ich versuche auch, mich zu beeilen.«

Mit diesen Worten verschwand der Druck an meiner Schulter und Jesper verließ die Hütte. Ich konzentrierte mich voll auf meine Atmung, versuchte, die Übelkeit zu unterdrücken. Einatmen. Ausatmen. Langsam ließ der Druck auf meinen Magen nach und ich krabbelte zurück zur Bettkante, strich mir die nun verschwitzten Haare aus der Stirn und schloss die Augen. Warum war mir das nicht früher aufgefallen? Es lag doch klar auf der Hand. Die Wunde, das viele Blut. Mein Schwindel und die Ohnmacht. Klare Anzeichen einer Verletzung, die tiefer ging. Doch wie schwer war sie, dass sie mir am nächsten Tag immer noch Schwierigkeiten bereitete? Er hatte Recht, ich musste schnell in ein Krankenhaus, bevor noch Langzeitschäden auftraten. Die Wunde könnte sich auch entzünden, und das war in Gehirnnähe vermutlich verdammt gefährlich.

Ich war wieder kurz davor einzuschlafen, als Jesper schließlich genug Wasser abgekocht hatte, um es trinken zu können. Er kniete sich vor mich und reichte mir das Behältnis. Das Wasser schmeckte metallisch und ich verbrannte mir die Zunge, doch es tat verdammt gut. Ich ignorierte den Schmerz und trank hastig ein paar Schlucke. Es war nicht optimal, doch für den Moment würde es ausreichen.

»Ich weiß es wird schwer werden, doch wir müssen noch immer nach Thunder Bay. Außerdem bekommen wir mächtig Probleme mit der Polizei, wenn die die Autos und dann uns finden. Ich weiß nicht, wie wir das denen erklären sollen, du etwa?«, setzte er an und streckte mir die Hand hin. Ich nahm sie dankbar, schüttelte allerdings den Kopf.

»Nein. Wir müssen wirklich los.«, sagte ich entschlossen und rappelte mich auf.

»Wenn wir an der Straße entlang laufen, haben wir vermutlich einen einfacheren Weg und vielleicht kann uns auch jemand mitnehmen.«, setzte ich noch hinzu, doch Jesper antwortete nicht. Stattdessen stützte er mich, als wir aus der Hütte heraustraten und uns einen Weg aus dem Wald bahnten.

»Warte.«, sagte ich und wollte mich losmachen, doch Jesper hielt mir unerbittlich fest.

»Was ist denn?«

»Hast du die Pistole?«

»Ja, ich habe die Pistole. Du bist ja förmlich verrückt nach diesem Ding.«, sagte er und lachte leise. Mir jedoch war gar nicht nach Lachen zumute. Das war vielleicht das einzige *Ding*, das uns half, die Reise nach Thunder Bay unversehrt zu beenden. Bis jetzt war schon zu viel schief gelaufen. Ohne weitere Worte erreichten wir die Straße und ich musste schlucken. Der Tatort war abgeriegelt und ein Polizeiwagen stand in einiger Entfernung am Straßenrand.

»So. Auf der Straße entlang laufen, ja? Sehr gute Idee, wirklich. Hast du noch einen anderen Masterplan?«, fragte Jesper mich leise, um den Officer nicht aufzuschrecken, dennoch bemerkte ich den vorwurfsvollen Unterton in seiner Stimme. Ich hörte ihn weiterreden, doch das Blut rauschte immer lauter in meinen Ohren, denn ich hatte den Polizisten erkannt, er nicht.

»Dad.«, flüsterte ich und riss mich von Jesper los, der meine Worte nicht verstanden zu haben schien. Ich ignorierte den Schwindel und lief immer weiter, geradewegs auf den Tatort zu. Selbst aus dieser Entfernung hatte ich die blonden Haare mit den silbernen Strähnen erkannt, die in der Sonne glitzerten.

»Dad!«, wiederholte ich, dieses Mal deutlich lauter und er drehte sich um. Sein Gesicht spiegelte verschiedene Emotionen wider, die ich nicht richtig deuten konnte. Es war eine Mischung aus Erstaunen, Freude und Besorgnis.

»Carietta?«, fragte er ungläubig und schloss mich fest in die Arme. Ich stöhnte auf vor Schmerz und er ließ mich hastig los. Wieder übermannte mich der Schwindel und ich kippte zur Seite. Hinter mir hörte ich auch Jesper ankommen.

»Sie muss in ein Krankenhaus. Sie hat sich den Kopf angeschlagen. Ich kann nicht sagen, wie schlimm es ist. Es tut mir leid.«, sagte er und ich konnte das Bedauern in seiner Stimme hören. Auch mein Vater schien es wahrzunehmen, denn er nickte nur und hob mich mühelos hoch. Gemeinsam liefen sie zu seinem Auto und er legte mich auf die Rücksitzbank.

»Wie lang brauchen wir von hier nach Thunder Bay?«, fragte Jesper und ich hörte meinen Vater seufzen.

»Vielleicht eine halbe Stunde? Ich schaffe es aber sicher auch in 15 Minuten.«, erwiderte er und drückte aufs Gas. Ich versuchte, mich irgendwie an den Sitzen festzuhalten, um nicht herumgeschleudert zu werden, wenn mein Vater scharf in die Kurven bog, doch mir entglitt immer wieder die Kontrolle über meine Hände und meine Sicht verschwamm. Nach schier endlosem Herumschlingern hielt mein Vater endlich an. Vor meinen Augen drehte sich alles und mir war so schlecht, dass ich mich jeden Moment hätte übergeben können, doch ich wollte den Dienstwagen von ihm nicht ruinieren. Die Tür hinter meinem Kopf öffnete sich und ich spürte starke Arme, die mich vorsichtig herauszogen. Sie gehörten Jesper. Erschöpft ließ ich meinen Kopf gegen seine Brust sinken und schloss die Augen. Schnelle Schritte ertönten und wurden immer lauter.

»Was ist passiert? Sie sieht ja furchtbar aus! Folgen Sie mir!«, hörte ich eine weibliche Stimme sagen. Ihr Tonfall klang sachlich und distanziert, dennoch konnte ich die Besorgnis deutlich heraushören.

»Sie ist gestürzt und die Treppen heruntergefallen, dabei hat sie sich den Rücken und den Kopf angestoßen. Ihr ging es anfangs gut, doch heute Morgen hat sie sich übergeben und immer wieder starke Schwindelanfälle gehabt.

Deswegen sind wir her gefahren.«, hörte ich Jesper antworten.

Es erstaunte mich, wie leicht ihm die Lüge über die Lippen kam. Die Treppen runtergefallen? Ja, ich verstand, dass wir ihr nicht sagen konnten was wirklich passiert war, aber ein Sturz? Etwas Besseres fiel ihm nicht ein?

»Sie hätten sie früher herbringen sollen, sei es auch nur zur Kontrolle. Sie hat vermutlich ein Trauma erlitten, das kann ernsthafte Folgen haben. Ich denke, ich muss Ihnen nicht sagen, wie unverantwortlich das war?«, fragte sie vorwurfsvoll.

»Es tut uns leid, wir verstehen Ihren Ärger. Können Sie ihr helfen?«, griff mein Vater ein und ich spürte seine Hand sanft über meine Stirn streichen.

»Wir müssen sie untersuchen. Ich weiß nicht, wie schwer das Trauma ist. Die Wunde sieht nicht gerade sauber aus. Was sagten Sie sei ihr zugestoßen? Ein Treppensturz? Dafür ist ihre Kleidung ausgesprochen dreckig. Ich werde mich um sie kümmern, aber das müssen Sie mir später genauer erklären. Sie haben doch nicht etwa Ärger mit dem Gesetz?«

Mein erster Gedanke lautete: sie wusste es. Doch noch ehe ich den Mund aufmachen und irgendetwas sagen konnte, antwortete mein Vater schlicht: »Sie sehen meinen Wagen? Hier ist meine Dienstmarke. Ich bin Polizist und würde es wohl sehr genau wissen, wenn sie Ärger mit dem Gesetz hätten.«

Das schien sie zu beruhigen, denn sie schwieg und ich spürte, wie Jesper sich in Gang setzte. Ich wurde auf einer weichen Unterlage abgelegt und spürte, wie mir jemand im Gesicht herumfummelte, während sich mein Bett in Bewegung setzte. Ich wollte die Hand wegschlagen, doch meine Glieder gehorchten mir nicht mehr. Meine Augenlider wurden angehoben und ich blickte direkt in einen hellen Lichtstrahl. Erschrocken kniff ich die Augen zusammen und drehte meinen Kopf weg.

»Pupillenreflexe normal.«, hörte ich die Ärztin sagen. Sie war wieder zurück in ihren sachlichen Ton verfallen.

»Ich muss noch ein paar Untersuchungen durchführen. Sie können draußen Platz nehmen, wenn ich bitten darf.«

Ich hörte Schritte, dann eine Tür zufallen. Es folgten weitere, endlose Untersuchungen, dann wurde die Wunde an meiner Stirn genäht. Ich bekam eine Infusion und meine Schmerzen ließen spürbar nach. Als ich in einen anderen Raum geschoben und schließlich in ein weiches Bett gelegt wurde, war ich einfach nur froh, dass sie meine Rippen nicht gesehen zu haben schien. Offensichtlich war sie in Eile gewesen, denn nach einem kurzen Blick auf meine Wirbelsäule hatte sie mein Shirt wieder heruntergezogen und einer Krankenschwester einen Begriff zugerufen, der wie *Thorax* klang. Daraufhin hatte die Schwester irgendeine Flüssigkeit in den Tropf eingeführt, und sowohl der Schwindel als auch die Übelkeit waren vollkommen verschwunden.

Als ich die Tür knarren hörte, öffnete ich die Augen einen Spalt und blickte in die besorgten Gesichter von Jesper und meinem Dad.

»Hey, wie geht es dir?«, fragte Jesper und setzte sich ans Ende des Bettes.

»Schon viel besser. Sie haben meine Wunde genäht und mir wahrscheinlich Schmerzmittel gegeben. Mir ist nicht mehr schlecht oder schwindelig. Die Schmerzen in meinem Rückgrat haben auch nachgelassen.«, antwortete ich und musste mich räuspern. Gerade wollte er etwas erwidern, da öffnete sich die Tür erneut und die Ärztin betrat den Raum. Ihr Gesicht war eine Miene unterkühlter Sachlichkeit und erzwungener Freundlichkeit.

»Also. Die gute Nachricht ist, dass es kein sehr schweres Trauma war. Es ist zwar eine starke Gehirnerschütterung, doch sie muss nicht operiert werden. Die Prellung an ihrer Wirbelsäule ist auch nicht schlimm, aber sie muss sich schonen! Wir werden sie über Nacht hier behalten. Die Straße runter gibt es ein gutes Hotel, da können Sie übernachten.«, erklärte sie schlicht.

»Ich bleibe bei ihr.«, warf Jesper sofort ein und griff nach meiner Hand. Obwohl er mir eigentlich immer noch sehr fremd war, erfüllte mich diese Geste mit Wärme - und einem anderen Gefühl. Sehnsucht? Schnell schob ich den Gedanken von mir und nickte nur, als mich die Frau fragend ansah.

»Ich weiß, es geht mich wahrscheinlich nichts an, aber was genau ist passiert? Ein Treppensturz erklärt die Wunde am Kopf und die Prellung am Rücken, aber die Schusswunde? Sie sind mir eine Erklärung schuldig.«, sagte sie und war einen Blick Richtung Tür, um sich zu vergewissern, dass ihr niemand gefolgt war.

Mist. Ihr war die Wunde also doch nicht entgangen. Was machten wir jetzt? In meinem Hals bildete sich ein Kloß. Ich fühlte mich in eine Ecke gedrängt, bedroht wie ein wildes Tier. Fieberhaft überlegte ich, welche glaubhafte Lüge wir ihr auftischen könnten, als mein Vater plötzlich das Wort ergriff und eine Geschichte zu spannen begann, die selbst ich geglaubt hätte, wäre ich nicht dabei gewesen, als der Schuss abgefeuert worden war.

»Sie müssen mir versprechen, niemandem etwas davon zu verraten. Ich habe als Polizist natürlich auch eine Dienstwaffe und ja, ich weiß, dass ich sie nicht zu Hause rumliegen lassen sollte, aber ich habe es einfach vergessen. Als meine Tochter vor ein paar Tagen gegen den Küchentisch gestoßen ist, ist die Waffe heruntergefallen und ein Schuss hat sich gelöst und sie gestreift. Ich wollte sie ins Krankenhaus bringen, doch sie hat sich geweigert. Sie wollte nicht, dass ich meinen Job verliere, was mit Sicherheit passiert wäre.«

Machte er Witze? Wenn die Ausrede von Jesper schon schlecht war, was war dann bitte das hier? Das würde sie ihm niemals abkaufen! Und selbst wenn sie es täte, würde sie ihn melden müssen! Was hatte er nur angerichtet! Ich blickte verzweifelt zwischen der Frau und meinem Vater hin und her. Er hatte sich selbst auflaufen lassen, um meinen Kopf aus der Schlinge zu ziehen. Und Jespers.

»Es tut mir leid, aber ich werde sie anzeigen müssen, dazu bin ich verpflichtet.«, sagte sie und warf mir einen teilnahmsvollen Blick zu. »Tut mir leid, Kleine.«

Ich drehte mich weg, nickte allerdings. Ich musste das Spiel meines Vaters mitspielen, ob ich wollte oder nicht. Er hatte mir eine Chance gegeben, die ich nicht einfach wegwerfen durfte.

»Ist schon in Ordnung. Können Sie uns jetzt bitte allein lassen? Ich würde gerne ungestört mit meiner Tochter reden können.«, sagte er und sah sie auffordernd an. Die Ärztin nickte und verließ leise den Raum.

»Dad, warum hast du das getan? Uns wäre doch bestimmt etwas anderes eingefallen! Du hast gerade deinen Job weggeschmissen!«, sagte ich und gegen meinen Willen lösten sich heiße Tränen aus meinen Augenwinkeln.

»Ich verschaffe euch Zeit. Ihr könnt morgen früh weiter. Ich nehme an, ihr habt ein Ziel?«

»Aber doch nicht ohne dich! Wir haben dich die ganze Zeit gesucht! Du darfst mich nicht allein lassen! Nicht schon wieder.«

Meine Stimme brach und ich wendete mich beschämt ab. Jesper drückte meine Hand und warf mir einen traurigen

Blick zu. Dennoch verstand ich die Botschaft, die in seinen Augen stand: es geht nicht anders.

Ich wandte mich wieder meinem Vater zu.

»Du musst mir alles erzählen, was du weißt! Von jetzt an darf es keine Geheimnisse mehr geben.«, sagte ich und hörte mich dabei stärker an, als ich mich fühlte. Er nickte bedächtig und setzte sich auf einen Stuhl neben dem Bett. Die Gedanken wirbelten in meinem Kopf herum. Ich hatte nicht damit gerechnet, dass er sich so einfach breit schlagen lassen würde, deshalb war mein Hirn auf einmal wie leer gefegt.

»Schon gut. Ich weiß, dass du sehr viele Fragen haben musst. Lass dir ruhig etwas Zeit.«, sagte er und lächelte mich müde an. In diesem Moment wirkte er älter und erschöpfter als je zuvor. Ich stellte die erste Frage, die mir in den Sinn kam.

»Was hatte Mom mit alldem hier zu tun?«, fragte ich leise.

Er ließ sich Zeit mit seiner Antwort. Schien abzuwägen, was er mir erzählen konnte und was nicht.

»Sie hat versucht dich zu beschützen, das hat sie immer. Ich weiß nicht, wie viel du über den Fluch weißt, aber sie hat einen Weg gesucht ihn aufzuheben, um dich zu retten. Sie hat diesen Weg auch gefunden. In Brooklyn. Dann wurde sie getötet.«, sagte er tonlos.

»Warum? Wer hat sie getötet?«

»Sie hatte einen Weg gefunden, die Seelenteile und die damit verbundene Macht für immer zu vernichten, doch das gefiel ihren Verfolgern nicht. Sie wollten diese Informationen an sich reißen, um die Zerstörung verhindern zu können. Deine Mutter hat die Lösung an einem Ort versteckt, den niemand außer ihr finden konnte und den wollten diese Männer aus ihr heraus bekommen. Sie nahm ihre Geheimnisse mit ins Grab und ich habe sie bis heute nicht entschlüsseln können. Es tut mir so leid.«, erklärte er weiter, doch seine Stimme versagte.

»Du konntest doch nichts dafür. Du hättest sie nicht beschützen können. Niemand hätte das.«, versuchte ich ihn zu beschwichtigen und strich ihm über den Arm. Erinnerungen an meine Mutter überfluteten mein inneres Auge. Die sanften Lachfalten, die ihre grünen Augen noch besser zur Geltung brachten. Der leicht geschwungene Mund, der dem Meinen zum Verwechseln ähnlich sah. Die wilden roten Locken, die ich auch auf meinem Kopf wiederfand. Ihre unglaubliche Stärke und Entschlossenheit. Die grenzenlose Leidenschaft, die man in all ihren Taten erahnen konnte. Der Nebel in meinem Kopf begann sich zu lichten, nach und nach fing ich an zu verstehen, was hier vor sich ging.

»Doch, sie hatte mir eine Aufgabe aufgetragen. Beschütze den Schlüssel und Carietta. In beidem habe ich gehörig versagt. Der Schlüssel ist jetzt weiß Gott wo und meine Tochter liegt angeschossen mit einer Gehirnerschütterung im Krankenhaus. Ich bin ein fürchterlicher Vater. Sie würde durchdrehen, wenn sie uns sehen könnte.«

»Na ja.«, fing ich an zu erzählen und schob meine Decke nach unten, um einen Fuß frei zu bekommen.

»An der Tatsache, dass ich hier liege kann man wenig ändern, so schlecht geht es mir gar nicht. Aber habt ihr euch denn nicht gefragt, warum sie uns noch immer verfolgen, wenn sie den Schlüssel und damit alles, was sie brauchen, doch haben sollten?«

Ich konnte ein Grinsen nicht unterdrücken und schob die Socke ein Stück nach unten. An meiner bleichen Haut kam die Halskette zum Vorschein. Etwas verdreckt, doch immer noch unversehrt. Mein Vater schaute mich ungläubig an, auch Jesper klappte die Kinnlade herunter.

»Was... wie?«, fragte er stockend und legte zaghaft einen Finger an die Kette.

»Als ihr euch in der Küche gestritten habt, habe ich sie mir um das Handgelenk gebunden und als wir daraufhin zu der Tankstelle gekommen sind, habe ich sie an meinen Knöchel verfrachtet und unter meiner Socke versteckt. Sie ist tatsächlich noch da, unglaublich.«, gab ich zu und musste selbst ein wenig staunen.

»Du weißt, wie gefährlich das für uns alle ist? Aber dennoch kann ich einfach nicht anders als verdammt stolz auf dich zu sein!«, sagte mein Vater freudig und umarmte mich etwas stürmisch. Als er mich wieder losließ, konnte ich in Jespers Gesicht keine Freude entdecken, es war etwas anderes. Unruhe? Wut? Schuld?

»Was ist los? Freust du dich denn nicht auch?«, fragte ich verwundert.

Sofort verschwand der Ausdruck von seinem Gesicht und er lächelte mich an. Es war ein *erzwungenes* Lächeln. Ein eiskalter Schauer überlief mich und ich unterdrückte den Impuls, meine Hand aus seiner zu ziehen.

»Nein, nein. Ich freue mich auch!«, sagte er hastig.

Diese Antwort kam viel zu schnell, das wusste auch er. Doch er versuchte es zu überspielen. Meinem Vater schien nichts aufgefallen zu sein, denn er stand auf und verkündete:

»Ich gehe euch jetzt etwas Ordentliches zu Essen holen! Und ihr braucht dringend saubere Kleidung! Ihr seht aus wie Obdachlose. Moment mal, sind das meine Sachen?«, fragte er und zog vorwurfsvoll eine Augenbraue in die Höhe. Jesper blickte ihn nur entschuldigend an und ich zuckte mit den Achseln.

»Wie auch immer. Welche Kleidergröße, Jesper?«, fragte er und musterte ihn.

»M.«, gab er schlicht zurück und mein Vater verließ den Raum.

Zwischen uns stand plötzlich diese unangenehme Stille. Ich wollte ihn so viele Dinge fragen. Ob er von meiner

Mutter gewusst hatte, was das vorhin gewesen war, als ich ihm die Kette gezeigt hatte. *Der Kuss?* Ich drängte die Stimme in meinem Kopf zurück, die mir diese Frage aufzwängen wollte. Ich musste rational bleiben, durfte mir nicht noch mehr Probleme aufhalsen. Vermutlich hatte ich mir diese Situation nur eingebildet, und Jesper hatte eigentlich etwas ganz anderes vorgehabt. Ich erhob mich und ging ins Bad, ignorierte dabei allerdings den Blick, den er mir zuwarf. Zu meiner Erleichterung hing im Bad ein Bademantel und ein kleineres Handtuch lag auf der Kante des Waschbeckens. In der Dusche gab es einen Spender für Duschgel und Shampoo. Es war nicht viel, dennoch freute ich mich geradezu überschwänglich. Jetzt kam der Teil, den ich am liebsten überspringen wollte. Zaghaft trat ich vor den Spiegel und zuckte zusammen. Die Person, die mir entgegenblickte, war nicht ich. Das konnte ich einfach nicht sein. Meine Haare waren zerzaust, verfilzt und ein paar Blätter ließen sich dazwischen ausmachen. Meine Augen lagen tief in den Höhlen, Schatten zeichneten sich darunter ab. Die Wunde über meiner Augenbraue zog sich über meine halbe Stirn, wirkte aber nicht mehr sonderlich gefährlich. Meine Haut war blass, von winzigen Schrammen überzogen. Meine Fingernägel strotzten vor Dreck. Angewidert drehte ich das Wasser in der Dusche auf. Ich ließ meine Kleider achtlos auf den Boden fallen und trat in die kleine Kabine. Das heiße Wasser auf meiner Haut entspannte meine Muskeln, beruhigte meine Haut und wusch die Blätter aus meinen Haaren. Ich stand bestimmt eine Stunde unter dem Strahl, bis meine Haare von dem Gestrüpp befreit und meine Nägel wieder sauber waren. Es wäre sicher auch schneller gegangen, aber mit dem Tropf zu duschen, der meinen

Kreislauf noch immer mit Schmerzmitteln speiste und fest in meinem Handrücken steckte, war meine Bewegungsfreiheit stark eingeschränkt.

Mit einem Gefühl der Erleichterung trat ich aus dem Badezimmer, ganz in Weiß gehüllt. Jesper musste lachen, als er meine zufriedene Miene bemerkte.

»Das hat ja ewig gedauert. Ich will auch.«, sagte er und ging ins Bad, nur um kurz darauf wieder enttäuscht herauszutreten.

»Ich muss mir wohl einen Bademantel besorgen. Kann ich dich allein lassen?«, fragte er und zog eine Augenbraue in die Höhe. Ich lachte und nickte nur, woraufhin er das Zimmer verließ. Ich wollte mich eigentlich hinsetzen, doch mein Bademantel wurde etwas zu freizügig, deshalb beschloss ich, mir die Skyline ein wenig anzusehen und trat ans Fenster.

Thunder Bay war nicht annähernd so beeindruckend wie das Brooklyn meiner Erinnerungen oder andere Großstädte, dennoch verlor ich mich in der schlichten Schönheit. Obwohl es Winter war, lag ein warmer Glanz über allem und in der Ferne konnte ich das Wasser des Lake Superior sehen, das die Strahlen der Sonne sanft reflektierte. Der Ausblick war so schön, dass ich glatt die Situation vergessen hätte, in der ich mich gerade befand. Die Last drückte auf meine Schultern, schwer und unerbittlich zog sie mich nach unten und verhinderte, dass ich den Moment genießen konnte. Obwohl ich den Worten meiner Mutter nicht glauben wollte, es war schließlich nur eine Einbildung meines Unterbewusstseins, konnte ich nicht vergessen was sie gesagt hat. *Er ist nicht der, für den du ihn hältst.* Wer war er dann? Konnte ich ihm überhaupt vertrauen? Bisher hatte ich mir diese Frage nie gestellt, hatte nie die Wahl gehabt, sie zu stellen. Ich musste ihm vertrauen, es gab keine andere Möglichkeit. Und dieses Gefühl in meiner Brust, wenn wir uns anblickten. Diese Augen.

»Stopp!«, sagte ich laut zu mir selbst und fuhr mir mit den Fingern über mein Gesicht. Ich musste bei meiner Devise bleiben. Ich durfte mir nicht noch mehr Probleme machen, als ich sowieso schon hatte. Dennoch ließ mich dieses Gefühl des Misstrauens nicht los, kroch wie eine eiskalte Schlange meinen Rücken herauf und wand sich wie ein Schraubstock um meinen Hals. Ich musste mich schütteln.

»Alles in Ordnung?«, hörte ich eine Stimme hinter mir fragen und drehte mich ruckartig um. Mein Dad stand mit zwei Pizzakartons und einer großen Papiertüte im Türrahmen und musterte mich mit hochgezogener Augenbraue.

»Ja, ist nur ein bisschen viel gerade. Entschuldige.«, erwiderte ich ausweichend und schüttelte den Kopf, um meine Gedanken loszuwerden. Er nickte nur und kam auf mich zu, stellte die Kartons auf dem Tisch neben dem Bett ab.

»Ich habe euch zwei Pizzen mit Salami mitgebracht, ich hoffe das ist in Ordnung.«, bemerkte er und tätschelte mir sanft die Schulter. Da stieg mir der Geruch von Käse und Salami in die Nase und ich bemerkte erst, wie viel Hunger ich eigentlich hatte. Das Wasser lief mir förmlich im Mund zusammen.

»Ja, vielen Dank.«

Er stellte die Tüte neben mir auf den Boden und nahm mich ungeschickt in den Arm. Als er mich wieder losließ, zog er etwas aus seiner Hosentasche. Es war ein älteres Mobiltelefon.

»Nichts Besonderes. Aber es wird dir im richtigen Augenblick helfen, falls du es brauchst. Meine Nummer ist eingespeichert. Wieso habt ihr eigentlich nicht mehr auf meine Nachrichten reagiert? Ich habe in Mokomon auf euch gewartet.«

Langsam nahm ich das Telefon entgegen und steckte es in die Tasche meines Bademantels. Ehe ich auf seine zweite Aussage eingehen konnte, ertönte das Klicken der Türklinke.

»Was ist das denn für eine Trauerveranstaltung?«, fragte plötzlich jemand hinter meinem Vater und er drehte sich um. Jesper hatte den Raum betreten, ebenfalls in einen Bademantel gekleidet und seine dreckigen Klamotten auf seinem Arm tragend.

»Von wegen Trauerveranstaltung, ich habe euch Essen mitgebracht!«, erwiderte mein Vater feierlich und zeigte auf die Kartons.

»Aber leider muss ich jetzt gehen, sonst finde ich keinen Platz zum Schafen mehr. Guten Appetit!«

Mit diesen Worten drückte mir mein Vater einen Kuss auf die Wange und verschwand aus dem Raum.

Einen Moment stand ich unschlüssig herum, wusste nicht genau, was ich tun sollte, schaute meinem Vater einfach nach. Ein seltsames Gefühl der Melancholie ergriff mich und nahm mir die Luft zum Atmen. Warum? Meine Sorge war schließlich vollkommen unbegründet. Ich würde ihn bald wieder sehen. Ein paar Mal musste ich blinzeln, fand zurück in die Realität, dann griff ich nach der Tüte und zog die Sachen heraus, die mein Vater besorgt hatte, größtenteils in Schwarz. Für mich waren anscheinend ein schwarzes Top und darüber ein dunkelroter Pullover gedacht. Dazu eine dunkle Jeans und Sneakers in der gleichen Farbe. Selbst an Unterwäsche hatte er gedacht, doch ich versuchte, diese vor Jesper zu verbergen. Sein Outfit fiel ähnlich aus, doch sein Pullover war ebenfalls schwarz. Ich schnappte mir meinen Kleiderhaufen und ging ins Bad. Nachdem ich mich angezogen hatte, mit dem Tropf noch immer eine Herausforderung, flocht ich meine nassen Haare zu einem Zopf. Ich betrachtete mich im Spiegel und stellte zufrieden fest, dass ich wieder einigermaßen wie ein Mensch aussah. Ich entriegelte die Tür und trat wieder ins Zimmer. Auch Jesper hatte sich angezogen und gegen meinen Willen musste ich zugeben, dass er - wieder einmal - verdammt gut aussah. Seine Haare hatten sich in kleinen Locken gekräuselt und er schmunzelte, als er mich sah. Irgendetwas stimmte an diesem Schmunzeln nicht. In seinem Blick konnte ich andere

Emotionen entdecken. Trauer? Schmerz? Als er meinen forschenden Blick bemerkte, wandte er sich rasch ab und ging zu den Kartons, reichte mir einen davon. Zögernd nahm ich ihn an mich. Ich konnte diesen Blick nicht länger ignorieren.

»Was ist los?«, fragte ich unvermittelt. Als er sich nicht rührte, keinen Ton von sich gab, zwang ich ihn, sich zu mir umzudrehen. Waren das etwa Tränen, die seine Augen zum Glänzen brachten?

»Jetzt ist nicht der richtige Zeitpunkt, um darüber zu reden.«, wich er mit einem Kopfschütteln aus und nahm sich ein Stück Pizza. Auch ich griff mir eins, ließ allerdings nicht locker.

»Wenn du es andauernd herauszögerst, wird es niemals den richtigen Zeitpunkt geben. Ich merke doch, dass etwas nicht stimmt.«

Da war er wieder. Dieser schmerzhafte Ausdruck in seinen Augen. Klar und deutlich. Langsam stellte er den Pizzakarton auf das Bett und sah mich an. Dieses Mal überkam mich jedoch kein Gefühl grenzenloser Schönheit oder Geborgenheit. Irgendetwas an ihm, seine Körperhaltung, die Art wie ein Muskel an seinem Kiefer zuckte, versetzte mich in Alarmbereitschaft. Ich schluckte den letzten Bissen des Pizzastücks herunter und stellte den Karton ebenfalls auf das Bett. Angst kroch meinen Nacken entlang, machte meine Glieder steif. *Ruhig bleiben. Du hast keinen Grund Angst vor ihm zu haben.*

»Wie weit wärst du bereit, für deine Familie zu gehen?«, fragte er leise.

»Was?«

Mit dieser Frage hatte ich nicht gerechnet. Sie überrumpelte mich komplett und fegte meinen Kopf leer.

»Wie weit«, wiederholte er seine Frage, »wärst du bereit, für deine Familie zu gehen?«

Ich zögerte einen Moment, überlegte mir meine Antwort genau, obwohl sie schon klar auf der Hand lag.

»Ich würde alles für sie tun.«, sagte ich fest und erwiderte seinen Blick unerbittlich.

»Ich auch. Und deswegen wirst du mich verstehen können, das hoffe ich zumindest.«

Langsam machte er einen Schritt auf mich zu. Ich wich zurück. Jetzt verriet sein Blick auch andere Emotionen. Wut. Hass. Als würde er mit sich selbst ringen.

»Sie haben meine Eltern. Sie zwingen mich dazu. Es tut mir so unglaublich leid.«

Wieder wich ich zurück. Mein Rücken drückte sich plötzlich gegen die kalte Wand.

»Wer hat deine Eltern? Wovon redest du? Jesper?«, fragte ich flehentlich. Meine Stimme hörte sich dünn an, völlig fremd.

Er blieb stehen. Ein Ausdruck der Verletztheit zuckte über sein Gesicht. Zuerst dachte ich, dass es vielleicht nur ein kurzer Zwischenfall war, dass auch er mit der Situation nicht gut zurechtkam und langsam überschnappte, doch dann tat er etwas, das ich von ihm nie erwartet hätte. Blitzschnell hob er den Arm und verpasste mir einen Schlag gegen den Kiefer. Geschockt keuchte ich auf, schnappte nach Luft und riss die Augen ungläubig auf, als Weiß in meinem Blickfeld explodierte.

»Jesper, was…«, setzte ich an, doch weiter kam ich nicht. Ein weiterer Schlag traf mein Gesicht und ich stürzte zu Boden. Der Geschmack von Blut füllte meinen Mund, schwarze Punkte tanzten vor meinen Augen. Hastig versuchte ich, von ihm weg zu krabbeln, schob mich zwischen ihm und der Wand vorbei und kam hastig auf die Füße.

»Was ist los mit dir!«, fuhr ich ihn an und wich seinem nächsten Schlag nur mit größter Mühe aus.

»Sie töten sie, wenn ich dich nicht zu ihnen bringe! Du wirst sie verstehen. Du musst mich verstehen!«, fauchte er zurück und trat wieder einen bedrohlichen Schritt auf mich zu. Ich wollte ausweichen, doch er packte meinen Kopf und schmetterte ihn gegen die nächstbeste Wand. Ein heißer Schmerz fuhr durch meine Schläfe und ich spuckte Blut auf den Boden. Nur mit Mühe konnte ich mein Bild wieder scharf stellen. Ich wollte ihn nicht verletzen, aber er ließ einfach nicht von mir ab. Als er meinen Kopf wieder gegen die Wand schlagen wollte, drehte ich mich blitzschnell aus seiner Hand heraus und trat ihm zwischen die Beine. Er stöhnte auf und ging zu Boden. Das war meine Chance. Ich holte aus und schlug ihm mitten ins Gesicht. Plötzlich fuhr ein Ruck durch meinen Körper. Es schien, als hätte ich mich selbst geschlagen. Verwirrt stolperte ich zurück, fasste mir an die Nase, aus der Blut rann. Jesper richtete sich auf. Auch aus seiner Nase lief Blut. Abfällig spuckte er ein paar rote Tropfen auf den Boden.

»Hör auf.«, sagte ich atemlos. Ein paar lose Haarsträhnen fielen mir ins Gesicht.

»Es geht nicht.«

Ein Tritt in meine Magengrube und ich ging stöhnend zu Boden. Die Luft blieb mir weg und ich versuchte verzweifelt, meine Lungen zu füllen. Ich hörte auch Jesper neben mir keuchen und husten.

»Du verletzt dich doch nur selbst!«, würgte ich hervor.

Mit schmerzverzerrter Miene hob ich meinen Blick. Jesper hatte sich schon wieder aufgerappelt. Wie?

»Es muss sein.«, presste er zwischen zusammengebissenen Zähnen hervor. Mit aller Kraft richtete ich mich wieder auf, stützte mich an der Wand ab. Ich duckte mich unter seinem nächsten Schlag weg und holte meinerseits aus. Meine Hand traf sein Auge, er ging zu Boden und mir schoss ein stechender Schmerz durch meine linke Gesichtshälfte, als die Nähte meiner Wunde aufplatzten.

»Carietta, hör auf!«, schrie er mich an, doch ich dachte nicht daran. Wutentbrannt riss ich mir die Nadel des Tropfes aus der Hand und löste sie vom restlichen Gestell. Eine unglaubliche Rachsucht hatte Besitz von mir ergriffen, mich übernommen, ich konnte nicht mehr klar denken. Immer mehr schwarze Punkte tanzten vor meinen Augen. Unscharf sah ich Jesper aufstehen. Wankend kam er auf mich zu, schloss seine Hände um meine Kehle, als er mich gegen die Wand drückte. Ich wand mich, strampelte, als ich vergeblich versuchte, mich aus seinem festen Griff zu lösen. Die Nadel in meiner Hand war vollkommen vergessen. Eine unangenehme Ruhe senkte sich immer schwerer über mich. Ich spürte, wie mein Körper aufzugeben drohte, die Nadel fallen lassen wollte, da regte sich Etwas in meinem Inneren.

Zuerst war es nur ein leises Flüstern, ein sanftes Gefühl, das eine angenehme Kälte durch meine Adern jagte. Dieses Gefühl wollte Besitz von mir ergreifen, wollte mich *retten*. Die Kälte wurde zu Eis, ließ meine Adern gefrieren und mit einem letzten verzweifelten Atemzug überließ ich ihr das Kommando.

Ich wurde zum Beobachter, konnte meinen Körper nicht mehr steuern. Ich sah, spürte, wie eine noch nie dagewesene Kraft meinen Körper erfasste. Mein Blick verschwamm, die schwarzen Punkte verdichteten sich. Jespers Augen wurden groß. In deren Spiegelung konnte ich meine eigenen erkennen, sie *glühten blau*. Ich war starr vor Schreck, mein Körper jedoch nicht. Ohne jegliche Gnade, mit perfekter Präzision hob ich die Nadel, und rammte sie ihm ihn die Seite.

Erschrocken schrie er auf, ließ mich jedoch nicht los. Ein stechender Schmerz in meiner Seite ließ Sterne vor meinen Augen tanzen. Diese winzige Lockerung seines Griffs reichte jedoch, einen tiefen Atemzug zu nehmen und ihm einen Schlag gegen die Halsschlagader zu verpassen. Beide keuchten wir erschrocken auf, benommen taumelte er ein paar Schritte zurück, ließ mich los. Auch mein Körper musste nach Luft schnappen, doch dieses Etwas in meinem Inneren war übermächtig. Ich wischte mir das Blut vom Mundwinkel und trat auf Jesper zu, der in die Knie gegangen war. Unglauben und Schmerz vermischten sich in seinem Blick. Ich zögerte einen Moment, nur eine Millisekunde, doch das Biest war noch lange nicht fertig. Es verpasste ihm einen Tritt gegen das Kinn und er ging rückwärts zu Boden. Blut lief aus seinem Mundwinkel, während ich die Schmerzen kaum mehr wahrnahm.

Hör auf! Er wehrt sich nicht mehr! Du kannst jetzt aufhören!

Doch die Macht hörte nicht auf. Ich wurde aus meinem eigenen Körper ausgeschlossen, musste zusehen, wie mein Fuß in seiner Magengrube landete, dann erneut in seinem Gesicht. Jesper hustete, krümmte sich. Schmerz verzerrte seine Züge, als er sich mit einer schnellen Bewegung die Spritze aus dem Körper zog.

Hör auf!

Ich schrie innerlich, wand mich gegen die Kraft, die Besitz von mir ergriffen hatte, doch äußerlich blieb meine Fassade steinhart. Langsam hob ich meine Hände, betrachtete meine Handflächen, die Fingerspitzen, die begannen bläulich zu glühen. Das Glühen wurde immer heller, verwandelte sich in pures Licht. Grell und grauenvoll, und dennoch wunderschön. Ich stemmte mich mit allem, was ich hatte gegen diese Kraft. Ich wollte Jesper nicht töten, auch wenn er das sonst wahrscheinlich mit mir gemacht hätte.

Das Eis in meinen Adern stockte, löste sich. Nur ein winziges Bisschen. Meine Sicht wurde wieder klarer, ich übernahm für eine Sekunde wieder die Kontrolle, dann fuhr mir ein heißer Schmerz durch den Bauch. Ungläubig blickte ich an mir herab.

Ein dunkler Fleck breitete sich auf meinem Pullover aus. Meine Knie brachen weg. Mein Blick fiel auf Jesper. Mit zitternden Händen hielt er die Pistole, den Lauf genau auf mich gerichtet. Eine Träne rann aus seinem Augenwinkel. Ich fiel zur Seite, mein Blickfeld wurde immer kleiner. Ich spürte das Blut über meine Finger fließen.

»W... Warum?«, fragte ich mit bebender Stimme. »Ich... ich konnte doch... konnte doch nichts dafür.«

»Es tut mir so leid.«, flüsterte Jesper und zog mich auf seinen Schoß. Kraftlos sank mein Kopf gegen seinen Bauch. Ich schloss die Augen und hörte nur noch meinen flachen Atem, spürte meinen Herzschlag, der zuerst noch raste, dann jedoch immer langsamer wurde. Eine warme Flüssigkeit lief aus meinem Mund über meine Wange. *Blut.*

»Bitte, bitte stirb nicht.«, hörte ich Jespers Stimme. Sie klang so weit entfernt, als würde ich in einem Tunnel stehen. Eine schwere Ruhe breitete sich in meinen Gedanken aus, legte sich auf meinen Körper. Mein Atem ging immer flacher, das Herz immer langsamer. *So fühlte es sich also an zu sterben?* Eigentlich recht friedlich, wenn man so darüber nachdachte. Eine sanfte Wärme ging von meiner Körpermitte aus, streifte mein Herz und meine Gedanken, kribbelte bis in meine Fingerspitzen. Zuerst war die Wärme noch angenehm, doch dann wurde sie immer intensiver, begann zu brennen. Das Feuer brannte sich in meinen Kopf, ließ mir keinen Raum zum Denken, keinen Raum zum Sterben.

Keuchend holte ich Luft, öffnete meine Augen. Ungläubig blickte ich auf die Schusswunde. Jesper hatte eine Hand darauf gelegt. Sanftes, rotes Licht glomm daraus hervor. Als er die Hand sinken ließ, starrte ich ihn an.

»Was... was war das denn?«, stotterte ich.
Er sah mich mit tränenerfüllten Augen an, zog mich auf Augenhöhe.

»Das könnte ich dich genauso fragen.«, flüsterte er und einer seiner Mundwinkel zuckte kaum merklich nach oben.

Ohne dass ich irgendetwas erwidern konnte, zog er mich an sich und küsste mich. Es war kein sanfter Kuss. In ihm lag so viel Schmerz, so viel Leidenschaft, so viele unausgesprochene Worte. Mein Verstand war benebelt, vollkommen verwirrt. Ich konnte einfach nicht begreifen, was in dieser kurzen Zeit passiert war. Der Geschmack von Blut und Tränen vermischte sich in meinem Mund und er löste sich von mir. Verwirrt schaute ich ihn an, doch sein Blick ging an mir vorbei. Grenzenloses Entsetzen stand in seinen Augen. Ruckartig drehte ich mich um und erstarrte ebenfalls. Hinter uns stand der schwarzhaarige Typ, den ich am liebsten nie wieder in meinem Leben gesehen hätte.

»Das war ein Fehler.«, sagte er an Jesper gewandt und zog etwas aus seiner Jackentasche hervor. Es sah aus wie ein kleiner Marienkäfer - eigentlich recht harmlos. Mit einer raschen Handbewegung warf er ihn auf Jesper, der sich unter mir zu winden begann. Alle seine Muskeln spannten sich an, sein Gesicht verzerrte sich vor Schmerz.

»Jesper!«, schrie ich und fing ihn auf, bevor sein Kopf auf dem Boden aufschlagen konnte. Seine Augen schlossen sich, die Lider flatterten heftig. Ich wollte aufstehen, dem Typen meine geballte Wut entgegenwerfen, als auch mich plötzlich dieser Schmerz durchfuhr. Keuchend stürzte ich neben Jesper auf den Boden und wand mich schwach, versuchte, diesen Käfer von meiner Schulter zu ziehen, bevor mein Blick schwarz wurde.

8

Als ich zu mir kam, nahm ich zuerst nur Dunkelheit wahr. Langsam gewöhnten meine Augen sich an das schummrige Licht, während mir ein modriger Geruch in die Nase stieg. Ich richtete mich auf, betrachtete meine Umgebung. *Hier war ich schon einmal gewesen.* Das kaputte Waschbecken, der Eimer. Die Tür mit den Schlitzen. Die dünne Matratze mit dem dreckigen Bettzeug, auf der ich saß. Ich war schon einmal hier eingesperrt gewesen. Ein Brennen breitete sich auf meiner Schulter aus und ich berührte die Stelle, erwartete eine blutende Wunde oder eine Kruste, wo sich der Marienkäfer festgebissen hatte, doch er saß noch an Ort und Stelle. Ich versuchte ihn herunterzuziehen, doch bekam ihn kaum zu fassen. Es war zwecklos. Das Ding rührte sich keinen Millimeter. Langsam begann ich damit, meinen kompletten Körper abzutasten, mögliche Verletzungen auszumachen, doch mir schien es bestens zu gehen. Es war keine genähte Wunde mehr zu finden, weder an meinem Kopf noch an meiner Seite. Selbst mein Bauch sah unversehrt aus. Einzig der große Fleck auf meinem Pullover, den ich in der Dunkelheit kaum ausmachen konnte, zeugte von dem Ereignis, das mich hierher befördert hatte.

Die Erinnerungen begannen zurückzukommen und benebelten mein Gehirn. Es waren zu viele, um sie alle auf einmal zu verarbeiten. Langsam. Eins nach dem anderen. Der Kampf. Jesper hatte gesagt, dass er es tun müsse, dass sie seine Eltern hätten. Deswegen hatte er mich angegriffen. Er hatte sich entscheiden müssen, zwischen ihnen und mir. Und er hatte nicht mich gewählt. Eine rasende Wut breitete sich gegen meinen Willen in meinem Körper aus und elektrisierte mich förmlich. Lange grübelte ich über der Frage, ob ich mich genauso entschieden hätte oder nicht, doch ich durfte mich nicht selbst anlügen. Natürlich hätte auch ich meine Familie gewählt, so schwer es mir auch gefallen wäre.

Die Verletzungen. Es wirkte, als ob Jesper mit mir verbunden gewesen wäre. Er hatte die gleichen Verletzungen erlitten wie ich und anders herum. Aber warum nur jetzt? Oder war es schon immer so gewesen und ich hatte es nur nie bemerkt? Ich hätte es doch mitbekommen müssen, wenn auch er eine Schusswunde oder eine Gehirnerschütterung erlitten hätte, oder? *Vielleicht hatte er sich ja geheilt.*

Das führte mich zu meinem nächsten Punkt. Die heilenden Kräfte. Was zum Teufel war das gewesen? Hatte er es aus Instinkt getan oder wusste er, dass er es konnte? Er hatte mir in den Bauch geschossen, ich war praktisch tot gewesen, doch er hatte mich zurück ins Leben geholt.

Langsam entwirrte ich den Knoten in meinem Kopf, doch eine Frage wollte ich mir einfach nicht stellen, konnte es nicht. *Was hatte ich getan?* Ich erinnerte mich noch gut, an die plötzliche Kraft in meinem Inneren, die Besitz von mir ergriffen hatte. Das Eis in meinem Adern, das Jesper fast getötet hätte. Ich fürchtete mich vor dieser zerstörerischen Kraft, zu welchen Taten sie mich bringen konnte, ohne dass ich das Geringste dagegen tun konnte. Dennoch spürte ich sie in mir. Ein stetiger Puls, eine Vibration, die sich deutlich von meinem Herzschlag unterschied. Wie ein Monster, das lange geschlafen hatte und nun zum Leben erwacht war.

Frustriert ließ ich meinen Kopf gegen die kalte Wand sinken, versuchte, mich irgendwie zu konzentrieren. Wie kam ich hier wieder raus? Ich begann damit, meinen Kopf in einem stetigen Rhythmus gegen die Wand zu schlagen, vielleicht brachte es ja etwas.

»Komm schon. Komm schon!«, sagte ich zu mir selbst und raufte mir die Haare.

»Ruhe da drin!«, ertönte plötzlich eine Stimme außerhalb der Zelle. Erschrocken zuckte ich zusammen und stoppte meinen Kopf.

»Ist ja gut.«, murmelte ich leise und ließ meinen Kopf in meine Hände sinken. Es war aussichtslos. In einem kleinen Anflug von letzter Hoffnung jedoch tastete ich nach meiner Halskette, die immer noch um meinen Knöchel gebunden sein sollte, doch natürlich war sie nicht länger da. Ich hörte, wie ein Schlüssel in ein Schloss gesteckt wurde, plötzlich öffnete sich meine Zellentür. Schützend hielt ich mir eine Hand vor die Augen, das einfallende Licht war ein viel zu starker Kontrast zu der Dunkelheit in der Zelle. Unsanft wurde ich an den Handgelenken gepackt und aus dem Raum geschleift. Wieder spürte ich diese Kraft in mir aufwallen, sie wollte sich auf die Männer stürzen, die mich festhielten, doch im gleichen Moment wurde der Käfer an meiner Schulter sengend heiß. Erschrocken schrie ich auf und wand mich, der Griff der Männer blieb jedoch unnachgiebig.

»Das wird nicht funktionieren. Deine Kräfte sind wirkungslos, solange du den Skarabäus am Körper trägst.«, sagte einer der beiden Männer knapp. Es war der Ältere, der mir bereits bei meinem ersten Aufenthalt begegnet war. Sie schleiften mich weiter, den kargen Gang entlang bis zu einer weißen Tür. Sie stach aus den anderen hervor wie ein schwarzer Tropfen Tinte auf einem leeren Blatt Papier. Einer der beiden stieß die Tür mit dem Fuß auf und dahinter kam ein erstaunlich normaler Raum zum Vorschein. Es wirkte wie ein Arztsprechzimmer, ganz in Weiß gehalten. In der Mitte des Raumes stand ein Schreibtisch mit einem Computer darauf. Auf beiden Seiten waren weich aussehende, rote Sessel platziert. Auf der rechten Seite des Raumes hing ein riesiges Gemälde, das an ineinander verschlungene Hieroglyphen erinnerte. Hinter dem Schreibtisch war eine Wand ganz aus Glas gemacht. Ich hatte mit einer verschneiten Wiesenlandschaft irgendwo im Nichts gerechnet - vielleicht mit ein paar Bäumen - doch ich erkannte die Skyline von Thunder Bay. Unten auf den Straßen herrschte reges Treiben. Schnee rieselte lautlos an dem Fenster vorbei. Forsch zogen mich die beiden Männer in den Raum und drückten mich auf einen der roten Sessel. Blitzschnell schlossen sich metallische Schnallen um meine Hand- und Fußgelenke, hielten mich an Ort und Stelle und die Männer verließen den Raum. Ich wand mich, versuchte vergebens, aus dem Stuhl aufstehen zu können. Für einen Moment war alles still. Dann hörte ich eine laute Männerstimme. Sie war mir bestens bekannt. Die weiße Tür wurde erneut aufgestoßen und ich musste mich gar nicht umdrehen, um zu erkennen, wer es war. Jesper wurde nur wenige Sekunden später auf den Stuhl neben mir gedrückt. Auch um seine Gliedmaßen wanden sich eiserne Fesseln. Wieder wurden wir allein gelassen.

Ich spürte seinen Blick auf mir, vermied jedoch Augenkontakt. Ich wollte ihn jetzt nicht ansehen, wollte ihn nie wieder ansehen. Immer noch spürte ich diese unbändige Wut in mir kochen.

»Cari…«, fing er an, doch ich schnitt ihm scharf das Wort ab.

»Nein. Wage es nicht, mich noch einmal so zu nennen!«, keifte ich wutentbrannt. »Es ist deine schuld, dass wir jetzt hier festsitzen! Was sollte der Mist!«

»Ich weiß. Aber ich musste es tun. Ich musste meine Eltern retten.«, sagte er leise.

»Du hast auf mich geschossen!«

Ich wurde immer lauter. Tränen traten mir in die Augen und ich wandte mich ab. »Ich habe dir vertraut du verdammter Mistkerl.«, setzte ich noch dahinter.

»Es tut mir leid, wirklich. Aber du hättest dasselbe getan, oder?«

»Hast du es zumindest geschafft? Sind sie frei?«

Als er nicht antwortete, schaute ich ihn zögernd an. Sein Blick verriet nichts, alles an ihm wirkte kalt.

»Ich hoffe es.«, sagte er schließlich.

Obwohl ich ihn irgendwo tief in meinem Herzen verstehen konnte, wurde ich die Wut nicht los. Der Kloß in meinem Hals blieb stecken. Er hatte auf mich geschossen, mir den Schädel eingeschlagen und mich fast getötet, damit er seine Eltern retten konnte. Und jetzt saßen wir hier, kein Stück weiter als davor.

Gerade holte ich zu einer bissigen Antwort aus, wollte ihm meine gesamte Wut offenlegen, da öffnete sich eine Tür neben dem Gemälde, die mir davor nicht aufgefallen war. Eine große, gertenschlanke Frau trat in den Raum und schritt gemächlich auf uns zu. Ihre Haare fielen ihr in langen, schwarzen Locken über die Schultern. Sie trug eine schwarze Jeans und einen braunen Blazer über einem schwarzen Shirt. Ihre hohen Schuhe klackten auf dem glatten, polierten Boden. Ihr Gesicht ließ einen über ihr Alter rätseln. Von Anfang zwanzig bis Ende dreißig hätte sie alles sein können.

»Wie schön, euch beide hier anzutreffen.«

Ihre Stimme klang friedlich, dennoch lag eine unterschwellige Drohung darin, die durch die Stille des Raumes schnitt wie ein scharfes Messer. *Es sähe vermutlich ganz anders aus, wärt ihr nicht hier.*

Jesper neben mir wurde unruhig. Er krallte seine Finger in die Armlehnen, aus seinen Augen sprühte blanker Hass.

»Was soll der Scheiß? Du hast mir versprochen, meine Eltern und mich freizulassen, wenn ich sie herbringe!«, sagte er vorwurfsvoll.

»Bitte was? Ich dachte es ginge hier nur um deine Eltern und nicht um dich! Du selbstsüchtiges Miststück!«, warf ich ihm entgegen und starrte ihn wütend an. Diese ganze Situation wurde immer undurchsichtiger. Immer mehr Fragen kamen in mir auf und drohten mich fortzureißen.

»Alles der Reihe nach.«, sagte sie ruhig. »Also, Cal, zuerst war der Deal deine Eltern und dich in Ruhe zu lassen, wenn du sie erst einmal hergebracht hast. Aber du hast mir ja leider verschwiegen, dass auch du diese, nennen wir es *Gabe*, besitzt. Als der Skarabäus bei dir funktionierte war ich wirklich *sehr* enttäuscht. Deshalb ist der Deal geplatzt. Aber ich muss zugeben, dass du das mit dem Mädchen wirklich gut angestellt hast. Wie hast du dich vorgestellt? Jesper? Wirklich einfallsreich. Die Kleine hat dir wirklich vertraut, wie töricht von ihr. Aber was soll man bei diesen Eltern auch erwarten?«

Cal? Der ältere Mann. Der Raum. *Vielleicht kann uns Cal weiterhelfen. Ich rede mal mit ihm.* Die Puzzleteile begannen nach und nach, sich zu einem Bild zusammenzufügen. Meine Wut auf Jesper wurde immer größer.

»Ach, sie ist immer noch komplett ahnungslos?«, fragte sie in gespielter Unschuld.

»Cal, oder wie du ihn nennst, *Jesper*, hat ein wenig Pech gehabt. Seine Eltern schulden uns gewissermaßen noch etwas und er wollte sie von den Schulden befreien, deswegen war er an jenem Tag hier. Ihm wurde angeboten, seine Eltern und sich vollständig zu retten, wenn er dein Vertrauen gewinnt und uns den Filer beschafft. Wir konnten die Position des Filers bis jetzt noch nicht ausfindig machen und als Cal uns mitgeteilt hat, dass dein Vater und du die einzigen wärt, die seinen Aufenthaltsort kennen, habe ich ihm aufgetragen, dich herzubringen. Er hat dich die ganze Zeit belogen, wie es scheint.«

Ein kleines Lächeln umspielte ihre Lippen, sie genoss meine Wut und Verzweiflung, die mit jeder Sekunde zunahmen. Gleichzeitig mischte sich noch ein anderes Gefühl darunter. Trauer. Schmerz. Dieses Stechen im Herzen, wenn dir eine Person, die dir wichtig war, direkt in den Rücken fiel. So fühlte sich Verrat an. Eiskalter Verrat. Ich bemerkte wieder den Käfer an meiner Schulter, der heiße Wellen durch meinen Körper jagte. *Beruhige dich, sonst kommst du hier niemals raus.*

»Was wissen Sie über meinen Vater?«

»Ich dachte, dass dir jemand zumindest davon erzählt hätte. Es hat mir in meinem Vorhaben sehr in die Hände gespielt, dass Caleb deine Eltern - deinen Vater - schon davor kannte. Nach dem kleinen Unfall damals im Brooklyn Museum haben sie vergeblich versucht herauszufinden, was genau mit dir passiert ist und schließlich sind sie auf Calebs Eltern gestoßen. Die haben mit ihm das Gleiche durchgemacht und deine Eltern aufgeklärt, die natürlich alles abgestritten haben. Aber irgendwann - nach den Hieroglyphen - Zwischenfällen und etlichen anderen Vorkommnissen - haben sie es begriffen. Deine Mutter hat schließlich einen Weg gefunden, den Fluch zu brechen und die Lösung des Rätsels in dem Filer versteckt, an den wir durch deine Halskette kommen. Wir hätten sie liebend gerne persönlich danach gefragt, aber sie ist ja leider nicht mehr da. Deswegen habe ich ein kleines Gespräch mit Jespers Eltern geführt, die sich sehr kooperativ gezeigt haben.«

Ich spürte Jespers Blick auf mir liegen, ignorierte ihn jedoch absichtlich. Das waren einfach zu viele Infos auf einmal. Woher wusste sie dermaßen viel über meine Vergangenheit? Die schwarzhaarige Frau widmete sich ihrem Computer und tippte etwas auf einer kabellosen Tastatur ein, ohne mich auch nur eines weiteren Blickes zu würdigen. Ein leises Zischen ertönte und die Wand links von uns rückte ein Stück nach hinten, bevor sie sich in der Mitte teilte und den Blick auf zwei Glaskästen freigab.

Mir wurde heiß und kalt zugleich. Auch aus Jespers Gesicht wich jegliche Farbe. In einem der beiden Glaskästen lagen zwei Erwachsene. Ein Mann und eine Frau. Der Mann hatte die gleichen Gesichtszüge wie Jesper, die gleichen Haare. Die Frau hingegen sah ihm gar nicht ähnlich. Sie hatte blonde Haare und wirkte sehr zierlich. Beide bluteten aus mehreren Wunden. Das mussten Jespers Eltern sein. In dem anderen Glaskasten lag mein Vater. Ich konnte keine äußeren Verletzungen erkennen, doch auch er rührte sich nicht.

»Lassen sie ihn gehen!«, fauchte ich zwischen zusammengebissenen Zähnen und versuchte mich loszureißen. Ich konnte die Wut in mir mittlerweile nicht mehr unterdrücken und das Vieh an meiner Schulter jagte einen stechenden Schmerz durch meinen Arm. Ich redete mit Absicht nur von mir. Wenn Jesper nur nach sich selbst schaute, konnte ich das auch.

»Ich will, dass du dich uns anschließt. Wir werden die Welt nach unseren Vorstellungen gestalten, mit deiner Hilfe!«, sagte sie feierlich und schaute zwischen uns beiden hin und her. Irgendetwas in meinem Inneren begann zu randalieren, warf meine Gedanken durcheinander, versuchte, mir etwas mitzuteilen.

»Ich weiß nicht, wovon Sie sprechen.«
Was auch immer sie vorhatte, ich wollte mit alldem hier nichts zu tun haben.

»Das ist aber sehr schade. Ich dachte, ich lasse dir die Wahlmöglichkeit. Du hast leider falsch gewählt.«

War da echtes Bedauern in ihrer Stimme zu erkennen? Ich hörte ein Klicken links von mir und drehte ruckartig den Kopf. Die Tür, die in den Glaskasten meines Vaters führte, wurde geöffnet und der schwarzhaarige Typ, den ich hassen gelernt hatte, trat mit einem dreckigen Grinsen ein. Er verpasste meinem Vater einen Tritt in die Magengrube und dieser krümmte sich zusammen. *Er lebte.* Aber wie lange noch? Geschockt sah ich dabei zu, wie der Junge ganz langsam eine Pistole aus seiner Hose zog und auf meinen

Vater richtete. Seine Augen hafteten an meinem Gesicht. Ich sah die Genugtuung darin, doch sie wirkte nicht echt.

»Dad!«, rief ich panisch und er setzte sich mühsam auf. Langsam glitt sein Blick zwischen dem Typen neben ihm und mir hin und her. Er wollte ihm die Pistole abnehmen, da sah ich, dass seine Hände gefesselt waren. Tränen traten mir in die Augen.

»Wir haben auch deinem Vater die Chance gegeben, mit uns zu kooperieren, er war leider genauso stur wie du. Sieh es als gerechte Strafe. Sowohl für ihn als auch für dich. Ich gebe dir hiermit die allerletzte Chance, dich uns anzuschließen. Willige ein und ihm wird nichts geschehen.«

Panik kochte in mir hoch. Mein Blick huschte zwischen meinem Vater und der Frau hin und her, dann bemerkte ich den Ausdruck in seinem Gesicht. Da war kein Anflug von Angst oder Trauer, nur grenzenloses Verständnis und Trotz. Fast unmerklich schüttelte er den Kopf und lächelte mich traurig an. Lautlos formten seine Lippen eine letzte Botschaft: *Ich liebe dich.*

Die Tränen begannen zu fließen. Ich konnte ihn doch nicht einfach so sterben lassen, durfte es nicht! Wieder drehte ich mich zu ihm und er schüttelte erneut den Kopf, dieses Mal etwas stärker. *Tu es nicht!*

In diesem Moment fasste mein Verstand einen Entschluss. So sehr es mich auch zerstören würde, ich konnte nicht einfach alles hinwerfen, was meine Eltern so mühevoll aufgebaut hatten. Meine Mutter war für diese Sache gestorben, ihr Tod durfte nicht umsonst gewesen sein.

»Bitte, lassen sie ihn in Ruhe. Er hat doch niemandem etwas getan.«, flehte ich leise, meine Stimme war kaum mehr als ein Flüstern.

»Also lehnst du mein Angebot ab? Schade, wir hätten zusammen so viel erreichen können. Du hättest dir so viel Leid erspart. Aber na ja, so sei es.«, sagte sie tonlos - schon fast genervt - und wedelte mit der Hand in die Richtung meines Vaters. Ich drehte mich wieder zu ihm, die Pistole drückte nun gegen seine Schläfe. Meine Sicht verschwamm und ich wand mich in den Fesseln, die meinen Körper unerbittlich festhielten.

Ich liebe dich.

Tonlos warf ich ihm die Worte entgegen, doch er schien sie zu verstehen. Mit einem knappen Nicken beendete er den Augenkontakt und blickte stattdessen zu Boden, bevor er langsam die Augen schloss.

Der Junge, der meinem Vater die Pistole an die Schläfe drückte, suchte den Blick der Frau mir gegenüber. Zögerte. Sie drehte sich zu ihm und als sich ihre Blicke trafen, glaubte ich darin etwas wie Zuneigung erkennen zu können. *Wie abartig.* Als sie schließlich nickte und sich wieder mir zuwandte, wusste ich dass das Schicksal meines Vaters besiegelt war.

Ein einziger Schuss ertönte.

9

Schmerz in Kombination mit Trauer und Wut fühlten sich seltsam an. Dein Leben entglitt dir, du verlorst die Kontrolle. Alle Gefühle wurden zuerst übermächtig, bevor sie dir komplett entgleisten. Zumindest passierte das gerade bei mir. Meine Augen waren auf meinen Vater geheftet, der blutüberströmt zusammensackte. Ich schrie irgendetwas, konnte meine Stimme jedoch nicht hören. Jesper neben mir begann auch zu schreien, zwei weitere Schüsse ertönten. Sie klangen wie aus weiter Ferne. Jespers Miene erstarrte. Er verstummte und blickte einfach nur zu den Glaskästen. Ich glaubte zu erkennen, dass auch seine Eltern erschossen worden waren. Wie in Zeitlupe blickte ich mich in dem Raum um, analysierte die Lage, jedes Detail, das mir helfen konnte, das *uns* helfen konnte. Dieser zweite Gedanke schob sich in mein Unterbewusstsein, er kam nicht von mir, sondern von der Kraft in meinem Inneren. Sie sorgte dafür, dass die Wut alle anderen Gefühle überdeckte und mich übermannte. Die Frau betrachtete uns beide nur seelenruhig, immer noch dieses kleine Lächeln um ihren Mund das mich nur noch wütender machte. Der Schmerz an meiner Schulter wurde immer brennender, ich ignorierte ihn jedoch einfach. Die Kraft in mir wollte die Kontrolle übernehmen, ich fühlte es klar und deutlich. Ich wollte nicht, dass sie meinen Körper beanspruchte und mich so aus dieser Situation rettete, wollte die Kontrolle nicht abgeben, da passierte etwas Unglaubliches. Die Stimme in meinem Kopf *sprach* zu mir. Sie klang lieblich und sanft, sprach in einem leicht singenden Tonfall.

Habe keine Angst. Ich helfe dir, hier heraus zu kommen. Aber du musst ihn mitnehmen. Meine Augen wanderten zu Jesper.

Du und mir helfen? Vergiss es! Du hast mich schon einmal zu grauenvollen Taten getrieben, das passiert nicht nochmal! Und Jesper werde ich bestimmt nicht mitnehmen.

Du brauchst ihn noch. Wir *brauchen ihn noch. Vertraue mir und vertraue dir selbst.*

Ich werde dir nicht vertrauen! Was bist du überhaupt?

Die bessere Frage lautet wohl eher: wer *bist du überhaupt. Ich bin eine Seele, gespalten in zwei Teile, die jedoch unwiderruflich miteinander verwoben sind. Stirbt der eine, so stirbt der andere.*

Du sprichst in Rätseln! Was soll das Ganze hier überhaupt?

Überlass mir die Kontrolle. Ich werde dir helfen.

Ganz bestimmt nicht!

Dann werde ich mir diese Kontrolle nehmen. Es tut mir leid.

Wieder spürte ich das Eis in meinen Adern. Den unscharfen Blick und diese unbändige Kraft. Ich hörte etwas zu Boden fallen und drehte meinen Kopf. Der Käfer hatte sich von meiner Schulter gelöst und lag qualmend und nutzlos am Boden. Mit einer einzigen schnellen Bewegung riss ich mich von den Hand- und Fußfesseln los und stand auf. Mein eisiger Blick begegnete dem der Frau. In ihren Augen erkannte ich Unglauben und Angst.

»Sehr interessant.«, sagte sie ruhig, stand jedoch auf und wich ein paar Schritte zurück. Ihre Augen zuckten zu dem Jungen, der Jespers Eltern erschossen hatte, bevor sie wieder mich fixierten. Mit zwei großen Schritten hatte ich den Schreibtisch umrundet und stand direkt vor ihr. Sie zuckte zusammen und trat noch ein paar Schritte zurück.

»Wir brauchen dich auf unserer Seite! Du könntest alles haben, was du dir nur vorstellen kannst!«, versuchte sie mich zu überzeugen, doch die Stimme in meinem Kopf wollte ihr nicht zuhören. Ich trat noch einen Schritt auf sie zu, verpasste ihr einen Stoß vor die Brust bei dem sich eine Druckwelle aus meinen Handflächen löste und sie wurde förmlich gegen das Fenster geschleudert. Ihr Rücken prallte hart gegen die Scheibe und das Glas zersplitterte. Mit einem lauten Schrei stürzte sie rücklings aus dem Fenster und ich hörte ihren Körper dumpf aufschlagen. Ohne eine weitere Sekunde zu verschwenden drehte sich mein Körper um und lief zu Jesper. Mit einem Ruck riss ich ihm den Käfer vom Hals und machte ihn von den Fesseln los. Ungläubig schaute er zu mir hoch. Ich konnte das blaue Glühen meiner eigenen Augen in seinen sehen.

»Komm.«, sagte ich knapp und zog ihn nach oben.

Ungelenk stolperte er hinter mir her als ich ihn aus dem Raum und den dunklen Gang entlang zog. Wir waren schon auf halbem Weg, als Jesper sich losriss.

»Wir müssen die Kette holen. Ich glaube ich weiß wo sie ist.«, sagte er atemlos und drehte sich um. Ich wehrte mich heftig in meinem eigenen Körper, wollte ihm nicht schon wieder vertrauen müssen, doch diese Kraft in mir lief ihm nach. Jesper schien sich hier bestens auszukennen und steuerte uns zielgerichtet zu einer schwarzen Tür, die aussah wie alle anderen. Dahinter lag ein kleiner Raum mit mehreren Vitrinen. Es sah aus wie in einem Museum und ich glaubte, verschiedene ägyptische Artefakte zu erkennen. Der schwarze Boden war poliert und auch die Wände glänzten dunkel, die einzigen Lichtquellen bildeten die Lampen, die die Artefakte von hinten beleuchteten.

Wirklich entzückend! So viele Habseligkeiten meiner Brüder und Schwestern.

Die Stimme in meinem Kopf setzte sich in Bewegung und ich lief zu einer kleineren Vitrine. Darin lag ein schneeweißer Dolch. Ich ballte die Hand zu einer Faust und zerschlug das Glas, nahm den Dolch in meine Hand und betrachtete ihn genauer, wobei mir das Blut, das meine Faust herunter strömte, nichts auszumachen schien. Am Heft waren eine Art Krone und zwei Federn eingeprägt. Ein lauter Alarm ertönte.

»Cari, wir müssen hier weg! Komm schon, ich hab die Kette!«, rief mir Jesper über die Sirene hinweg zu.

Ich drehte mich um und gemeinsam stürmten wir zur Tür hinaus. Auf halbem Weg hörte ich Schritte hinter uns. Die Stimme in meinem Kopf murmelte irgendetwas vor sich hin. Worte, die ich nicht verstehen konnte, und plötzlich färbten sich meine Fingerspitzen wieder bläulich.

Wir müssen weiter! Dafür haben wir keine Zeit!

Verzweifelt versuchte ich, mich zum Weiterrennen zu zwingen, doch mein Körper gehorchte mir nicht. Meine Schritte verlangsamten sich und ich drehte mich um, blieb direkt vor den bewaffneten Männern stehen. Verdutzt hielten auch sie an, blickten ungläubig in meine Augen, die Waffen auf meiner Brusthöhe. Doch niemand schoss. Meine Fingerspitzen wurden immer wärmer, das Licht darin immer heller. Hinter mir waren auch Jespers Schritte verstummt, doch ich konnte mich nicht zu ihm umdrehen.

In einer Geschwindigkeit, die ein normaler Mensch niemals hätte vollbringen können, hob ich meine Finger und gleißendes Licht strömte aus meinen Handflächen. Ein heißer Schmerz breitete sich in meinen Armen aus und zog bis in meine Schultern. Klappernd fiel der Dolch zu Boden. Ich wollte schreien, bekam jedoch keinen Ton raus. Das Licht schien meine Netzhaut zu verbrennen. Meine Knie wurden weich und ich sank zu Boden. Kurz bevor ich mit dem Kopf gegen die Wand schlug, spürte ich, wie zwei starke Hände mich auffingen.

Ich wollte mich wehren, von Jesper wegrutschen, doch ich war einfach zu schwach. Die Kraft hatte mich wieder verlassen und jetzt schmerzte jeder Muskel in meinem Körper. Durch einen Tränenschleier erkannte ich

Brandblasen auf meinen Händen und Armen, der Pullover war bis zu den Schultern versengt.

Dann übermannte mich der Schmerz.

10

Mit einem lauten Stöhnen setzte ich mich auf. Zu meiner Verblüffung lag ich wieder im Krankenhaus, in genau dem gleichen Zimmer wie zuvor. Von dem Kampf waren keine Spuren übrig geblieben, der Raum war perfekt aufgeräumt. Skeptisch betrachtete ich meine Arme, machte mich schon auf die Brandblasen und Schmerzen gefasst, doch meine Haut war komplett unversehrt. Auf einem Stuhl am anderen Ende des Raumes lag mein verbrannter Pullover, die Ärmel nur noch schwarze Fransen. Daneben saß Jesper. Ruckartig wich ich vor ihm zurück und funkelte ihn wütend an, doch er wich meinem Blick aus.

»Cari, wenn ich gewusst hätte, dass es so ausartet… dass sie deinen Vater hatten… dann hätte ich…«, fing er an, doch mit einer Handbewegung brachte ich ihn zum Schweigen.

»Ich will deine Ausreden nicht hören, keine einzige davon. Es ist alles deine schuld! Mein Vater ist tot! Ich hätte mich fast selbst umgebracht! Alles nur deinetwegen! Warum hast du nicht mit mir geredet? Ich hätte dir doch helfen können! Woher kanntest du meinen Vater wirklich?«, schrie ich ihn an.

»Wie hättest du mir denn bitte helfen können? Du bist doch schon jetzt komplett überfordert! Und falls du es vergessen haben solltest, auch meine Eltern sind tot, deinetwegen!«

Entgeistert starrte ich ihn an.

»Du wagst es, mir die Schuld am Tod deiner Eltern zu geben? Hörst du dir eigentlich selbst zu? Du warst derjenige, der mich die ganze Zeit belogen hat! Entsprach überhaupt irgendetwas von dem, was du mir erzählt hast der Wahrheit?«

Jesper - nein, ermahnte ich mich, er war nun Caleb - öffnete seinen Mund, schloss ihn jedoch wieder. Keine Antwort war manchmal auch eine Antwort.

»Raus.«, sagte ich leise und wandte mich ab. Als Jesper – Caleb - sich nicht zu rühren schien, drehte ich mich wieder zu ihm um und schrie ihn an.

»Raus hier! Verschwinde! Ich bin fertig mit dir! Ich will dich nie wieder sehen!«

Mit einer schnellen Handbewegung deutete ich auf die Tür, versuchte, so viel Hass in meinen Blick zu legen, wie ich nur konnte. Zuerst sah er mich ungläubig an, dann realisierte er, dass ich es ernst meinte. Langsam erhob er sich und lief Richtung Tür, ohne den Augenkontakt abzubrechen.

»Deine Eltern haben damals wirklich Rat bei meinen gesucht. Warum weiß ich nicht - ich hatte nie die Gelegenheit sie danach zu fragen - aber anscheinend wussten sie über uns Bescheid, lange vor irgendeiner anderen Person. Cari, wir können das nur zusammen schaffen. Bitte glaub mir doch.«, flehte er leise, doch ich ließ meinen Finger nicht sinken. Die Rädchen in meinem Kopf drehten sich immer schneller und als ich das ganze Ausmaß von seinem Verrat begriff, wurde mir speiübel.

»Hör auf mich so zu nennen. Ich werde dir nie wieder irgendetwas glauben, hast du verstanden? Du hast meinen Vater und mich von Anfang an benutzt, sein Vertrauen missbraucht, um deinen Hals aus der Schlinge zu ziehen! Verschwinde von hier, ehe ich dich umbringe.«, fauchte ich ebenso leise, selbst erstaunt über meine Wortwahl. Stumm starrte Caleb mich an, schüttelte dann jedoch den Kopf als hätte ich einen schwerwiegenden Fehler begangen und verließ leise den Raum.

Ein paar Minuten blieb ich einfach reglos auf dem Bett sitzen, unfähig, irgendetwas zu tun oder einen klaren Gedanken zu fassen. Stille umschloss mich, nur aus der Ferne hörte ich das Hupen einiger Autos. Allmählich wurde die Wut auf Caleb von einem anderen Gefühl überschattet. Obwohl es nicht wirklich ein Gefühl war, eher ein Loch in meinem Herzen, das sich nicht mehr füllen wollte. Eine Leere in meinem Inneren breitete sich immer weiter aus, verschlang sämtliche Gefühle. Zurück blieb nur dieser kleine Hauch Trauer um meinen Vater. So sanft wie ein Blatt im Wind wirbelte sie in meinen Gedanken umher.

Für einen Moment schloss ich meine Augen, versuchte mich zu sammeln. Schließlich fasste ich einen Entschluss. Ich musste mehr über diesen Fluch herausfinden, ich musste herausfinden, wer diese Menschen waren, die meinen Vater auf dem Gewissen hatten. Sein Tod durfte nicht umsonst gewesen sein. In einer fließenden Bewegung stand ich auf und musste mich erstmal strecken. Meine Glieder waren müde und steif, weshalb ich fast umkippte. Nach kurzer Zeit konnte ich aber wieder normal laufen und ging zu meinem Bademantel am anderen Ende des Raumes. Als meine Finger sich um das kalte Metall des Telefons schlossen, bildete sich ein eisiger Kloß in meinem Hals. Mit zitternden Händen holte ich es hervor und betrachtete das komischerweise noch unversehrte Ding. Wozu brauchte ich es noch? Am liebsten hätte ich die Polizei gerufen, doch wie hätte ich ihnen den Vorfall erklären sollen? Vermeintliche Superkräfte würden sie mir wohl kaum abnehmen. Außerdem würden sie mich über meinen Vater befragen und ich hatte das Gefühl, sofort zusammenzubrechen, wenn jemand seinen Namen nur laut aussprach. Mit einem frustrierten Aufschrei schleuderte ich es gegen die Wand, an der es in winzige Stücke zersprang. Vage erinnerte ich mich daran, wie mein Vater Caleb Geld zugesteckt hatte. Als ich jedoch die Taschen des Bademantels erneut durchsuchte, fand ich sicherlich dreihundert Dollar in Bar. Hatte er es mir zugesteckt? Ein leiser Anflug von Schuld überkam mich, doch ich schüttelte ihn schnell wieder ab. Ich hatte überhaupt keinen Grund, Mitleid mit ihm zu empfinden. Er hatte mir alles genommen. Schnell steckte ich das Geld in meine Hosentaschen und wollte das Zimmer schon verlassen, da fiel mein Blick auf den verbrannten Pullover. Draußen war noch immer Winter, nur mit einem Top herumzulaufen wäre glatter Selbstmord. Doch mir blieb nichts anderes übrig. Ich knüllte den Pullover zusammen und klemmte ihn mir unter den nackten Arm, dann verlies ich das Zimmer und konnte nur darauf hoffen, dass diese seltsame Kraft in meinen Adern mich vor einem Kältetod bewahrte.

Auf dem Gang passte ich auf, keiner Schwester zu begegnen, mittlerweile drangen von draußen die ersten Sonnenstrahlen der aufgehenden Sonne nach drinnen und erhellten die Gänge. Ungesehen schaffte ich es aus dem Krankenhaus und blickte mich um. Zu meinem Glück fiel kein Schnee, am Straßenrand türmten sich matschige Haufen hoch in den Himmel und eine kalte Brise wehte den lockeren Schnee durch die Straßen. Alles schien ruhig zu sein. Die Welt war noch nicht erwacht. Ich wollte den Moment genießen, nur ganz kurz, doch der kalte Wind machte mir einen Strich durch die Rechnung. Meine Beine begannen zu zittern und meine Zähne schlugen unsanft aufeinander. Ich zog den Pullover über, um zumindest mein Dekolleté zu wärmen und rieb meine Arme, auf deren Oberfläche sich Gänsehaut gebildet hatte. Etwas ratlos sah ich mich um. Ich wusste, dass es eine Bibliothek gab, doch ich wusste nicht wo. Vor mir erstreckte sich eine endlos lange Straße, am Horizont glaubte ich, den riesigen See erkennen zu können. Die Gedanken wirbelten wild in meinem Kopf umher, vergeblich versuchte ich, sie zu sortieren. So hilflos und allein hatte ich mich noch nie gefühlt.

Zusammenreißen.

Als erstes musste ich einen Laden finden, der Kleidung verkaufte. Widerwillig setzte ich mich in Bewegung, lief die Straße entlang, den Blick auf den See geheftet, der in der aufgehenden Morgensonne glänzte wie ein Flammenmeer. Nach einem kurzen Blick auf die Uhr in einem Ladenfenster realisierte ich, *wie* früh es eigentlich war. Ich würde so schnell keinen Laden finden, der mir Kleidung verkaufte. Bis zum Öffnen der Geschäfte dauerte es noch mindestens zwei Stunden. Also beschloss ich, mich in einem billigen Hotel einzuquartieren.

Nach einer kurzen Suche fand ich eine Absteige, die gar nicht mal so übel aussah.

Comfort Inn war auf der Reklametafel zu lesen, als ich näher kam. Das Gebäude wirkte schon älter, mindestens 60 Jahre oder mehr. Als ich den Lichtschein bemerkte, der vom Rezeptionsgebäude ausging, steuerte ich geradewegs darauf zu. So leise wie möglich öffnete ich die Tür und schaute mich um. Der Eingangsbereich war mit dunklem Holz verkleidet. Auf dem Boden lag ein schwerer Teppich, der in rot und braun gehalten war. Gegenüber der Tür stand ein Tresen, der von einer kleinen Lampe beleuchtet wurde. Das gelbe Licht warf lange Schatten auf das Gesicht des alten Mannes, der sich hinter dem Tresen über einen Stapel Unterlagen beugte. Als die Tür hinter mir wieder zufiel, sah er auf. Seine grauen, welligen Haare bildeten eine Halbglatze auf seinem Kopf. Die goldene Brille, die über seinen braunen Augen lag, wurde von einer langen Nase gestützt. Mit einem irritierten Gesichtsausdruck musterte er mich und kniff die Augen zusammen, als könnte er mich nicht richtig erkennen. Dann jedoch lächelte er mich mit gelben Zähnen an.

»Herzlich willkommen im Comfort Inn. Was kann ich für Sie tun?«, fragte er mich höflich und gab sich anscheinend die allergrößte Mühe, nicht zu offensichtlich auf meinen Pullover mit den verbrannten Ärmeln zu starren.

»Guten Morgen. Ich... ähm... ich bräuchte bitte ein Zimmer. Wenn möglich das billigste, das Sie anzubieten haben.«, sagte ich möglichst freundlich und versuchte, das Lächeln zu erwidern, was mir allerdings erbärmlich misslang.

»Natürlich. Hier, bitteschön.«, erwiderte er und reichte mir einen Schlüssel. An dem kleinen Anhänger aus Metall konnte ich eine verblichene 34 erkennen.

»Das macht dann bitte fünfzig Dollar.«, wartend streckte er die Hand aus. Ich ließ den Schlüssel in meine Hosentasche gleiten und zog stattdessen eines der Geldbündel hervor. Die Augen des Mannes wurden groß, doch er sagte nichts. Schnell legte ich das abgezählte Geld in seine geöffnete Hand und verließ die Rezeption.

Nach einer längeren Suche fand ich schließlich die richtige Tür und schloss sie auf. Die Wärme, in die ich hineintrat, empfing mein Körper dankbar. Meine Beine zitterten wieder und ich spürte meine Fingerspitzen kaum noch. Schnell schloss ich die Tür hinter mir und schaltete das Licht ein. Selbst für ein billiges Zimmer war es noch gut ausgestattet. Auf der linken Seite des Raumes stand ein großes Doppelbett, rechts davon führte eine Tür in einen anderen Raum, vermutlich das Bad. Auf der rechten Seite stand eine dunkelrote Ledercouch, davor ein kleiner Tisch mit einem Fernseher darauf. Auch das Bad sah gepflegt aus, die Fugen waren sauber und aus dem Wasserhahn floss klares, warmes Wasser. Dankbar hielt ich meine verfrorenen Hände darunter. Anschließend formte ich mit ihnen eine kleine Schüssel und beförderte das Wasser in mein Gesicht. Zuerst brannte es unangenehm, doch dann kehrte allmählich das Gefühl in meine Nase zurück. Als ich mich umblickte, sah ich einen Bademantel an einem Haken neben der Dusche hängen und mein Herz machte einen Satz. Dankbar schälte ich mich aus meinen Klamotten und drehte das Wasser in der Dusche auf. Dampf stieg mir entgegen und ich atmete die warme Luft tief ein.

Nach einer guten Stunde traute ich mich schließlich aus der Kabine. Mein ganzer Körper war angenehm aufgewärmt und entspannt. Ich warf den zerstörten Pullover achtlos in den Mülleimer und sah mir eine Broschüre des Hotels genauer an, die auf dem Nachttisch neben dem Bett lag. Darunter war auch ein Plan des Gebäudes. Ein unterirdisches Schwimmbad, ein Speiseraum, die Rezeption. Ganz links, am anderen Ende des Gebäudekomplexes gab es auch einen Waschraum.

Auf leisen Sohlen verließ ich mein Zimmer, meine dreckige Wäsche unter dem Arm und immer noch in meinen Bademantel gehüllt. Zum Glück war es immer noch früh am Morgen, höchstens fünf Uhr, deshalb begegnete ich niemandem.

In dem Waschraum angekommen nahm ich ein paar Münzen und warf sie in die Maschine, meine Wäsche hinterher. Nach kurzer Zeit wurde das Wasser eingefüllt und die Anzeige besagte noch zwei Stunden bis zum Ende des Waschgangs, also ging ich wieder in mein Zimmer und versuchte, mir einen Plan zurechtzulegen. Es war mir fast unmöglich, mich auf etwas anderes zu konzentrieren als auf den traurigen Blick meines Vaters.

Auf sein letztes, stummes ›Ich liebe dich‹, das ich nie wieder hören würde. Auf Calebs markerschütternden Schrei, als auch seine Eltern gestorben waren. Stumme Tränen flossen aus meinen Augenwinkeln und tropften auf den feuchten Bademantel. Ich musste stark bleiben.

Eine knappe Stunde später stand besagter Plan. Ich hatte meine Haare geföhnt und zu einem unordentlichen Knoten zusammengebunden, aus dem sich ein paar Strähnen gelöst hatten und vor meinen Augen herumwirbelten. Anschließend holte ich meine frische Kleidung aus dem Waschraum und zog mich in meinem Zimmer um, nicht ohne auf meinem Rückweg im Bademantel den Blicken der anderen Gäste ausweichen zu müssen.

Fertig angezogen saß ich nun da und starrte vor mich hin, die letzten Feinheiten meines Plans ausarbeitend. Warme Kleidung kaufen, einen Abstecher bei irgendeinem Supermarkt machen und mir etwas zu Essen besorgen, die Bibliothek finden und etwas über diesen ganzen Mist herausfinden, da Calebs Worten nicht zu trauen war.

Als ich schließlich an der Rezeption ankam, musterte mich der alte Mann kritisch, schien den Pulli zu suchen, den ich weggeworfen hatte. Ich fragte ihn nach dem Weg zur Bücherei und er erzählte mir, ganz zu meinem Nachteil, dass sie sich am anderen Ende der Stadt befand, es jedoch Bahnverbindungen gäbe.

Dann machte ich mich auf den Weg. Ein paar Meter folgte ich der Straße, bis ich auf einen Klamottenladen stieß. Schnell verschwand ich ins Innere und wurde von einem Schwall warmer Luft, sowie dem Geruch nach billigem Parfüm empfangen. Die Kassiererin, die hinter dem Verkaufstresen lümmelte, musterte mich abfällig aus ihren rosa geschminkten Augen, kurz darauf widmete sie sich wieder ihren langen, grellgelben Fingernägeln.

»Ganz schön kalt draußen, oder?«, fragte sie, ohne aufzublicken. Natürlich hatte sie meinen Aufzug bemerkt, das schwarze Top, auf dem bei genauerem Hinsehen noch immer kleine Ränder des Blutflecks zu erkennen waren. Selbst die Waschmaschine hatte es nicht gänzlich sauber bekommen.

»Kann man wohl sagen.«, gab ich knapp zurück. »Könnten Sie mir sagen, wo ich die Pullover finde?«

Ohne mich eines weiteren Blickes zu würdigen wies sie mit dem Finger zum anderen Ende des Ladens und ich verzog mich schnell dorthin. Mein Herz machte einen Satz, als ich die endlosen Reihen verschiedenster Pullover erblickte, die in allen Farben des Regenbogens vor mir herumbaumelten. Langsam ging ich an den Regalen entlang, fuhr mit dem Finger über die Kleidungsstücke, um Dicke und Material zu ertasten. Ich griff zuerst nach einem roten Pullover, ließ die Hand dann jedoch wieder sinken. Erinnerungen stürmten auf mich ein.

Mein Vater, wie er mir die Tüte mit der Kleidung reichte. Das Blut, das sich langsam auf der roten Oberfläche ausbreitete, nachdem Jesper auf mich geschossen hatte. Meine glühenden Hände, die mir die Arme versengt hatten. Die Brandblasen, die sich auf meiner Haut bildeten.

Ich musste ein paar Mal blinzeln, ehe ich wieder zurück in die Realität gefunden hatte. Nach einem tiefen Atemzug griff ich schließlich nach einem schlichten, schwarzen Pullover. Ich schlenderte noch ein wenig in dem warmen Laden umher, betrachtete die Kleidungsstücke und nahm mir noch Unterwäsche und eine Jogginghose mit. Die Kassiererin musterte mich ein letztes Mal, verkaufte mir die Sachen jedoch ohne ein weiteres Wort.

Nachdem ich aus dem Laden getreten war, zog ich mir den Pulli schnell über und erfreute mich an der Wärme, die meinen Körper einhüllte. Als ich die Straße weiter entlanglief, nahm ich die Eindrücke in mich auf. Ich war noch nie in Thunder Bay gewesen, zumindest nicht wissentlich, geschweige denn überhaupt in einer größeren Stadt. Abgesehen von Brooklyn. Aber das war Jahre her, ich war noch ein Baby gewesen, hatte kaum Erinnerungen mehr daran. Plötzlich stieg mir der Duft von Fast Food in die Nase und wie von selbst drehte sich mein Kopf nach rechts, wo mir ein kleiner Burger Laden entgegenleuchtete. Die Tische waren kaum besetzt, es war ja immer noch relativ früh am Morgen, aber das Angebot sah einfach himmlisch aus. Erst da wurde mir bewusst, wie lange ich eigentlich schon nichts Richtiges mehr gegessen hatte. Zwei Tage? Länger? Ich hörte meinen Magen knurren und überquerte die Straße, drückte die Tür auf und ließ mich auf eine mit Leder bezogene Bank am Ende des Lokals fallen.

Nach einem kurzen Blick in die Speisekarte hatte ich mich entschieden und teilte der Bedienung meinen Wunsch nach einem großen Burger und einer ebenso großen Portion Pommes zusammen mit einer Cola mit. Ich versuchte, das Essen nicht allzu schnell herunter zu schlingen, doch irgendwie gelang mir das nicht so recht. Nach zehn Minuten waren von dem Burger nur noch Krümel übrig, die letzte Pommes verschwand in meinem Mund. Ich verkniff mir das Bedürfnis genüsslich zu stöhnen, da mein Magen das erste Mal seit einer Ewigkeit wieder ganz gefüllt war. Ich bezahlte mein Essen und gab ein wenig mehr Trinkgeld als ich musste, bevor ich den Laden wieder verließ, das dankbare Lächeln der Bedienung immer noch vor meinem geistigen Auge. Draußen hatte es wieder angefangen zu schneien, also zog ich mir die Kapuze über meine Haare und stapfte über die dünne, weiße Schicht auf dem Boden zur nächsten Haltestelle.

Zu meinem Glück befand sich direkt gegenüber der Haltestelle eine Touristeninformation, in der ich mich nach dem schnellsten Weg zu Bücherei erkundigte. Die alte, grauhaarige Frau sah mich verwundert an, vermutlich fragte sie sich, was an einer Bücherei so interessant sein sollte und erzählte mir, dass ich mit der U – Bahn definitiv am schnellsten wäre. Die Haltestelle befände sich nur ein paar hundert Meter die Straße runter. Ich dankte ihr und hastete dann so schnell es ging durch den Schnee, da die Kälte meine Glieder erneut steif werden ließ.

In den Gängen unter der Stadt war es stickig, die Tunnel wurden von dreckigen Neonröhren an der Decke beleuchtet, die ein gelbes Licht auf alles warfen. Es waren nur wenige Menschen unterwegs, anscheinend war die U – Bahn hier nicht das beliebteste Fortbewegungsmittel. Ich löste mir ein Ticket und begab mich zu dem Gehsteig, den mir die Frau an der Informationstheke genannt hatte. Hier war keine andere Person, ich war völlig allein. Auf dem Bildschirm, der an einer der weißen Säulen befestigt worden war stand, dass meine Bahn in fünfzehn Minuten kommen würde, also ließ ich mich mit einem Seufzen auf eine Bank aus dunklem Holz fallen, die unter meinem Körper knarzte. Die Minuten verstrichen, langsam kam mir die Stille um mich herum bedrückend vor. Je leiser meine Umgebung wurde, desto lauter wurden meine Gedanken. Erinnerungen spukten in meinem Kopf umher, Gefühle drängten sich gewaltsam an die Oberfläche und drohten mich zu übermannen. Schließlich hielt ich es nicht mehr aus und sprang förmlich von meiner Bank auf, drehte kleine Kreise auf den Gehsteig und blickte dabei starr zu Boden. Mit aller Gewalt verdrängte ich alles, was in mir hochkam. Ich konzentrierte mich so stark, dass ich die anrollende Bahn zuerst gar nicht bemerkte. Erst als ich ein leises Zischen und Stimmengewirr wahrnahm, blieb ich stehen und blickte auf. Die Nummer auf der U – Bahn versprach, mich zu meinem Ziel zu bringen und so stieg ich ein und suchte mir einen Sitzplatz in einem etwas ruhigeren Teil der Bahn. Die leisen Gespräche um mich herum lenkten mich ab und ich war dankbar dafür. Schweigend starrte ich aus dem Fenster, schaute auf die verschiedenen Wanddekorationen, die mit den Stationen wechselten und fragte mich, was genau ich in der Bücherei überhaupt zu finden hoffte.

11

Die Sonne ging bereits unter, als mich die freundliche Bibliothekarin darauf hinwies, dass ich das Gebäude jetzt leider verlassen musste, weil sie nun wirklich schließen musste. Den ganzen Tag hatte ich über dicken, alten Büchern gebrütet und war mittlerweile vermutlich Spezialist auf dem Gebiet ägyptische Mythologie. Leider hatte ich nicht wirklich etwas Neues über das herausgefunden, wofür ich eigentlich hergekommen war. Einzig über diese seltsame Sekte, der ich mehr als einmal in die Hände gefallen war, wusste ich ein paar neue Dinge. Es schien ein radikaler Zweig der ugaritischen Religion zu sein, der vor allem den ägyptischen Gott Ba'al anbetete. Sie glaubten, dass sie mit seiner Hilfe eine neue Welt ganz nach ihren Vorstellungen erschaffen könnten, wenn sie ihrem obersten Gott seine Gemahlin, Anat, zurückbrächten, die ihm vor langer Zeit durch einen Fluch entrissen wurde. In einem heiligen Ritual würden die zwei Seelensplitter Anats wieder zusammengefügt und die Götter könnten wieder vereint sein. Laut der Legende wäre Ba'al den Rettern seiner Frau daraufhin etwas schuldig, deshalb auch der ganze neue – Welt – Unsinn. Allerdings unterschieden die Quellen sich an diesem Punkt voneinander - manche behaupteten, Ba'al persönlich würde einem den Gefallen erweisen, andere sagten er käme von Anat. In wieder anderen Quellen war von mehreren Gefallen die Rede und irgendwann war ich so verwirrt, dass die Buchstaben vor meinen Augen verschwammen.

Ich lieh mir ein Buch über Anat und alte Flüche aus, dann verließ ich die Bücherei und trat hinaus in die eiskalte Nacht. Zitternd bestritt ich meinen Rückweg zur U – Bahn – Station und setzte mich wieder auf eine Bank, zehn Minuten später kam die Bahn quietschend vor mir zum Stehen. Es war spät, mindestens halb elf, deshalb war ich ganz allein in meinem Abteil und brütete schweigend über den Büchern. Nach kurzer Zeit wurde mir jedoch klar, dass sie mir nicht weiterhelfen würden. Frustriert schlug ich meinen Kopf fest gegen den harten Einband des Buches und stöhnte auf. So langsam gingen mir die Optionen aus. Ich hatte einen ganzen Tag vergeudet.

Wieder in dem Hotel angekommen bezahlte ich für einen weiteren Tag, ging in das gleiche Zimmer und warf die Bücher achtlos in eine Ecke. Im Badezimmer wusch ich mir das Gesicht mit kaltem Wasser und versuchte, mich auf irgendetwas zu konzentrieren.

Vergeblich.

Die Stille und Dunkelheit des Raumes hatten nichts Beruhigendes. Im Gegenteil. Unruhig saß ich auf der Bettkante und zerbrach mir den Schädel über die Informationen des heutigen Tages. Ich hatte zwar mehr über diesen Kult herausgefunden, allerdings nicht über den Teil der Geschichte, in dem ich eine anscheinend so wichtige Rolle spielen sollte oder darüber, ob es diese Verbindung zwischen Jes- Caleb und mir überhaupt gab.

Aber es waren nicht nur die Gedanken über den Besuch in der Bücherei, die mich wachhielten, sondern auch die Gedanken über meine Familie und Caleb. Immer wieder ertappte ich mich selbst dabei, wie ich aus dem Fenster spähte und mir einbildete, ihn irgendwo im Schatten der Laternenpfähle stehen zu sehen. Oder ich meinte, das Lachen meines Vaters zu hören, wenn ich ihm versuchte aufzutischen, wie lecker sein Essen angeblich geschmeckt hatte. Nach zwei Stunden hielt ich es schließlich nicht mehr aus und trat aus meinem Zimmer hinein in die kalte Finsternis. Das Schneetreiben hatte sich gelegt, war einer beißend kühlen Brise gewichen. Es war weit nach Mitternacht, in den Straßen brannte kaum noch ein Licht, keine Menschenseele war mehr unterwegs. Keine außer mir. Ich lief die verlassene Straße entlang, war mir selbst nicht sicher, wonach ich eigentlich suchte, als ich schließlich vor einem kleinen Schaufenster stehen blieb. Das Schild über meinem Kopf wies den Laden als Pub aus. Im Inneren sah ich einen Tresen aus dunklem Holz mit Barhockern, auf denen nur ein einziger Mann saß, tief über sein Getränk gebeugt. Im hinteren Teil des Lokals konnte ich Spielautomaten und einen Billardtisch erspähen, um den sich eine kleine Gruppe Jungen versammelt hatte. An ein paar Tischen an der rechten Fensterfront saßen vereinzelt kleine Grüppchen und unterhielten sich angeregt.

Obwohl ich noch nicht volljährig war, wagte ich einen trägen Versuch und öffnete die Tür des Lokals. Sofort stieg mir der Duft von Bier und Zigaretten in die Nase. Ich ließ mich an einem freien Tisch nieder, meine Kapuze noch immer in mein Gesicht gezogen. Zu meiner Überraschung wurde ich nicht nach meinem Ausweis gefragt, als ich mir testweise einen Whiskey bestellte. Ich brauchte irgendetwas Starkes, um meine Gedanken zu ertränken. Um zu vergessen, und dabei kümmerte es mich auch nicht, in was für eine Absteige ich geraten war.

Kurze Zeit später stellte die Bedienung das Glas vor mir auf den Tisch und erkundigte sich, ob ich noch auf jemanden warten würde. Ich verneinte knapp und murmelte ein Dankeschön, woraufhin sie sich wieder von mir abwandte. Ich führte das Glas zu meinen Lippen und nahm einen großen Schluck. Der bittere Geschmack benetzte meine Zunge und wärmte mir kurz darauf angenehm den Magen. Was genau ich hier tat, wusste ich selbst nicht, doch der Alkohol beruhigte meine Nerven, brachte meine Gedanken zum Stillstand.

Zwei Stunden vergingen, der Laden leerte sich, neue Gäste, die deutlich betrunkener als ich waren, kamen herein. Irgendwann setzte sich eine Gruppe Jungen zu mir, nicht älter als 19 oder 20, und gemeinsam tranken wir ein Getränk nach dem anderen. Mein Kopf fühlte sich angenehm leicht an, die Sorgen, die mich vorhin auf Trab gehalten hatten, lösten sich nach und nach in Luft auf. Allgemein kam mir meine Situation mittlerweile einfach nur noch lächerlich vor, so schlimm war es doch eigentlich gar nicht. Und so ließ ich mich von der heiteren Stimmung der Jungen anstecken. Wir redeten über belanglose Dinge, woher ich käme, was ich so spät noch hier draußen zu suchen hätte. Wenn die Fragen zu persönlich wurden wich ich aus oder erfand Lügen, die deutlich besser klangen als die traurige Wahrheit.

Die anzüglichen Bemerkungen der zwei Jungen, die links und rechts von mir saßen, bemerkte ich zu spät. Mein Verstand arbeitete mittlerweile viel zu langsam, trotzdem wurde mir das Ausmaß meines Problems nach und nach bewusst. Wie konnte ich nur so leichtgläubig sein. Ich war minderjährig, allein, und betrank mich mitten in der Nacht in einem heruntergekommenen Pub. Warum hatte ich nicht früher bemerkt, was für ein leichtes Ziel ich abgegeben hatte? Ich war einfach nur dankbar dafür gewesen, dass sie mir Alkohol spendiert hatten, anstatt zu realisieren, dass sie mich lediglich abfüllen und somit gefügig machen wollten.

»Du bist wirklich verdammt hübsch.«, raunte mir einer der beiden Jungs ins Ohr. Diese Bemerkung ähnelte nicht einmal im Entferntesten einem Kompliment. Im Gegenteil. Seine Stimme troff gerade so vor Gier und Anzüglichkeit.

»Ähm danke, aber ich muss langsam los. Es ist wirklich schon spät.«, wich ich aus. Verdammt. Selbst ich bemerkte das Lallen in meinen Worten. Ich erhob mich und musste mich an der Tischkante festhalten, um nicht umzukippen. Der Raum um mich herum drehte sich, alle Geräusche drangen nur gedämpft zu mir durch. Wortlos, nur mit einem dreckigen Grinsen ließ mich der andere passieren. Vermutlich wussten sie genauso gut wie ich, dass ich in meinem Zustand keine Bedrohung darstellte und mich überhaupt nicht wehren konnte.

Wankend verließ ich das Lokal, die Kälte der Nacht prallte einfach an mir ab. Der Alkohol trieb mir die Wärme in die Wangen und ich presste meine eiskalten Fingerspitzen dagegen. In welche Richtung ging es zum Comfort Inn? Rechts oder links? Alles sah gleich aus. Immer wieder verschwamm mein Blick und ich nahm nur noch schemenhafte Farben wahr. Schließlich entschied ich mich für rechts - ich hoffte, dass es rechts war - und torkelte die Straße entlang.

Ich war noch nicht weit gekommen, da hörte ich hinter mir die Rufe und das Lachen der Jungs, mit denen ich getrunken hatte. So tuend, als könnte ich sie nicht hören, lief ich einfach weiter, versuchte, den Weg zurück zu meinem Zimmer zu finden. Zu spät stellte ich fest, dass ich die falsche Richtung eingeschlagen hatte. Umdrehen war keine Option. Die Stimmen in meinem Rücken wurden immer lauter, die drei Jungs kamen immer näher.

»Hey Kleine, hast du dich verlaufen?«, rief mir der Kerl zu, der links von mir gesessen hatte. Ich ignorierte die Bemerkung und lief einfach weiter, doch mein Gehirn funktionierte immer noch nicht richtig. Ich kam kaum vorwärts. Plötzlich packte mich jemand am Arm und riss mich grob herum.

»Wo willst du denn so schnell hin? Wir hatten doch so einen schönen Abend und da verschwindest du einfach? Ich habe dir deinen ganzen Alkohol bezahlt. Findest du nicht, da sollte für mich auch etwas herausspringen?«

Ich war zu schwach und zu betrunken, um mich zu wehren, als er nach meinem zweiten Arm griff und mich gegen die nächstbeste Hauswand drückte. Der raue Stein stach mir kalt und unsanft in den Rücken. Ich wand mich, versuchte vergeblich freizukommen. Auch die Kraft in meinem Inneren schien zu betrunken, zu gehemmt zu sein, um irgendetwas zu tun und so zappelte ich schwach in seinem unnachgiebigen Griff. Mit einem süffisanten Grinsen kam sein Gesicht meinem immer näher. Ich roch den Wodka, den wir zusammen getrunken hatten und bereute es, heute Abend überhaupt einen Fuß vor die Tür gesetzt zu haben. Ich wandte mein Gesicht ab, doch der Typ fixierte mit einer einzigen Handbewegung meine Handgelenke über meinem Kopf und umfasste mit der anderen Hand mein Kinn, zwang mich, ihn anzusehen. Grenzenloser Ekel überkam mich, als er seine Lippen auf meine presste und gewaltsam seine Zunge in meinen Mund schob. Mit aller Kraft biss ich zu, woraufhin er sich von mir löste und laut fluchte. Blut tropfte von seinem Kinn und ein metallischer Geschmack füllte meinen Mund.

»Du verdammtes Miststück! Du magst es anscheinend dreckig, oder?«

Wieder dieses derbe Grinsen, dann löste er die Hand um mein Kinn, holte aus, und verpasste mir mit aller Kraft eine Ohrfeige. Erschrocken schnappte ich nach Luft, es klang eher wie ein keuchen, und versuchte wieder, mich aus seinem Griff zu befreien, doch da lag seine Hand wieder an meinem Kinn. Fest drückte er meinen Kopf zuerst mit seiner Hand, dann mit seinem Mund gegen die Wand. Die freie Hand wanderte immer tiefer, ich konnte nichts dagegen tun, außer zu zappeln und zu schreien, aber es kam nicht mehr als ein leises Wimmern aus meinem Mund. Als seine Hand schließlich meinen Hosenbund erreichte, zappelte ich noch heftiger. *Nein.* Das durfte nicht passieren.

Gerade machte ich mich auf das Schlimmste gefasst, seine Finger hatten bereits den Reißverschluss meiner Hose geöffnet, da hielt er mitten in der Bewegung inne. Immer noch kniff ich meine Augen fest zusammen, weil ich nicht sehen wollte, was er tat.

Plötzlich ließ er mich komplett los und wurde brutal zurückgezerrt. Der ruckartig nachlassende Druck gegen meinen Körper sorgte dafür, dass ich das Gleichgewicht verlor, ins Taumeln geriet und auf den Bürgersteig fiel. Gerade noch rechtzeitig konnte ich mich mit den Handflächen abfangen, um meinen Kopf vor einem Aufschlag zu schützen. Bunte Punkte tanzten vor meinen Augen. Ich blinzelte ein paar Mal, versuchte, meinen Blick scharf zu stellen. Die zwei anderen Typen waren nicht länger da. Der Typ, der versucht hatte mich zu vergewaltigen, kniete auf der Straße und hielt sich den Bauch. Über ihm ragte eine Person auf, vermutlich ebenfalls männlich. Sie wurde von hinten durch die Straßenlaternen beleuchtet, ihr Gesicht lag in den Schatten der Nacht verborgen. Die Person trat dem Typen mitten ins Gesicht, woraufhin er zu Boden sank und sich nicht mehr rührte. Als der Schatten anschließend auf mich zukam, rutschte ich auf dem Boden nach hinten, weg von ihm.

»Cari, was zum Teufel machst du hier?«
Obwohl meine Sinne immer noch komplett benebelt waren,

erkannte ich die Stimme sofort. Das Blut gefror mir in den Adern, ich erstarrte. Jesper.

Mein Verdacht bestätigte sich, als er die dunkle Kapuze von seinem Kopf nahm und sein Haar im Licht der Laternen funkelte wie Onyx.

»Die Welt geht unter und du hast nichts Besseres zu tun, als dich zu betrinken? Ich hätte wirklich mehr von dir erwartet.«, sagte er kopfschüttelnd und zog mich wieder auf die Beine.

»Lass... lass mich in Ruhe.«, stammelte ich und wich vor ihm zurück, wobei ich fast wieder hinfiel. Jesper war jedoch sofort zur Stelle und stützte mich, bis ich mein Gleichgewicht wiedergefunden hatte.

»Komm, lass mich dir helfen. Wo schläfst du?«, fragte er mit einer erstaunlichen Sanftheit in der Stimme.

»Com... Comfort Inn.«, gab ich zurück und er nickte nur, als wüsste er es schon längst. Schweigend führte er mich in die andere Richtung und zurück zu meinem Zimmer. Er schloss auf und schaltete das Licht ein, bevor er die Bücher auf dem Boden bemerkte.

»Sieh einer an, du hast also doch etwas getan. Immerhin.«, sagte er mit einem belustigten Unterton.

»Das geht dich nichts an.«, fauchte ich und verzog mich mit meiner Jogginghose ins Bad. Kurze Zeit später taumelte ich wieder zu meinem Bett und ließ mich neben Jesper auf der Kante nieder.

»Jetzt mal ernsthaft. Was hast du dir dabei gedacht? Du hättest ernsthaft verletzt werden können, der Typ war drauf und dran…«, fing er an, doch ich schnitt ihm das Wort ab.

»Denkst du, das weiß ich nicht? Sah ich aus, als ob ich das gewollt hätte? Verdammt ich wollte nichts von alldem hier! Ich wollte doch nur ein normales Leben, mit einer normalen Familie und normalen Freunden! Tut mir leid, wenn ich es nicht mehr ausgehalten habe! Ich konnte nicht schlafen, keinen klaren Gedanken fassen. Aber heute Abend, da war für einen kurzen Moment alles wieder gut, wieder normal. Ich wollte doch nur für einen Augenblick glücklich sein! Ich habe es verdient, auch mal glücklich zu sein, oder etwa nicht?«, brauste ich auf und war über meine eigenen Worte erstaunt. Eigentlich hatte ich gar nicht vorgehabt, so viel meiner Gefühlslage zu offenbaren.

Dämlicher Alkohol.

Ich setzte schon zu einer unbeholfenen Entschuldigung an, da gab er einen seltsamen Laut von sich. Es klang wie eine Mischung aus Lachen und Schluchzen. Irritiert drehte ich mich zu ihm, da schaute auch er mich an.

»Natürlich hast du es verdient, glücklich zu sein. Vermutlich hast du es mehr verdient als viele Menschen, die auf dieser Erde wandeln, mich eingeschlossen.«

Die Erklärung verwunderte mich so sehr, dass ich keinen weiteren Ton herausbekam und ihn wortlos anstarrte.

»Denkst du, ich wollte das hier? Denkst du, ich wollte, dass deine Eltern sterben. Oder dass ich dich die ganze Zeit anlügen musste? Ja, am Anfang habe ich das dämliche Spiel mitgespielt, das sie mir aufgezwungen haben. Du warst mir egal, ich wollte einfach nur meine Familie retten und da kam es mir gerade gelegen, dass unsere Eltern sich schon kannten. Aber dann habe ich dich kennengelernt, deinen Vater persönlich kennengelernt. Du warst so überfordert mit allem, dennoch hast du das Beste aus jeder Situation gemacht. Als wir nach Thunder Bay gefahren sind, da hast du so unbeholfen und irgendwie fast schon glücklich gewirkt. Ja, am Anfang warst du mir gänzlich egal, aber dann…«

Er geriet ins Stocken und wandte den Blick ab.

»Dann was?«, fragte ich leise. Als Jesper weiterhin schwieg, legte ich meine Finger unter sein Kinn und zwang ihn, mich anzusehen.

»Dann was?«, wiederholte ich meine Frage und erwiderte seinen Blick, ohne mit der Wimper zu zucken. Vielleicht lag es nur an dem Alkohol in meinem Blut, doch Jespers Augen wirkten viel blauer als sonst. Die Farbe schien heller, wie zarte Frostblumen. Völlig überrumpelt von diesem Anblick gab ich mich dem Moment einfach hin, vergaß, was ich ihn eben noch gefragt hatte, vergaß, warum ich überhaupt jemals sauer auf ihn gewesen war.

»Dann habe ich mich in dich verliebt.«, flüsterte er kaum hörbar und verzog die Lippen zu einem traurigen Lächeln. Dieser Gesichtsausdruck weckte alte Erinnerungen in mir und ich wich zurück. Langsam erinnerte ich mich wieder an den Grund, warum ich ihn von mir fortgestoßen hatte. Genauso hatte sein Gesicht ausgesehen, als er im Krankenhaus auf mich losgegangen war. Als er mich blutig geschlagen und schließlich erschossen hatte, nur um mich hinterher wiederzubeleben. Nur, damit ich herausfinden musste, dass er mich die ganze Zeit belogen und betrogen hatte, um sich selbst einen Vorteil zu verschaffen. Diese Gewissheit stand wie eine unendlich tiefe Schlucht zwischen uns.

»Hast du... hast du mir jemals die Wahrheit verraten?«, fragte ich leise und ließ meine Hand sinken.

»Ja. Erinnerst du dich an dem Tag im Auto, als du mich gefragt hast, woher ich diesen ganzen Kram über den Fluch und alles überhaupt wissen würde? Ich habe dir geantwortet, dass ich dieses Gefühl in mir gespürt hätte, dass ich deine Anwesenheit gespürt hätte. Und so war es tatsächlich. So ist es immer noch. Es tut mir so unendlich leid, dass musst du mir glauben. Gib mir noch eine Chance, bitte. Wir können das hier nur gemeinsam überstehen.«

Diesmal war er es, der die Hand unter mein Kinn legte und meinen Kopf sanft zu sich drehte. Ich ließ ihn passieren.

»Wegen diesen Menschen ist mein Vater tot, leider bist du daran nicht gänzlich unschuldig. Das kann ich dir nicht so schnell vergeben, selbst wenn ich es mit aller Kraft versuchte. Ich weiß nicht, ob ich es dir überhaupt jemals vergeben kann. Allerdings muss ich zugeben, dass ich selbst auch nicht ganz unschuldig an diesem ganzen Dilemma bin. Wie blöd kann man denn bitte sein? Ich war bei diesen Menschen, war dort eingesperrt. Einer dieser Männer hat nach kurzer Zeit den Raum verlassen. Er wollte mit einem gewissen Cal sprechen, vermutlich ist er direkt danach zu dir gerannt? Als ich danach in meiner Zelle lag, war ich wirklich so dumm zu glauben, dass du mein Held in schillernder Rüstung wärst! Es war so offensichtlich und dennoch war ich völlig blind!«

Jesper wollte etwas erwidern, doch ich ließ ihn nicht zu Wort kommen.

»Es wird lange brauchen, bis ich dir ganz vergeben habe. Vielleicht ein ganzes Leben und noch länger. Aber ich kann es versuchen. Denn du bist nicht der Einzige, der sich verliebt hat.«

Ich wurde zum Ende des Satzes hin immer leiser, bis ich nur noch ein Flüstern herausbekam. Meine Wangen wurden noch röter, als sie es durch den Alkohol ohnehin schon waren und hastig drehte ich mich wieder weg.

»Sag das nie wieder.« Ich erstarrte.

»Was? Aber... du hast es doch auch gesagt...«, brachte ich mühsam hervor und suchte seinen Blick. Er musterte mich mit einer Mischung aus Verzweiflung und Wut.

»Nicht das. Sag nie wieder, dass du auch schuld an dieser Sache trägst. Das ist so weit von der Wahrheit entfernt, wie es nur sein kann.«

»Wie ist dein wahrer Name?«, platzte es plötzlich aus mir heraus, obwohl ich ihn doch eigentlich schon längst kannte. Ich wusste nicht genau, warum ich ihm diese Frage stellte, woher der plötzliche Themenwechsel rührte.

»Mein richtiger Name ist Caleb, aber ich werde von jedem nur Cal genannt.«, antwortete er mit einem melancholischen Unterton in der Stimme. Als würde es ihm wirklich leidtun, was er getan hatte. Vielleicht tat es das ja.

Lange saßen wir schweigend nebeneinander. Ich blickte aus dem Fenster in die Nacht hinaus, beobachtete, wie der Mond über den Himmel wanderte. Schließlich brach Jesper - Caleb - das Schweigen.

»Cari?«

Diese einzige Silbe brachte mich dazu, ihn anzusehen. Seine Augen wirkten wieder wie zwei unergründliche Ozeane, unendlich tief und wunderschön.

»Ja?«

»Weißt du eigentlich, wie viel mir deine Vergebung bedeutet?«

Ungläubig musterte ich ihn, blinzelte ein paar Mal, ehe ich die Bedeutung der Worte richtig begriffen hatte. Meine

Vergebung. Wie seltsam das klang. Ich setzte gerade zu einer Antwort an, da erhob er sich und ging Richtung Tür.

»Es ist spät. Ich denke, ich nehme mir ein eigenes Zimmer und wir reden morgen weiter. Einverstanden? Schlaf gut.«

Ohne meine Antwort abzuwarten drehte er sich um und verließ den Raum. Völlig verdutzt blieb ich einige Sekunden reglos auf meinem Bett sitzen. Was sollte das denn?

Erst offenbarte er mir seine Gefühle, schüttete mir sein Herz aus und dann ergriff er die Flucht?

Was ich daraufhin tat, war mit großer Sicherheit die Schuld des Alkohols oder dieses blöden Seelenbandes, das vielleicht - ganz vielleicht - doch existierte.

12

Caleb, warte!«

Ich hatte mir schnell den Schlüssel zu meinem Zimmer in die Tasche gestopft und eilig die Tür hinter mir zugezogen. Als sie ins Schloss fiel, ertönte ein dumpfer Schlag, der mir in der Stille der Nacht viel zu laut erschien. Doch darauf achtete ich nicht. Nur in Socken, ohne Schuhe, lief ich ihm auf dem steinernen Pfad hinterher.

Er hatte schon die Hälfte des Weges zur Rezeption hinter sich gebracht, blieb jedoch wie angewurzelt stehen, als er mich rufen hörte.

Ich gab ihm keine Gelegenheit, Distanz zwischen uns zu bringen und umarmte ihn einfach.

»Danke. Ich hätte an deiner Stelle genauso gehandelt.«, flüsterte ich in sein Ohr und auch er legte die Arme um mich.

Nach einer halben Ewigkeit schob er mich schließlich so weit von sich weg, dass er mich ansehen konnte.

»Hör auf dich zu bedanken. Hätte ich zulassen sollen, dass der Typ sich auf offener Straße an dir vergeht oder was? Das war das Mindeste, was ich tun konnte. Er hat dich geschlagen, oder?«

Plötzlich lag seine Hand auf genau dieser Stelle. Ich hatte davor gar nicht bemerkt, dass sie brannte.

»Die roten Striemen kann man noch aus einem Kilometer Entfernung erkennen.«, witzelte er, machte jedoch keine Anstalten, seine Hand von meiner Wange zu nehmen. Wir standen beide einfach nur da und schauten uns an. Ich schmiegte meine Wange in seine Handfläche und schloss für einen Moment die Augen. Als ich sie wieder öffnete, hatte Caleb den Abstand zwischen uns verkleinert. Sein Gesicht schwebte dicht vor meinem.

»Ich werde nie wieder zulassen, dass irgendwer Hand an dich legt, verstanden?«, fragte er leise und als ich vorsichtig nickte, zog er mich noch näher zu sich heran. Ich ließ es geschehen. Ob es der Alkohol war oder das Band zwischen uns, wusste ich nicht, aber auf einmal wurde ich von der Sehnsucht verzehrt, meine Lippen auf seine zu legen. Er schien den Ausdruck in meinen Augen bemerkt zu haben und mit einem leisen Lachen schloss er die Lücke zwischen uns und drückte seinen Mund sanft auf meinen.

Dieser Kuss hatte keine Ähnlichkeit mit dem stürmischen, den er mir im Krankenhaus gegeben hatte. Als sich unsere Lippen berührten, schoss ein Feuer durch meine Adern und brachte meinen ganzen Körper zum Kribbeln. Sanft schlang er einen Arm um meine Taille, hielt mich fest. Die kalte Nachtluft kam mir auf einmal gar nicht mehr so kalt, sondern angenehm warm vor. Wenn ich vorher irgendwelche Geräusche vernommen hatte, waren sie nun gänzlich verstummt, so, als würde auch die Welt den Atem anhalten, zu geschockt über das, was da gerade passierte.

Von einem plötzlichen Verlangen ergriffen vergrub ich die Hände in seinen Haaren, versenkte meine Lippen noch mehr in diesem Kuss, der immer stürmischer wurde. Auch Calebs Griff wurde immer stärker. Eine Hand verweilte an meiner Taille, die andere wanderte an meine Wange und strich mir sanft über den Kiefer. Als Caleb auch die andere Hand wandern ließ, ganz langsam, hörte ich hinter mir ein gekünsteltes Husten. Erschrocken drehte ich mich um, nur um erleichtert festzustellen, dass es bloß der alte Mann von der Rezeption war, der uns mit hochgezogenen Augen musterte.

»Dürfte ich Sie beide bitten, sich ein Zimmer zu suchen? Das stört die anderen Gäste.«, sagte er und räusperte sich.

Obwohl ich keine anderen Gäste ausmachen konnte - es war immer noch mitten in der Nacht - drehte ich mich verlegen um und zog Cal hinter mir her, zurück zu meinem Zimmer.

»Na das war ja peinlich.«, sagte ich als ich die Tür hinter uns zugezogen hatte und musste sofort anfangen zu lachen. Auch Caleb konnte sich ein Grinsen nicht verkneifen. Dieser Abgrund zwischen uns war immer noch deutlich sichtbar, schien aber mit jeder vergehenden Minute kleiner zu werden. Vielleicht konnte ich ihm ja tatsächlich irgendwann vergeben.

Caleb ließ mir jedoch nicht wirklich Zeit zum Nachdenken, denn als ich mich zu ihm umdrehte, stand er direkt vor mir. In seine Augen war ein hungriger Glanz gewandert. Als er seine Lippen wieder auf meine legte, spürte ich plötzlich jede Stelle an der sich unsere Körper berührten überdeutlich. Der Alkohol, der noch immer für starken Schwindel sorgte, verstärkte seine Wirkung auf mich noch zusätzlich und ich verlor mich vollkommen in seinen Armen, nahm es kaum wahr, dass er mich hochhob und auf das Bett legte, ohne seinen Mund auch nur eine Sekunde von meinem zu lösen. Vollkommen benebelt begann ich damit, am Saum seines Shirts herumzunesteln und er hielt abrupt inne.

»Cari, wir sollten nicht... nicht in deinem Zustand.«, brachte er erstickt hervor und ich bemerkte, welche Mühe es ihn kosten musste, in diesem Moment inne zu halten.

»Es geht mir gut. Willst du das hier«, ich deutete ungelenk auf uns. »denn nicht?«

»Du glaubst gar nicht wie sehr ich das will. Aber ich würde mir vorkommen, als ob ich dich ausnutzen würde.«

»Blödsinn. Bitte. Ich brauche das hier. Ich brauche dich.«, flüsterte ich und wusste in dem Moment, in dem ich meinen Satz beendet hatte, dass es die richtigen Worte gewesen waren. Calebs Augen begannen zu strahlen und er küsste mich erneut, stürmisch. Ich begann wieder, am Saum seines Shirts herumzufummeln und er half mir. Nur wenige

Sekunden später lagen unsere Oberteile auf dem Boden neben dem Bett.

»Ich... ich hab das hier... noch nie…«, brachte ich erstickt hervor, als Caleb die empfindliche Stelle unter meinem Ohr küsste.

»Shhh. Ist schon in Ordnung. Entspann dich einfach und lass mich die Führung übernehmen. Stell es dir vor wie einen Tanz.«

Ich brachte nur ein Nicken zustande während Calebs Küsse immer tiefer wanderten und sein Mund schließlich den Rand meines BHs fand. Ein Zittern durchfuhr meinen ganzen Körper, als er mit der Zunge an der Spitze entlangfuhr.

»Lass dich einfach fallen.«, raunte er mir ins Ohr, nachdem er mit den Küssen wieder zu meinem Mund zurückgekehrt war.

Und das tat ich.

Der Anfang war schmerzhaft, doch Caleb gab sich größte Mühe vorsichtig und zärtlich zu sein. Nach kurzer Zeit ebbte der Schmerz wieder ab und wich einem Gefühl der Benommenheit und Lust, die in Wogen über mich hereinbrachen.

»Fühlt sich das gut an?«, flüsterte er und biss mir sanft in die Unterlippe. Ich brachte nur ein schwaches Nicken zustande. Caleb erhöhte sein Tempo und der Druck in meinem Inneren wurde unerträglich stark, bis ich mit den Fingern über seinen Rücken fuhr und eine Hand in seinen Haaren vergrub, als ich von der stärksten Woge der Lust überrollt wurde, die ich jemals in meinem Leben empfunden hatte.

Am Rande meines Bewusstseins nahm ich wahr, wie auch er kam, doch das Gefühl der Euphorie und Entspannung war einfach zu berauschend. Erschöpft drückte Caleb mir einen letzten Kuss auf die Lippen und rollte sich auf die Seite, bevor er die Arme um mich schlang und mich festhielt, bis wir beide eingeschlafen waren.

Als ich Stunden später aufwachte, hatte ich nur einen Gedanken im Kopf: Badezimmer. Ich richtete mich ruckartig auf und sprang vom Bett, als der Schwindel einsetzte. Mit einem leisen Stöhnen hielt ich mich gerade noch rechtzeitig an der Wand fest, bevor ich umkippte. Wankend arbeitete ich mich bis zum Badezimmer vor und fiel vor der Toilette auf die Knie, bevor ich mich übergeben musste. Mein Kopf brummte, als hätten sich Bienen in ihm eingenistet und mein Blickfeld drehte sich wie wild. Ich musste mich immer weiter übergeben, als das Licht im Bad auf einmal anging. Kurz darauf hielt mir jemand die Haare aus dem Gesicht, die in wilden Strähnen um meine Schläfen gebaumelt hatten.

Langsam kamen die Erinnerungen an gestern Nacht zurück und ich würgte erneut bei dem Gedanken an den ekelhaften Typen, der mich fast vergewaltigt hätte. Wie konnte ich nur so blöd gewesen sein? Warum hatte ich mir so leichtsinnig Getränke ausgeben lassen? Ich hatte es wirklich geradezu darauf angelegt. Mitten in der Nacht in einem verlassenen Pub zu trinken, war offiziell die dämlichste Idee meines Lebens. Wer weiß, was mit mir passiert wäre, wenn Jesper, oder Caleb, oder wie auch immer er nun hieß, mir nicht zur Hilfe geeilt wäre? Der Name und die damit verbundene Gewissheit trafen mich wie ein Schlag und meine Hände begannen heftig zu zittern, als ich mich erneut übergab. Caleb. War das gestern wirklich alles passiert oder hatte ich mir das nur eingebildet? Die Tatsache, dass er nun hier war und meine Haare hielt, während ich mir die Seele aus dem Leib kotzte, sprach für Ersteres.

»Shhhh, ist schon gut. Du hast gestern echt verdammt viel getrunken, oder?«, fragte er amüsiert und ich zeigte ihm den Mittelfinger.

»Wie viel?«, fragte er erneut, ohne meine vulgäre Geste zu beachten.

»Ich weiß es nicht mehr. Zu viel…«, sagte ich zwischen zwei Würgeanfällen. Als ich mir die Menge an Wodka und Rum ins Gedächtnis rief, die ich wahrscheinlich zu mir genommen hatte, kam es mir erneut hoch.

»Wow, du siehst gar nicht aus, als ob du so viel vertragen könntest.«, erwiderte er und ich konnte echte Überraschung aus seiner Stimme hören.

»Tja, anscheinend stecke ich voller Überraschungen.«, gab ich mit einem Laut zurück, der eigentlich ein Lachen sein sollte. Es klang eher wie ein krächzen.

Nach einer halben Stunde hatte die Übelkeit endlich nachgelassen und ich saß erschöpft und schweißgebadet neben der Toilette. Meine Bauchmuskeln taten bei jeder Bewegung weh, deshalb wagte ich es nicht, mich zu rühren. Caleb kam mit einer Flasche Wasser in den kleinen Raum und reichte sie mir wortlos. Ich hatte seit unserem Wortgefecht vorhin keinen Ton mehr herausbekommen. Zu groß war die Angst, mich erneut übergeben zu müssen. Und so nahm ich die Flasche dankbar an mich, trank sie in einem Zug fast komplett aus und spürte, wie das Wasser angenehm das Gift in meinem Körper wegspülte.

Caleb klappte den Klodeckel herunter und setzte sich mir gegenüber darauf.

»Ich habe mir erlaubt, die Bücher durchzusehen, die du dir ausgeliehen hast. Es stand nicht wirklich viel darin, was wir nicht schon wussten. Aber eine interessante Sache habe ich gefunden. In einem der Bücher, dem über antike Flüche stand etwas über das Ritual, mit dem man angeblich die Seelenteile Anats wieder vereinigen kann. Ich schätze, dass ist das was wir suchen. Vielleicht lehne ich mich hier zu sehr aus dem Fenster, aber ich glaube, dass diese seltsame Sekte, wie du sie genannt hast, nicht genau weiß wie das Ritual ablaufen muss. Würden sie es wissen, hätten sie mit aller Gewalt versucht uns gefangen zu halten.«

»W… wie kommst du darauf?«, fragte ich stotternd, da ich immer noch nicht reden konnte, ohne zu würgen, doch mein Magen war komplett leer.

»Sie brauchen uns beide, und zwar lebend, um die Seelensplitter wieder in den Leichnam von Anat pflanzen zu können. Einer von uns muss es aus freien Stücken tun, muss das Ritual vollziehen.«

»Du machst Witze, oder? Anat ist eine Gottheit, sie hat keinen Körper. Und erst recht keinen *Leichnam*.«

»Erzähl das mal dem Typen, der dieses Buch verfasst hat. Laut diversen Legenden wurde Anats Körper sterblich, als man ihn von ihrer Seele trennte. Und welcher schlaue Kopf auf diesem Planeten würde besagten Körper nicht sofort töten, damit nicht länger das Risiko besteht, dass sie irgendwann zurückkommt, um Rache auszuüben? Aber so einfach wurde es den Mördern Anats natürlich nicht gemacht. Nachdem sie alle eines grausamen Todes gestorben sind, hat Ba'al einen mächtigen Alchemisten aufgesucht und ihn um Hilfe gebeten. Ja, Ba'al war ein Gott, dennoch hatte er keine ausreichende Macht über das Reich der Toten. Er bat den Alchemisten, Anat zurück ins Leben zu holen, doch dieser weigerte sich und lieferte Ba'al eine andere Möglichkeit, seine Gemahlin zurückzubekommen, allerdings nur mit der Hilfe der Sterblichen, was dem Gott gehörig gegen den Strich ging. Der Alchemist jedoch ließ sich nicht umstimmen, auch als Ba'al ihn wenig später im Angesicht des Todes erneut vor die Wahl stellte. Der Alchemist wollte dem Gott, der seiner Meinung nach viel zu überheblich war, aufzeigen, wie sehr er doch von den Menschen abhängig ist. Deshalb belegte er die Seelenteile von Anat in seinem letzten Atemzug mit einem Fluch. Sie war dazu verdammt, nur in den Hüllen menschlichen Fleisches vorübergehend Ruhe zu finden und konnte nur durch ein Ritual, durchgeführt von Menschen, wieder zurück ins Leben geholt werden.«

»Okay, das ist soweit verständlich - glaube ich. Im Groben wusste ich das auch so.«, gab ich zurück und nahm nochmal einen tiefen Schluck Wasser. Mein Umfeld drehte sich noch immer, aber nicht mehr so schnell wie noch vor einer halben Stunde. Nachdem ich mich kurz geräuspert hatte, fragte ich: »Du sagtest, sie brauchen uns beide, um das Ritual beginnen zu können, aber nur einer muss es durchführen. Was passiert mit der anderen Person?«

Obwohl ich eine vage Ahnung hatte, hoffte ich, dass ich mich täuschte.

»Beide Auserwählten müssen anwesend sein, damit Anat ihre Kräfte vollständig zurückerlangt. Einer der beiden wird ein Messer bei sich haben, eine Klinge, so weiß und rein wie der Himmel selbst. Geschmiedet aus einem Metall, nicht von dieser Welt. Er wird die Klinge ins Herz des anderen stoßen, die weiße Klinge auf ewig mit Blut und Schande besudeln. Die Kräfte des einen werden auf den anderen übergehen. Das reine Herz des Mörders wird auf ewig vom Tod und Unglück begleitet werden. Ist der eine Auserwählte erstmal tot, muss der andere sein Blut über dem Leichnam vergießen. Genau drei Tropfen sollen in den Mund der Gottheit dringen, denn erst wenn die Menschen bereit sind, wieder für die Götter zu bluten, werden beide zu alter Größe zurückfinden. So oder so ähnlich stand es in dem Buch.«

Ich musste schwer schlucken.

»Sie wollen also, dass wir uns gegenseitig töten, um eine Gottheit wiederzubeleben die seit tausenden Jahren tot ist? Das ist doch verrückt!«, sagte ich laut und ließ den Kopf in die Hände sinken.

»Ich weiß. Jetzt stellt sich nur die Frage, was sie mit dieser dämlichen Halskette wollen.«, sagte er und ließ sie vor meinem Gesicht herabbaumeln. Ich hob den Kopf und musterte sie ungläubig.

»Die habe ich ganz vergessen.«

»Ich weiß. Ich hab sie in dem Quartier mitgehen lassen und du wolltest sie nie zurückhaben. Da habe ich sie behalten.«

Langsam hob ich eine Hand und strich mit den Fingern über das kühle Metall.

»Danke.«, flüsterte ich und schaute zu ihm auf. Seine Mundwinkel zuckten, kurz darauf umspielte ein kleines Lächeln seine Lippen.

Wie betrunken ich gestern auch gewesen sein mochte, mit einer Sache hatten sowohl er als auch ich recht. Wir würden das alles nur gemeinsam durchstehen können, auch wenn noch so viele schlimme Dinge auf uns zukämen. Der

Abgrund zwischen uns verheilte, langsam und brüchig, doch er verheilte.

»Ich weiß, wie wir das herausfinden.«, sagte ich und steckte plötzlich voller Energie. Endlich hatte ich einen Plan vor Augen.

»Ich höre?«, fragte Caleb mit hochgezogener Augenbraue und wich erschrocken zurück, als ich blitzartig aufsprang.

»Wir müssen zurück zu mir nach Hause!«, verkündete ich und hastete aus dem Bad, um mich umzuziehen.

»Zuerst brauchst du frische und wärmere Kleidung. Es ist mittlerweile verdammt kalt draußen, außerdem stinkst du nach Wodka und anderen, deutlich weniger appetitlichen Dingen.«, hörte ich ihn aus dem Bad rufen und rollte mit den Augen.

Doch insgeheim war ich froh darüber, dass er wieder bei mir war.

13

Caleb hatte sich bereit erklärt, mir neue Kleidung zu besorgen, die wettergerechter war.

Nachdem ich eine Ewigkeit unter der Dusche gestanden hatte, in der stillen Hoffnung, dass die Übelkeit und der Schwindel sowie der pochende Schmerz in meinem Kopf verschwanden, was leider nicht der Fall gewesen war, wickelte ich mich in den Bademantel und verließ das Badezimmer. Cal war noch nicht zurückgekehrt, deshalb ließ ich mich auf das Bett mit den zerwühlten Laken sinken und atmete tief durch. Der Plan, den ich ihm geschildert hatte, war heikel. An vielen Stellen gab es Möglichkeiten, uns einen Strich durch die Rechnung zu machen, doch uns war einfach nichts Besseres eingefallen. Zuallererst würden wir die Bücher zurück bringen, danach würden wir uns auf direktem Weg zu mir nach Hause begeben. Ich hatte eine Vorahnung, wo sich der Filer befinden könnte. Als ich kleiner gewesen war, hatte mir mein Vater von einem Lager in einer benachbarten Stadt erzählt, in dem er allerlei Gerümpel aufbewahren würde, aber auch wertvolle Erbstücke der Familie, die er dort als sicherer betrachtete. Um mir wirklich sicher sein zu können, mussten wir zurück und den Schlüssel für dieses Lager finden. Dort wäre der Filer. Wenn wir ihn erstmal hätten, würden wir herausfinden müssen, wo sich der Leichnam der Göttin befand und dorthin reisen müssen. Schließlich, und das war der unsicherste Teil des Plans, würde ich alles dafür tun, den Körper sowie den Filer zu zerstören, damit sich der Fluch niemals erfüllen konnte.

So viele ungeklärte Einzelheiten. Was sollten wir tun, wenn der Filer nicht in dem Lager wäre? Oder wenn wir ihn gar nicht benutzen konnten? Was, wenn der Körper am anderen Ende der Welt versteckt war oder schon im Besitz dieser Sekte?

So viele Risiken. Und dennoch würde ich sie alle eingehen. Nicht um meinetwillen. Auch wenn ich es mir nicht wirklich eingestehen wollte, tat ich alles in gewissem Maße für Cal. Und für meine Mutter. Und meinen Vater. Damit Caleb die Aussicht auf ein normales Leben haben konnte. Damit sie nicht umsonst gestorben waren. Ich hätte mein Leben allein und für immer versteckt verbringen können. Doch für Cal wollte ich mich anstrengen. Für sie wollte ich mich anstrengen.

Ich wurde abrupt aus meinen Gedanken gerissen, als ein lautes Klopfen an der Tür zu hören war. Ich machte Cal auf und er ließ einen Berg aus Kleidung auf das Bett fallen. Eine dicke Winterjacke, dunkle Stiefel, eine Mütze in der Farbe geronnenen Blutes, dunkle Jeans, dunkler Pullover.

»Woher hast du denn das ganze Geld?«, fragte ich erstaunt und betrachtete den Haufen, der sich vor mir auftürmte.

»Es klingt jetzt vermutlich sehr makaber, wenn ich behaupte, dass verstorbene Eltern auch ihre Vorteile haben, zum Beispiel ein Erbe, dass nun einem selbst gehört, aber so ist es nun mal.«, erwiderte er mit einem Schulterzucken und ließ sich auf das Sofa fallen.

Ich warf ihm einen bösen und leicht irritierten Blick zu, doch er entgegnete nur ein müdes Lächeln, als hätte er sich schon zu Genüge mit der Situation beschäftigt. Wie konnte er sich nur so leicht damit abfinden? Ich verschwand im Bad, föhnte meine Haare und zog mich um.

Zwanzig Minuten später war ich bereit zu gehen.

Wir nahmen wieder den gleichen Weg mit der U − Bahn, hielten davor allerdings noch kurz bei einem Supermarkt an, aus dem wir wenig später eingedeckt mit Lebensmitteln heraus spazierten. Ich betrachtete unsere Ausbeute: Brot, Wurst, Käse, ein paar Äpfel und Schokolade, auf meinen Wunsch. Das Wasser lief mir im Mund zusammen und ich biss herzhaft in einen der Äpfel, was Cal ein leises Lachen entlockte.

In der U − Bahn war es wieder genauso still und ruhig wie gestern auf meinem Rückweg. Wir verbrachten die Fahrt schweigend, nur ab und an wurde die Stille von dem Geräusch des Apfels gestört, wenn ich meine Zähne in das süße Fruchtfleisch schlug. Es war keine unangenehme Stille, dennoch spürte ich noch immer den Abgrund und die vielen unausgesprochenen Worte, die zwischen uns standen.

Die Bibliothek war heute kaum besucht und wir gaben die Bücher schnell zurück, ließen uns dann allerdings doch noch dazu hinreißen, die ägyptische Abteilung aufzusuchen.

Als Cal in die Einbände der alten Bücher vertieft war, musterte ich ihn mit einem verstohlenen Blick.

Vor Anstrengung und Konzentration hatte sich eine kleine Falte zwischen seinen Augenbrauen gebildet. Die Ringe unter seinen Augen waren komplett verschwunden, als hätte er ein paar Nächte hintereinander durchgeschlafen, und zwar deutlich länger als ich. Die Mütze, die er draußen noch auf seinem Kopf getragen hatte, baumelte nun in seiner Hand und er hatte seine Jacke geöffnet, darunter war ein dunkles Shirt zum Vorschein gekommen. Es lag eng an seinem Bauch an. Seine Bauchmuskeln zeichneten sich deutlich ab. Stopp. Ich hatte im Moment wichtigere Dinge zu tun als über seine Muskeln nachzudenken. Ich rieb mir die Augen mit Daumen und Zeigefinger, um die Gedanken abzuschütteln und als ich wieder aufsah, blickte ich in strahlend blaue Augen. Das Licht, dass durch die Fenster hinter mir hereinschien, traf genau auf seine Iris, die einen silbernen Schimmer aufzeigte. Fasziniert klebte mein Blick an ihm, ich konnte mich nicht abwenden. Nach kurzer Zeit begriff ich, dass es nicht nur aussah wie ein silberner Glanz, in seinen Augen tanzten *tatsächlich* silberne Punkte auf und ab. Sie bewegten sich unabhängig vom Licht und ich erkannte einen hauchdünnen silbernen Ring, der sich um seine Pupille wand.

»Deine Augen.«, flüsterte ich ehrfürchtig und musterte sie noch genauer. »Meine was?«, fragte er verblüfft und zog eine Augenbraue nach oben.

Ich zwang mich, den Blick abzuwenden und schüttelte meinen Kopf, wie um die Erinnerung loszuwerden, doch das Bild hatte sich vor meinem inneren Auge festgesetzt.

»Sie... sie glitzern silbern.«, sagte ich und bereute meine Wortwahl sofort.

»Also ich finde das ja überaus schmeichelhaft von dir, mir Komplimente über meine Augen zu machen. Aber denkst du nicht, wir haben wichtigere Dinge zu tun?«

Ich hörte das Lachen in seiner Stimme und musste unweigerlich mit den Augen rollen. »Bleib nur so selbstgefällig. Das wird dir irgendwann noch zum Verhängnis.«

Zwanzig Minuten später schloss ich die Tür zu dem kleinen Zimmer auf und Caleb drängte sich an mir vorbei. Während er zielgenau auf das Sofa zusteuerte und seine Umgebung gar nicht wahrzunehmen schien, blieb ich wie angewurzelt im Türrahmen stehen. Das Bettzeug, das ich heute Morgen noch ordentlich zusammengefaltet hatte, lag zerwühlt halb auf dem Bett, halb auf dem Boden. Die Tasche mit meinen Sachen, die ich sorgfältig gepackt hatte, war grob aufgerissen worden und alles lag quer im Zimmer verstreut. Ein Bild war heruntergefallen und lag mit der zerbrochenen Glasscheibe nach unten auf dem Teppich, als wäre jemand mit voller Wucht gegen die Wand geboxt. Zuerst dachte ich, dass nichts zu fehlen schien, doch dann betrachtete ich meinen unordentlichen Kleiderhaufen genauer. Bevor wir zur Bücherei gegangen waren, hatte ich das Buch mit den antiken Flüchen ganz obendrauf gelegt. Ich hatte es mitnehmen wollen, um das Geheimnis vor diesem seltsamen Kult zu wahren, doch auch nachdem ich mit meinem Blick jeden Winkel des Raumes abgesucht hatte, konnte ich es nirgendwo entdecken. Mit einem dumpfen Aufprall landete die Tüte mit den Lebensmitteln auf dem Boden und ein paar Äpfel rollten gegen Calebs Fußsohlen. Er bemerkte meine geschockte Reaktion, sah mich zuerst verwirrt an und drehte sich ruckartig um als er meine Miene bemerkte. Erst jetzt schien er das Zimmer überhaupt wahrzunehmen, die Unordnung, das Chaos. Langsam stand er auf, den Blick unruhig hin und her werfend.

»Sie haben das Buch. Wenn sie davor nicht wussten, wie sie Anat wiederholen können, wissen sie es jetzt.«, sagte ich ausdruckslos, noch immer unfähig, mich zu rühren.

»Mist!«

Mit einem leisen Fluchen landete Caleb einen sauberen Tritt gegen einen Fuß des Sofas, der daraufhin gefährlich knarzte. Dann jedoch erhellte sich seine Miene, als wäre ihm etwas eingefallen, das uns vielleicht immer noch einen kleinen Vorteil verschaffte. Mit einem schelmischen Grinsen drehte er sich wieder zum Sofa um und hob eines der Kissen hoch, die ziemlich schwer aussahen.

»Vielleicht haben sie ja die Anleitung, um sie wiederzuholen. Die Werkzeuge jedoch fehlen ihnen noch immer.«

Als er sich umdrehte, stockte mir der Atem. Er ließ das Kissen wieder herunterfallen, in seiner Hand hielt er den schneeweißen Dolch.

14

Erstaunen und Unglauben mischten sich in meiner Brust mit Angst, unwillkürlich wich ich einen Schritt zurück. Ich hasste mich für die Furcht, die ich noch immer empfand.

»Du hast ihn.«, flüsterte ich ehrfürchtig und ein winziges Lächeln stahl sich auf meine Lippen.

»Ja, ich habe ihn. Und damit machen wir es ihnen erheblich schwerer.«, erwiderte er und auch seine Mundwinkel zuckten. Wir hatten tatsächlich einen kleinen Hoffnungsschimmer in all dem Chaos gefunden. Plötzlich wirkte diese aussichtslose und verzwickte Situation nicht mehr ganz so aussichtslos.

»Ich habe auch über den Dolch Legenden gelesen. Angeblich wurde er aus einem Metall geschmiedet, dass mittlerweile nicht mehr produziert werden kann, da die dafür benötigten Rohstoffe einfach verschwunden sein sollen.«, erklärte er weiter und seine Miene wurde nachdenklich.

»Verschwunden?«
»Der Zorn der Götter. Angeblich hatten sie in ihren Wutausbrüchen sämtliche Vorkommen dieses Metalls zurück in ihren Himmel geholt - oder unter die Erde. Die Menschen waren nicht mehr würdig genug, mächtige Waffen daraus zu

schmieden. Diese Klinge«, er hob den Dolch, »ist angeblich die einzige Waffe dieses Metalls, die noch auf der Erde existiert. Nur mit ihr kann man Anat töten oder das Ritual durchführen.«

Oder uns töten.

Caleb schien mein Unbehagen zu bemerken, sein Blick verdunkelte sich. Da kam mir plötzlich ein Gedanke.

»Und warum zerstören wir diesen Dolch dann nicht einfach? Wir könnten ihn einschmelzen, zu einem Ring machen oder ihn im Meer versenken.«, schlug ich vor und betrachtete die weiße Schneide genauer.

»Netter Versuch, das wird allerdings nicht funktionieren. Wenn der Dolch von seinem Ursprungszustand abweicht, greift der Fluch ein, der sowohl auf ihm als auch auf uns lastet. Er würde die Welt in einem einzigen Wimpernschlag zu Staub zerfallen lassen. Und wegen diesem Fluch können wir ihn auch nicht vergraben, oder irgendwo im Meer versenken. Wenn der Dolch sich zu weit von seiner Energiequelle entfernt, ereilt die Welt das gleiche Schicksal, wie bei seiner Zerstörung.«

»Was für eine Energiequelle?«

»Anat. Als wir ihn damals gestohlen haben, habe ich noch andere Artefakte gesehen. Irgendetwas davon muss noch einen Hauch ihrer Energie enthalten. Und deshalb bleibt er auch in unserer Nähe ruhig. Ein Teil unserer Seelen gehört zur ihr. Ist sie.«, beendete er seine Erklärung und sein

Blick wurde traurig, als er ihn dem Dolch zuwandte.

»Du hast schon alles ausgeschöpft, oder? Du hast alle Informationen, die du gefunden hast, mit unseren Möglichkeiten verglichen.«, sagte ich leise, als mir diese Tatsache bewusst wurde.

»Und ich habe keine Möglichkeit gefunden, ihn zu zerstören. Er ist an uns gebunden.«

Nein. Wir waren an ihn gebunden.

Die Hoffnung, die ich noch vor wenigen Augenblicken verspürt hatte, löste sich in Luft auf. Meine Schultern fühlten sich wieder bleischwer an. Doch da war noch ein anderes Gefühl. Angst. Mir wurde schlagartig bewusst, wie unsere Chancen wirklich standen. Wir wurden vermutlich rund um die Uhr beobachtet. Sie hatten uns laufen lassen, da sie gewusst hatten, dass wir ihnen Informationen liefern würden, die sie brauchten. Und sie hatten recht gehabt. Ja, Cal und ich hatten zwar den Dolch, doch wir konnten mit ihm nichts tun, außer eine bereits tote Gottheit zu töten oder sie wieder zum Leben zu erwecken, indem wir uns gegenseitig umbrachten. Unsere Chancen standen nicht gut, um es besser auszudrücken, sie standen verdammt schlecht.

Doch aufgeben war keine Option. Vor meinem inneren Auge sah ich das Bild von meinem Vater, kurz bevor er mir einen letzten Abschiedsgruß zuflüsterte und dann erschossen wurde. Ich sah Bilder von meiner Mutter, die bei uns auf dem Kaminsims gestanden hatten, ihr herzliches Lachen aus

Augen, die aussahen wie meine, wie mir schmerzlich bewusst wurde. Ich sah Bilder von Adrian, wie wir gemeinsam im Garten seines Hauses neben einem Lagerfeuer saßen und Marshmallows rösteten. Wie er mich in der Schule tröstete, als ich von einem Jungen aus unserer Stufe wegen meines Vaters und meiner toten Mutter ausgelacht worden war. Wie wir gemeinsam in dem Bus gesessen hatten, an dem Morgen, an dem alles begonnen hatte. Wie ich aus der Frontscheibe geschleudert wurde und hinterher im Krankenhaus erfahren musste, das Adrian nie wieder sehen können würde. *Er hätte wenige Tage nach dem Unfall eigentlich ein eigenes Auto bekommen sollen,* fiel es mir schlagartig wieder ein.

Und da fiel meine Entscheidung.

»Los. Wir müssen zurück zu meinem Haus, uns läuft die Zeit davon.«, sagte ich entschlossen und war gleichzeitig über die Stärke in meiner Stimme erstaunt, denn in meinem Kopf sah es ganz anders aus.

»Werde ich es bereuen, dir jetzt zu folgen?«, fragte er und blickte mich direkt an. In seinen Augen lag ein schelmisches Funkeln. Er wusste, dass er mich damit aus dem Konzept brachte. Dennoch musste ich lachen, als er die Frage stellte, die sonst immer ich gestellt hatte.

»Definitiv.«

Ich sammelte die Lebensmittel auf, die ich fallen gelassen hatte, danach machte ich mich an meine Tasche. Ich hatte gerade alles wieder ordentlich einsortiert, stellte die Tasche neben mich auf den Boden und wollte von den Bildern retten, was man noch retten konnte, da zog mich Cal plötzlich am Ellbogen ganz nah zu sich. Ich spürte seinen warmen Atem auf meiner Haut und bemerkte erst jetzt, dass er sich die ganze Zeit kein Stück gerührt hatte.

»Gut.«, sagte er daraufhin und ich verstand nicht sofort, dass das seine Antwort auf die Konversation war, die wir vorhin geführt hatten.

»Dann bleibst du mir wenigstens in Erinnerung, wenn all das hier vorbei ist.«, flüsterte er, jetzt ganz nah an meinem Ohr.

Ich bekam Gänsehaut, doch nicht nur auf positive Weise. Mir war der Dolch, den er noch immer in einer Hand hielt, durchaus bewusst, deswegen verkrampfte ich mich unwillkürlich. Caleb schien das zu merken, schaute den Dolch und dann mich an, bevor er die Waffe auf das Sofa hinter sich warf.

»Glaubst du wirklich immer noch, dass ich dich verletzen würde?«, fragte er und in seinen Augen stand abgrundtiefe Traurigkeit. Ich war von seiner offenen Frage so verblüfft, dass ich keinen ganzen Satz herausbrachte.

»Ich... ich…«

» A ha.«, stellte er schlicht fest und der traurige Ausdruck verschwand. Stattdessen konnte ich Resignation erkennen, Kränkung. Er wollte sich abwenden, den Abstand zwischen uns vergrößern, da übernahmen meine Instinkte für mich. Ich griff nach seinem Handgelenk, zwang ihn, bei mir zu bleiben, mir ganz nah zu sein. Und dann legte ich eine Hand an seinen Kiefer. Die Stimme, die daraufhin aus meinem Mund zu hören war, erkannte ich kaum wieder. Diese bodenlose Sanftheit, mit der ich sprach, versetzte mich selbst in Staunen, obwohl es nur simple Worte waren.

»Nein, ich glaube das wolltest du nie.«

Dieses Mal wollte ich einen Rückzieher machen, ein wenig Distanz zwischen uns schaffen, da schlang er einen Arm um meine Taille und zog mich an sich. Ehe ich protestieren konnte, legte er seine Lippen auf meine, küsste mich. Obwohl die Berührung sich wie das sanfte Streichen einer Feder auf meiner Haut anfühlte, breitete sich in meinem Körper ein Kribbeln aus. Jetzt, da der Alkohol meinen Körper verlassen hatte, nahm ich alles viel klarer wahr. Dieser Kuss hatte nichts mit den zwei vorherigen zu tun. Er war etwas ganz Besonderes. Ein Versprechen, das wir uns still und leise gaben.

Ich wollte ewig so verharren, mit seinen Händen auf meinem Körper, meinen Händen auf seinen Wangen, den Moment genießen, doch uns rannte die Zeit davon.

Widerwillig löste ich mich von ihm und schulterte die Taschen, ehe wir das Zimmer verließen und ich den Schlüssel wieder an der Rezeption abgab. Das Wetter hatte umgeschlagen und draußen tobte ein Schneesturm, der kalte Böen in mein Gesicht trieb, dass mir die Tränen kamen. Caleb hatte den Dolch in seine Jackentasche gesteckt und steuerte geradewegs auf einen Parkplatz gegenüber dem

Hotel zu. Als er schließlich vor einem schwarzen Pick – Up stehen blieb, öffnete er mir die Beifahrertür, sodass ich mit den Taschen im Schlepptau einsteigen konnte. Dankbar sprang ich ins Wageninnere und Cal stieg nur kurze Zeit nach mir in das Auto. Als er die Heizung anschaltete, lief mir ein wohliger Schauer den Rücken herunter und ich stellte die Taschen ordentlich in den Fußraum.

Die Fahrt zurück zu meinem Haus verlief ohne weitere Zwischenfälle und wir schwiegen uns einfach nur an. Diese Stille war nicht unbedingt unangenehm, aber sehr angespannt. Wir hatten beide keine Ahnung, was uns an meinem Haus erwartete und gingen ein großes Risiko ein. Normalerweise brauchte man für die Route nur zwanzig Minuten, wegen dem Schneesturm vielleicht dreißig. Doch Caleb nahm, wie schon auf dem Hinweg, eine andere Route und so fuhren wir wieder stundenlang auf irgendwelchen Landstraßen an kleinen Dörfern vorbei, die meinem ziemlich ähnlich sahen. Obwohl meine Lider nach den ersten zwei Stunden schwer wurden, schaffte ich es nicht, einzuschlafen. Tief in meinen Gliedern saß noch immer die Angst, wir würden jeden Moment wieder abgefangen werden. Und darunter lag eine noch tiefergehende Angst. Dass *er* mich wieder verraten könnte. Deshalb lehnte ich mich einfach an die kühle Scheibe und lauschte auf Cals Atem.

Wenn man genau darüber nachdachte, würde ich niemals irgendjemandem davon erzählen können, so verrückt war diese Geschichte. Allein schon die Frage zu beantworten, wie wir uns kennengelernt hätten, müsste auf jeden Fall eine

Lüge sein, so verrückt klang die ehrliche Antwort. *Also wir haben uns damals in dem Hauptquartier einer gruseligen Sekte kennengelernt, die an die Auferstehung einer ägyptischen Göttin glaubt und mich gefangen genommen hat, da sich ein Teil ihrer Seele in mir befindet. Caleb besitzt den anderen Teil. Er hat mich aus meiner Zelle und vor dem sicheren Tod gerettet, als ich angeschossen wurde, weil wir geflohen sind. Hinterher habe ich dann festgestellt, dass auch er mich belogen hat und deswegen sind mein Vater und meine Mutter tot und ich wäre auch fast draufgegangen. Aber ich habe ihm verziehen, weil er mich vor der Berührung eines ekelhaften Typen gerettet hat, als ich vollkommen neben mir stand, weil ich mich in einer Bar betrunken habe, obwohl ich eigentlich noch gar keinen Alkohol trinken durfte.*

Aber stimmte das überhaupt? Hatte ich ihm verziehen? Noch nicht. Vielleicht nie.

Man würde uns, ohne zu zögern, in die Psychiatrie einweisen. Als ich wegen diesem Gedanken laut auflachte, zuckte Caleb erschrocken zusammen und sein Blick glitt zu mir.

»Alles in Ordnung?«, fragte er und zog eine Augenbraue nach oben.

»Ja, ich war gerade nur in meinen Gedanken versunken. Wie verrückt diese ganze Geschichte hier eigentlich ist und dass ich niemals mit irgendwem darüber sprechen kann.«, sprach ich meine Gedanken laut aus.

»Doch, du hast mich.«, antwortete er schlicht und ein warmes Gefühl breitete sich ungewollt in mir aus. Wieder wurden wir von Schweigen eingehüllt und mein Blick glitt aus der Fensterscheibe. Der Sturm draußen hatte sich verdichtet und es war mir ein Rätsel, wie Cal überhaupt noch etwas sehen konnte. Immer wieder erkannte ich einzelne Schneeflocken, die sich aus dem Gestöber lösten und gegen das Glas flogen, wo sie sich zu Wasser verflüssigten und herunterliefen. Schemenhaft nahm ich die Umrisse der Bäume wahr, die die Straße säumten, auf der wir fuhren.

Als der Wagen schließlich in unserer Einfahrt ruckartig zum Stehen kam, zuckte ich unwillkürlich zusammen. So lange hatte ich unser Haus schon nicht mehr gesehen. Alles war dunkel, kein einziges Fenster erleuchtet. Warum sollte es auch anders sein? Schmerzhaft wurde mir bewusst, dass außer mir niemand mehr auf dieser Erde wandelte, der noch in diesem Haus zu Hause wäre. Kein Rauch stieg aus dem Schornstein empor, wie es früher so oft der Fall gewesen war, alles stand einfach nur verlassen da. Mir wurde selbst in der Wärme des Autos, die mich umgab, eisig kalt und ein Frösteln ergriff mich. Nie wieder wäre dieses Haus mit dem gleichen Leben erfüllt wie zuvor. Nie wieder würde mein Vater mir aus dem Fenster zuwinken. Nie wieder würde Adrian vor der Haustür auf mich warten.

»Hey, du kannst das. Ich bin da und helfe dir.«, sagte Caleb und legte mir beruhigend eine Hand auf die Schulter.

Zur Bestätigung nickte ich nur und stieg aus. Eine eiskalte Böe traf mich und ich zuckte heftig zusammen, bevor ich mir eine Hand vor das Gesicht hielt, um den Schnee aus meinen Augen fernzuhalten. Mühsam stieg ich die Stufen empor und rutschte dabei mehr als einmal auf hellen Stellen aus, an denen der Schnee festgefroren und rutschig geworden war. Ich wollte nach der Klinke greifen, doch meine Hand glitt ins Leere. Verblüfft ließ ich die andere sinken, um zu sehen, was mit der Tür passiert war. Sie stand sperrangelweit offen. Vor dem Eingang befand sich Absperrband der Polizei, gegen das ich fast gelaufen wäre. Natürlich. Mein Vater war bei der Polizei gewesen. Sie hatten sich sicherlich gewundert, warum er nie von seinem Tatort zurückgekommen war.

Wahrscheinlich hatten sie mittlerweile seine Leiche gefunden. Ich hingegen galt immer noch als vermisst. Natürlich hatten sie da unser Haus durchsucht und waren auf die Verwüstung gestoßen, die diese Sekte hinterlassen hatte. *Das hier war ein echter Tatort.*

Vorsichtig schob ich das Band auseinander und stieg in den Hausflur. Drinnen war es fast so kalt wie draußen und bei dem Anblick, der sich mir bot, blutete mein Herz. Alle Bilder von meiner Familie und mir, die im Gang aufgehängt gewesen waren, lagen auf dem Boden, jeder einzelne Rahmen zerstört. Bei genauerem Hinsehen konnte ich erkennen, dass das Gesicht meiner Mutter auf allen Bildern von irgendetwas zerkratzt worden war. Auf fast allen. Am Ende des Gangs, wo das Wohnzimmer mit angrenzender Küche lag, hing noch ein einziges Bild. Auch hier war die Glasscheibe gesprungen, doch nicht ihr Gesicht war zerstört worden. Ich lief genau auf dieses Bild zu, die Scherben knirschten laut unter meinen Füßen.

An den Moment, an dem das Foto aufgenommen worden war, konnte ich mich noch gut erinnern. Es war an meinem letzten Geburtstag gewesen, bevor meine Mutter verschwunden war. Adrian stand neben mir, auf der anderen Seite meine Mutter. Mein Vater hatte das Bild aufgenommen. An dem Tag hatte es fürchterlich geregnet, und so klebten mir meine Haare klitschnass an meinem Kopf und in meinem Gesicht, bei Adrian war das nicht anders. Dennoch sah ich so glücklich aus, wie ich es seit diesem Tag vermutlich nie wieder gewesen war. Ich grinste breit und hatte einen Arm um Adrians Schulter gelegt, im Hintergrund konnte man den Wald erkennen. Meine Eltern hatten mir zu diesem Geburtstag ein Training für das Bogenschießen geschenkt, weil ich es damals so unglaublich cool fand. Ich konnte mit Pfeil und Bogen erstaunlich gut umgehen, obwohl es das erste Mal war, dass ich diese Waffen benutzt hatte. Die ganze Szenerie hätte mich mit Trauer und Nostalgie füllen müssen, doch das tat sie nicht, denn alles wurde von einem einzigen Gefühl überschattet: Angst. Nicht um mich, sondern um Adrian. Denn mitten in dem Bild, auf Höhe von Adrians Herzen, steckte ein kleiner Dolch in der Wand.

Als Caleb mir die Hand auf den Rücken legte, fuhr ich erschrocken zu ihm herum.

»Adrian. Wir müssen…«, begann ich und deutete auf das Bild, während mir die Stimme versagte. Wortlos spähte er mir über die Schulter und betrachtete den Dolch, der wahrscheinlich mit einer gehörigen Menge Gewalt in die Wand gerammt worden war.

»Es wird alles gut.«, sagte Cal leise, doch selbst ich konnte die Lüge in dieser Aussage klar und deutlich hören. Er konnte mir unmöglich garantieren, dass alles gut werden würde, dass wussten wir beide. Ich drehte mich wieder zu dem Bild um, betrachtete es noch einmal genau, während Caleb schon an mir vorbei in die Wohnung ging.

Ein kalter Schauer lief mir den Rücken herunter, als ich den Dolch genauer betrachtete. Er war schneeweiß, aus dem gleichen Material wie der andere Dolch. Ich wusste nicht genau, warum ich es tat, doch ich zog ihn aus der Wand und steckte ihn in meine Socke, wo er unter meiner Hose nicht mehr sichtbar war. Vielleicht würde er mir noch etwas nützen. Dabei versuchte ich geflissentlich zu ignorieren, dass sein Vorhandensein bedeutete, dass ein Teil von Anats Energie hier sein musste. Oder dass sie von unserer Ankunft gewusst hatten.

»Cari, kommst du?«, hörte ich plötzlich aus dem Wohnzimmer eine Stimme rufen. Caleb. Ich versuchte, die Erinnerungen an diesen letzten gemeinsamen Geburtstag abzuschütteln und betrat den Raum, in dem ich früher so gerne vor dem Kamin gesessen und gelesen hatte. Auch hier waren die Bilder von den Wänden gefallen und lagen zerstört auf dem Boden. Durch die große Fensterfront, die den Blick auf den kleinen Garten unseres Hauses freigab, drang orangenes Licht nach innen. Am Horizont erkannte ich die untergehende Sonne, die den Schneesturm draußen wie ein wütendes Feuermeer wirken ließ. Einen Moment war ich überwältigt von dem Anblick, der sich mir bot, doch dann fand ich zurück in die Realität. Uns lief die Zeit davon.

Ich schenkte dem Raum keine weitere Beachtung und begab mich stattdessen ins Schlafzimmer meines Vaters. Eine dünne Staubdecke hatte sich über alles gelegt, als wäre er schon ewig nicht mehr hier gewesen, doch alles war sauber aufgeräumt. Er musste seit dem Einbruch nochmal hier gewesen sein.

Vielleicht um etwas zu holen? Oder um sicherzustellen, dass eine gewisse Sache noch hier war? Ich schob mich an dem Bett vorbei zu seinem Kleiderschrank und öffnete die Türen. Auch hier waren alle Kleider ordentlich aufgehängt. Der Schrank war groß und unübersichtlich, doch ich wusste, wo ich suchen musste. Als kleines Kind war es mir immer ein großes Vergnügen gewesen, in den Sachen meiner Eltern herumzuschnüffeln. Eines Tages hatte ich mich in ihr Schlafzimmer geschlichen und den Kleiderschrank durchwühlt. In einer der hinteren Ecken hatte ich dabei einen Tresor gefunden, doch ich war nie dazu gekommen ihn zu öffnen, da mein Vater mir den Zutritt zu diesem Raum seit dem Tag verboten hatte. Und ich hatte auf ihn gehört, *bis heute*.

»Entschuldige, Dad.«, flüsterte ich und zog den Tresor aus dem Schrank. Er befand sich noch immer an der gleichen Stelle, als ob mein Vater ihn mit Absicht dort stehen gelassen hätte. Es war ein kleiner, quadratischer Kasten aus schwarz lackiertem Metall, der in der untergehenden Sonne bedrohlich funkelte. An der Frontseite war ein Zahlenschloss eingearbeitet, doch mir fiel die Kombination sofort ein. Der Geburtstag meiner Mutter. Mit einem leisen *Pling* sprang die Tür auf und nach einem Blick ins Innere machte mein Herz einen Satz. In dem Tresor lag nur ein einziger kleiner

Schlüssel mit einem daran befestigten Kärtchen, auf dem die Nummer achtundsiebzig zu erkennen war.

»Ich hab den Schlüssel.«, rief ich triumphierend Richtung Wohnzimmer und wenige Sekunden später betrat Cal den Raum.

»Wo befindet sich das Lager?«

»Genau weiß ich es nicht. Aber es ist nicht weit von hier. Mein Vater hat mich nur ein einziges Mal mitgenommen, um dort etwas unterzubringen und selbst an diesem Tag musste ich im Auto warten. Es ist eine kleine Ortschaft namens South Gillies, wir dürften das Lagerhaus also schnell finden.«

»Okay, ich weiß wo das ist. Lass uns keine weitere Zeit verschwenden.«

Ich nickte nur und er ging voraus, als ich noch einen Moment im Zimmer sitzen blieb. Ich ließ alles genau auf mich wirken. Ein seltsamer Gedanke kam mir. *Mom, Dad, ich werde nach dem heutigen Tag nicht mehr in dieses Haus zurückkehren. Hier ist nichts mehr, was mich hält. Vielleicht kehre ich von diesem Abenteuer auch überhaupt nicht mehr zurück. Dann würde ich euch wenigstens wiedersehen.*

Stopp. So durfte ich jetzt nicht denken. Ich hatte eine Aufgabe zu erfüllen! Ich musste diese verdammte Welt retten, so wahnwitzig und hoffnungslos es auch erscheinen mochte. Ich musste es einfach schaffen, für meine Eltern. Dabei hielten mich Gedanken an die Zukunft oder mein Schicksal nur auf.

In einem plötzlichen Impuls griff ich erneut in den Schrank und holte die kleine Schmuckschatulle meiner Mutter hervor. Sie war wirklich nicht sonderlich groß, immerhin hatte meine Mutter sich nie um solche materiellen Dinge geschert, doch dafür war ihr Inhalt umso wertvoller. Vorsichtig öffnete ich das Kästchen und hielt den Atem an, als ich sah, was darin lag. Es war ein dicker, silberner Ring, in den wellenförmige Linien eingraviert waren. In die Innenseite war ebenfalls etwas eingraviert: ein Datum. 25.09. *Ihr Hochzeitstag*. Das war der Ehering meiner Mutter. Und zu meinem großen Erstaunen passte er mir perfekt. Der Ring meines Vaters lag direkt daneben. Er hatte definitiv gewusst, dass ich nochmal hierher kommen würde. Ich ließ ihn in meine Tasche gleiten. Ein Gefühl der Geborgenheit breitete sich in mir aus. Ich stand auf, lief aus dem Raum Richtung Haustür, da fiel mir noch etwas ein. Schnell hastete ich zurück in mein Zimmer und schnappte mir ein Bild von Adrian und mir, welches auf meinem Nachttisch stand. Es war vor ungefähr einem Jahr aufgenommen worden. Adrians Familie hatte mich eingeladen, mit ihnen in den Urlaub zu fahren und mein Vater hatte mich gezwungen, um besser über den Tod meiner Mutter und die damit verbundene Trauer hinwegzukommen. Wir waren damals zwar nur in ein kleines Städtchen in einem Naturschutzpark gereist, dennoch war es einer der besten Urlaube gewesen, die ich jemals in meinem Leben gehabt hatte. Auf dem Foto standen wir vor irgendeinem uralten Baum inmitten eines großen Waldes. Das Licht der Mittagssonne strahlte durch die Blätter und der gesamte Wald um uns herum wirkte, als würde er brennen.

Adrian. Ich musste wissen, ob mit ihm alles in Ordnung war.

Als ich schließlich wieder am Auto ankam, saß Cal schon am Steuer und trommelte ungeduldig auf dem Lenkrad herum. Ich stieg ein.

»Das verstehst du also unter keine Zeit verlieren?«, fragte er und sah mich mit hochgezogenen Augenbrauen an. Dann entdeckte er den Ring und das Bild in meinen Händen. Er schluckte.

»Oh. Entschuldige, das wusste ich nicht.«, warf er hastig ein und seine Miene wurde weicher.

»Wir müssen zu Adrian. Ich muss wissen, ob es ihm gut geht.«, erklärte ich und versuchte, meine Stimme möglichst fest klingen zu lassen, doch Caleb schüttelte den Kopf.

»Cari, das geht nicht.«

»Warum? Denkst du, du kannst über mich bestimmen? Wenn du dich weigerst, mit mir zu gehen, dann gehe ich eben allein.«, blaffte ich und griff schon nach der Autotür, doch er hielt mich am Arm fest.

»Nein, ich denke nicht, dass ich über dich bestimmen kann. Dafür bist du viel zu dickköpfig. Aber überleg doch mal logisch. Dein Vater ist... du weißt schon was. Und du wirst vermisst, falls du es vergessen haben solltest. Was denkst du passiert, wenn du einfach vor Adrians Tür stehst? Seine Mutter wird die Polizei rufen und dann haben wir ein riesengroßes Problem. Außerdem läuft uns die Zeit davon. Wir müssen den Filer holen, so schnell wie möglich. Damit kannst du Adrian am meisten helfen.«

Dieses Mal musste ich schlucken. Ich wusste, dass er recht hatte. Dennoch hatte ich das dringende Bedürfnis, mich nach ihm zu erkundigen. Wenn er in Gefahr schwebte, dann nur meinetwegen. Trotzdem mussten wir den Filer zuerst finden. Wenn wir ihn erstmal hatten, konnte ich Caleb vielleicht dazu überreden, mit mir zu Adrian zu gehen.

»Also gut. Dann lass uns losfahren.«, lenkte ich schließlich ein und ließ die Klinke wieder los. Erleichtert seufzte er auf und ließ seinerseits den Arm sinken. Als er den Wagen einschaltete und die Heizung anlief, entspannten sich meine Muskeln ein wenig. Schweigend fuhren wir zu dem kleinen Ort, den ich ihm genannt hatte und es dauerte tatsächlich nicht lange, bis vor uns der graue Betonblock aufragte, den ich aus meiner Erinnerung wiedererkannte. Es brannte kein Licht und allgemein wirkte das Gelände verlassen, wäre da nicht das kleine Wärterhäuschen mit einem bulligen, glatzköpfigen, schlafenden Mann gewesen, das uns den Weg ins Innere der Anlage versperrte. Er musterte und aus wütenden, dunkeln Augen, als wir ihn weckten, ließ uns jedoch ohne Widerworte passieren, als ich ihm den Schlüssel zeigte. Wir brauchten eine Ewigkeit, um das richtige Lager zu finden, da die Zahlen nicht chronologisch angeordnet waren, doch schließlich standen wir vor einem dunkelgrün lackierten Tor, von dem die Farbe bereits abblätterte. Mit einem leisen Klicken signalisierte das Schloss, dass ich die Tür öffnen konnte, nachdem ich den

Schlüssel darin gedreht hatte und ich zog an dem Metallknauf. Lautlos hob sich das grüne Tor und dahinter tat sich eine gähnende Leere auf. Ich tastete nach dem Lichtschalter an der Wand, doch es schien keinen zu geben.

»Na super. Wie sollen wir darin irgendetwas finden?«, sagte ich mehr zu mir selbst, doch Caleb hörte mich natürlich trotzdem.

»Ich komm gleich wieder. Der Typ am Eingang hat bestimmt eine Taschenlampe. Warte hier.«

Mit diesen Worten drehte er sich um und verschwand hinter der nächsten Biegung. Ich widmete mich wieder dem Inhalt des Lagers und versuchte, meine Augen dazu zu zwingen, sich an die Dunkelheit zu gewöhnen. Langsam tauchten Umrisse vor mir auf. Wenn ich mich nicht täuschte, standen vor mir Möbel, die mit Tüchern zugedeckt worden waren, vermutlich damit sie nicht verdreckten oder von Tieren zerfressen wurden. Weiter hinten, an der Rückseite des Lagers glaubte ich, einen Schrank zu sehen, der ziemlich alt wirkte. Filigrane Schatten zeichneten sich an der Wand dahinter ab und ließen einen die Form des Schrankes erahnen. Doch da war noch etwas anderes. Von dem Schrank schien ein sanftes Licht auszugehen. Nur ganz schwach waberte eine Art blauer Schimmer um ihn herum, der mich magisch anzog. Ich ging einen Schritt vorwärts, die Augen noch immer fest auf den Schrank gerichtet, der immer stärker zu leuchten schien, je näher ich ihm kam. Alles andere um mich herum versank in tiefer Schwärze, ich nahm nur noch diese Farbe wahr, die mich zu sich rief.

Schritt.

Schritt.

Alle Geräusche um mich herum verblassten. Meine Gedanken wirbelten wie ein wütender Sturm in meinem Kopf und vernebelten mir die Sicht.

Schritt.

Schritt.

Zu spät fiel mir auf, dass ich mittlerweile über eines der Möbelstücke hätte stolpern müssen. Oder das Caleb schon längst wieder da sein sollte. Oder dass ich dem Schrank mittlerweile näher gekommen sein müsste als am Anfang, was aber nicht der Fall war. Ich drehte mich einmal um mich selbst, doch außer dem Schrank war um mich rum nur noch undurchdringliche Finsternis. Verdammt. Wie konnte das überhaupt sein? Ich lief ein paar Schritte zurück, in der stillen Hoffnung das Tor zu finden, welches vielleicht nur zugefallen war, ohne dass ich es bemerkt hatte. Doch auch hinter mir war nichts außer Schwärze. Der Schrank war mein einziger Anhaltspunkt. Ich drehte mich wieder zu ihm und rannte einfach los. Ich rannte, immer weiter, doch der Schrank wollte einfach nicht näher kommen. Im Gegenteil, es schien, als würde er immer weiter in die Ferne rücken, je schneller ich rannte. Schließlich blieb ich schwer atmend stehen und stützte die Hände auf die Knie. Das konnte doch nicht wahr sein!

»Caleb?«, fragte ich aus einem plötzlichen Impuls heraus in das Dunkel um mich herum. Keine Antwort.

»Caleb!«, versuchte ich es erneut, diesmal deutlich lauter. Wieder keine Antwort. Mist. Ich war in einem verlassenen Lager eingesperrt, tappte in völliger Dunkelheit umher und das einzige, das ich sehen konnte, war ein leuchtender Schrank, der unerreichbar für mich war. Großartig.

Da mir keine Alternative einfiel, versuchte ich es erneut mit rennen und dieses Mal wirkte es auch, als käme ich dem Schrank wirklich näher. In einem plötzlichen Anflug von Hoffnung sprintete ich noch schneller, da stolperte ich über irgendetwas auf dem Boden und kam der Länge nach auf dem harten Beton auf. In letzter Sekunde konnte ich mich mit den Händen abstützen, sodass ich nicht mit dem Gesicht auf dem Boden aufschlug, doch meine Knie taten unglaublich weh. Klappernd hörte ich den Dolch aus meiner Socke rutschen und neben mir auf dem Boden schlingern.

»Verdammt! Was soll das Ganze überhaupt?«, fluchte ich leise vor mich hin und setzte mich vorsichtig auf den Boden, um meine Knie und Handflächen abzutasten, die mittlerweile unangenehm brannten. Als ich mit den Fingern über meine Beine fuhr, konnte ich etwas Warmes, Flüssiges ertasten. Blut. Ich wischte mir die Hände schnell an meiner Hose ab, wobei ich auch die Wunden an meinen Handflächen bemerkte, obwohl ich nichts sehen konnte. Die Sache hier wurde ja immer besser.

Ich schaute mich langsam um, nur um mit Schrecken festzustellen, dass nun auch der Schrank verschwunden war. Ich saß in völliger Dunkelheit. In meinem plötzlichen Anflug von Panik merkte ich zuerst gar nicht, dass noch immer irgendetwas mein Bein berührte. Ich sah mich prüfend um und entdeckte das sanfte Leuchten, das von meinem Dolch ausging. Wie ein Kerzenschein umgab ihn flackernd ein orangenes Licht. Vorsichtig nahm ich ihn in die Hand und drehte ihn. Er hatte aus mir unerklärlichen Gründen angefangen zu leuchten. Nein halt. Nicht der Dolch hatte angefangen zu leuchten, die Hieroglyphen auf ihm hatten damit angefangen. Der Dolch glomm plötzlich heller und wurde heiß in meiner Hand. Ich schrie auf, als er mir die aufgeschürften Finger verbrannte und warf in von mir weg, direkt neben dieses Etwas an meinem Bein. Nein, kein Etwas, *jemand*. Ich schnappte nach Luft und krabbelte panisch nach hinten, doch ich wurde den Anblick einfach nicht los. Das konnte nicht wahr sein. Das musste ein Hirngespinst meinerseits sein. Vor mir lag mein *Vater*. Mit weit aufgerissenen Augen, das Gesicht zu einer ewigen Grimasse verzogen, ein Loch in der Schläfe, wo die Kugel ihn durchbohrt hatte. Er trug noch immer seine Uniform, die Pistole steckte mittlerweile wieder an ihrem Platz.

»Dad?«, flüsterte ich kaum hörbar und rutschte vorsichtig näher zu ihm. Ich nahm seine Hand. Sie fühlte sich kalt an, ohne Leben. Zitternd ließ ich sie wieder sinken.

»Es tut mir alles so unglaublich leid. Ich wollte nicht, dass es dazu kommt, niemals. Ich hoffe, du kannst mir vergeben.«, setzte ich noch hinzu und schloss ihm vorsichtig die Augen. Plötzlich spürte ich Tränen meine Wangen hinunterfließen und ließ es einfach geschehen. Es war, als würde eine Last von meinen Schultern abfallen, die mir vorher gar nicht bewusst gewesen war. Doch dieses Gefühl verflüchtigte sich so schnell wie es gekommen war und wich dem tobenden Sturm in meinem Inneren, der mich seit Tagen, wenn nicht sogar Wochen heimsuchte. Alle angestauten Gefühle brachen auf einmal aus mir heraus. Wut, Trauer, Rachsucht, Angst, Verzweiflung, Scham. Ein lautes Schluchzen aus meiner Kehle begleitete sie, als sie an die Oberfläche kamen und mich zu zerreißen schienen. Ich war unfähig, irgendetwas zu tun, außer mich neben meinem Vater hinzukauern und still zu weinen. Ihm all die Dinge zu sagen, die er von mir nie gehört hatte, als er noch am Leben gewesen war.

Weine nicht. Du musst aufstehen.

Als ich diese Stimme hörte, zuckte ich erschrocken zusammen und hob meinen Kopf. Immer noch war alles um mich herum still und dunkel, auch das Pulsieren des Dolchs hatte nachgelassen, so dass ich ihn wieder in meine Hand nehmen konnte.

»Hallo?«, fragte ich vorsichtig mitten ins Schwarz vor mir. Keine Antwort. Stattdessen spürte ich den nachlassenden Druck an meinem Bein und sah herunter. Die Leiche meines Vaters war dabei, sich aufzulösen. Sie verflüchtigte sich in Millionen kleine Stücke, die wie Ascheflocken um mich herum tanzten und schließlich verschwanden. Außer seiner Pistole war nichts mehr von ihm übrig. Aus einem plötzlichen Impuls heraus hob ich sie mit zitternden Fingern auf.

Du musst weiter laufen. Immer weiter. Nur so kommst du ans Ziel.

Ich drehte mich um mich selbst. Versuchte, die Person auszumachen, der diese Stimme gehörte. Es klang eher wie ein Flüstern, ein sanfter Windhauch.

»Aber wohin? Ich kann nichts sehen.«, flüsterte ich zurück und kam mir sofort dumm vor. Warum redete ich mit einem Windhauch?

Manchmal reicht es nicht, nur mit den Augen sehen zu wollen. Du kannst erkennen, doch du verschließt dich davor. Höre in dich hinein, lass es zu.

Zulassen? Was sollte ich bitte zulassen? Wie auf ein stummes Signal hin begann der Dolch in meiner Hand zu pulsieren.

Folge ihm.

Langsam stand ich auf und betrachtete den Dolch. Ich machte ein paar Schritte nach vorne, das Pulsieren wurde schwächer. Dann ein paar Schritte nach hinten. Das Leuchten wurde wieder stärker und heller. Das war die richtige Richtung. Zielstrebig ging ich immer weiter, geführt von dem pulsierenden Dolch in meiner Hand.

Du hast schon viel im Leben verloren, aber auch viel gewonnen. Die Welt kann nur gerettet werden, wenn du bereit bist, auch das zu opfern, was du gewonnen hast.

Abrupt blieb ich stehen. Vor mir, mitten in der Dunkelheit, stand wie von einem Scheinwerfer beleuchtet Adrian. Er hatte mir den Rücken zugewandt und bewegte sich nicht.

»Adrian!«, rief ich und rannte zu ihm, stoppte jedoch ein paar Schritte von ihm entfernt, als er sich umdrehte. Er sah eigentlich ganz normal aus, bis auf seine Augen. Sie waren milchig angelaufen, die frühere Farbe konnte man nicht mehr erkennen. Das war jedoch nicht das Schlimmste. Dicke rote Tropfen liefen über seine Wangen. Blutige Tränen.

»Adrian?«, fragte ich vorsichtig und wich einen Schritt zurück.

»Cari? Cari, ich kann nichts sehen!«, schluchzte er auf einmal und fasste sich an die blutenden Augen.

»Adrian, alles wird gut! Bleib wo du bist, ich komme zu dir.«, sagte ich, immer noch vorsichtig und lief ihm entgegen, als sein Gesicht von einer plötzlichen Wut verzerrt wurde.

»Das ist alles deine schuld! Wegen dir bin jetzt blind! Ich werde nie wieder etwas sehen können!«, schrie er mir entgegen und ich schnappte nach Luft. Sein Vorwurf traf mich vollkommen unvorbereitet, er fühlte sich an wie ein Schlag mitten ins Gesicht.

»Adrian, ich konnte nichts dafür!«, versuchte ich ihm zu erklären, versuchte, meine Stimme fest und überzeugt klingen zu lassen.

»Du hast den Bus nicht gestoppt! Wegen dir sind wir gegen diesen Baumstamm gerast!«

»Ich... ich habe es doch versucht! Es ging nicht! Es... es tut mir leid.«, sagte ich verzweifelt, doch aus Adrians Gesicht sprach nur grenzenlose Wut und Enttäuschung.

»Denkst du, deine Entschuldigung macht irgendetwas besser? Sehen kann ich trotzdem nicht mehr!«, blaffte er mich an und wandte sich von mir ab. Ich wollte schon zu ihm hintreten und mich weiter entschuldigen, da hörte ich wieder die seltsame Stimme.

Manchmal können Freunde sich nicht in deine Situation hineinversetzen. Wir können versuchen, es ihnen zu erklären, oder sie ihren eigenen Weg gehen lassen. Lass ihn gehen, er will es so.

Adrian gehen lassen? Aber ich hatte ihn doch gerade erst wieder gefunden! Ich konnte ihn nicht einfach gehen lassen! Er war schließlich mein bester Freund! Die einzige Familie, die mir noch geblieben war.

»Adrian…«, versuchte ich es erneut, doch er hörte mir gar nicht mehr zu. Immer noch abgewandt lief er einfach davon.

»Wenn es das ist, was du willst... werde glücklich, auch ohne mich... Leb' wohl.«, flüsterte ich mehr zu mir selbst als zu ihm, doch er hörte es trotzdem. Noch ein letztes Mal drehte er sich um, ein kleines Lächeln auf seinen Lippen, dann zerfiel auch er zu Asche.

Ich zwang mich, nicht weiter darüber nachzudenken und ging weiter. Das hier war nicht real. Der Dolch in meiner Hand war mittlerweile wieder so heiß, dass ich ihn kaum mehr halten konnte. Dann erlosch das Licht plötzlich. Erschrocken blieb ich stehen und schaute mich um. Direkt hinter mir war wieder der Schrank aufgetaucht. Sein Leuchten war deutlich heller als davor. Vor Erleichterung entrang sich meiner Kehle ein Schluchzen und ich rannte los. Kurz bevor ich die Schranktür erreicht hatte, stieß ich jedoch gegen die Brust von jemandem. Benommen taumelte ich einen Schritt zurück. Die Umgebung hatte sich etwas aufgehellt, ich erkannte den Boden, der Rest war noch immer schwarz. Als ich meinen Kopf hob und die Person ansah, die vor mir stand, gefror mir das Blut in den Adern. Caleb.

Meistens sind es unsere Gefühle, die uns bremsen, die dafür sorgen, dass wir nicht tun können, was wir tun müssen. Du musst lernen, deine Gefühle nicht über deine Aufgaben zu stellen. Töte ihn.

Ich sollte was tun?
»Nein.«, sagte ich fest entschlossen.

»Ich wusste schon immer, dass du schwach bist. Deine Gefühle werden den Untergang der Welt bedeuten.«, sagte Caleb mit einem verächtlichen Ausdruck im Gesicht.

»Darf ich dich daran erinnern, dass alles was dir widerfährt, auch mir passiert? Wenn ich sterbe, stirbst du auch.«, erwiderte ich und hoffte, dass meine Stimme fester klang als in meinem Kopf.

»Das mag vielleicht in der realen Welt so sein, hier jedoch nicht. Ich werde dich umbringen und diesem ganzen Schlamassel ein Ende setzen.«, sagte er ohne mit der Wimper zu zucken. Plötzlich schossen Erinnerungen in meinen Kopf. Das Krankenhaus. Die Spritze. Die Kugel. Er hatte nie so stark verletzt gewirkt wie ich. Vor Schreck war ich komplett gelähmt und der erste Schlag in den Magen traf mich völlig unvorbereitet.

»Caleb! Hör auf!«, würgte ich hervor und wich vor ihm zurück.

Ich musste ihn nicht umbringen. Es reichte, wenn ich ihn außer Gefecht setzen konnte. Entschlossen steckte ich den Dolch und die Pistole weg und richtete mich auf. In Calebs Gesicht sah ich nichts außer Verachtung und Hohn.

»Na komm schon, du kannst das doch bestimmt besser.«, sagte er und schnaubte verächtlich.

»Nein.«, erwiderte ich ruhig. Das schien er als Einladung aufzufassen. Entschlossen stapfte er auf mich zu. Ich duckte mich unter seinem nächsten Schlag weg und ließ als Erwiderung meine Faust gegen seinen Kiefer krachen. Der Ring tat dabei seinen Teil. Caleb taumelte zurück und hielt sich die Wange. Unter seinen Fingern konnte ich die Ränder eines Blutergusses sehen, der sich bereits bildete. Doch lange hielt ihn das nicht auf. Ich war zwar schneller als er, kräftemäßig war ich ihm jedoch haushoch unterlegen. Als er mich mit der Schulter rammte, flog ich hart auf den Boden und der Aufprall presste mir die Luft aus den Lungen. Ich krabbelte rückwärts, weg von ihm und keuchte laut.

»Ich... werde... dich nicht töten!«, stieß ich zwischen meinen Atemzügen hervor und kam zitternd auf die Beine.

»Dann werde ich dich töten.«, erwiderte er ruhig und kam langsam auf mich zu. Meine Schulter schmerzte und ich konnte den Arm mit dem Ring am Finger nicht mehr anheben. Vielleicht ging es doch nicht anders. Ich wollte Caleb nicht töten, aber ich würde es tun, wenn ich musste. Mit einem Schnauben zog ich den Dolch aus meiner Hosentasche.

»Du willst es nicht anders.«

Unser Kampf glich einem wilden Tanz. Caleb wich meinen Schlägen elegant aus, konnte aber seinerseits viele Treffer landen. Meine Lippe war aufgeplatzt, ich schmeckte den metallischen Geschmack des Blutes auf meiner Zunge. Meinen anderen Arm konnte ich noch immer nicht heben, er war vermutlich gebrochen oder ausgekugelt. Der Schmerz benebelte schon eine ganze Weile meine Sinne, deshalb hatte ich es gar nicht richtig wahrgenommen, als Caleb mir die Nase gebrochen hatte.

»Gib es endlich auf. Du kannst mich nicht besiegen.«, sagte er und grinste mich hämisch an.

»Nur über meine Leiche.«, gab ich zurück und spuckte dabei Blut auf den Boden.

»Gerne.«

Seinem nächsten Schlag konnte ich ausweichen, doch dabei bekam er das Handgelenk meines verletzten Armes zu fassen und zog. Vor Schmerz schrie ich laut auf und stach blind mit dem Dolch nach ihm. Der Schmerz beeinträchtigte meine Sicht, sodass ich Caleb nicht ein einziges Mal traf. Mit der einen Hand hielt er noch immer mein verletztes Handgelenk umfasst, mit der anderen wand er mir den Dolch aus der unversehrten Hand. Ich riss mich von ihm los und wich zurück so schnell ich konnte, doch nicht schnell genug. Caleb zielte mit dem Dolch auf mich und traf. Ungläubig starrte ich auf die Stelle in meiner Seite, in der Dolch eingedrungen war. Durch das Adrenalin spürte ich nicht einmal den Schmerz. Ein dunkler Fleck breitete sich auf meinem Oberteil aus. Mein Wintermantel war einfach verschwunden. Mit einer schnellen Bewegung zog ich die Klinge wieder aus meinem Körper und wimmerte leise, als das Blut ungehindert zu fließen begann.

Ich sank auf die Knie, doch Caleb war noch nicht fertig. Er trat langsam auf mich zu, nahm mir den Dolch mühelos aus der Hand und schleuderte ihn fort. Anschließend drückte er mich zu Boden und schloss die Hände um meine Kehle.

»Du hättest mich töten sollen als du noch die Chance dazu hattest.«, knurrte er in mein Ohr und drückte zu.

Verzweifelt griff ich nach der Kraft in meinem Inneren, doch sie war nicht da, hatte sich irgendwo versteckt. Sternchen tanzten vor meinen Augen, und ich versuchte, Calebs Hände irgendwie von meinem Hals zu ziehen. Ich kratzte, trat, und merkte dabei nicht mal die Schmerzen in meinem Arm. Ich wollte leben.

Plötzlich spürte ich das kalte Metall in meiner Hosentasche, bog meinen Rücken durch und ließ eine Hand zu der Waffe gleiten, die ich meinem Vater abgenommen hatte. Mit ein wenig Anstrengung zog ich sie hervor und richtete den Lauf auf Cals Schläfe. Er schien es gar nicht wahrzunehmen, drückte meine Luftröhre unerbittlich zu.

»Es... tut... mir... leid.«, würgte ich hervor und sah noch, wie Calebs Augen sich ungläubig weiteten, bevor ich meine schloss und auf den Abzug drückte.

Augenblicklich verschwand der Druck um meinen Hals und ich schnappte nach Luft und richtete mich auf. Die Pistole fiel klirrend zu Boden. Gerade wirbelten die letzten Ascheflocken davon. Der einzige Beweis, dass ich gerade fast mein Leben verloren hätte.

Ich kam auf die Füße, fiel allerdings fast wieder hin, da mir unglaublich schwindlig wurde. Als ich ein Tropfen hörte, schaute ich an mir herunter. Die Wunde, die mir Caleb mit dem Dolch zugefügt hatte, blutete unaufhörlich und zu meinen Füßen hatte sich eine dunkle Lache gebildet. Ich hinkte zu dem Dolch und steckte ihn wieder ein, bevor ich mich dem Schrank widmete.

Die Türen öffneten sich ohne mein Zutun und was ich erblickte, ließ mein Herz trotz der Erschöpfung höher schlagen. Vor mir lag eine Metallkapsel mit einem blau leuchtenden Kern darin. Sie war der Grund für das Leuchten des Schrankes. Ich kniete mich hin und nahm die Kapsel vorsichtig in die Hand, ehe ich mich wieder erhob. Das blaue Leuchten verwandelte sich in ein Pulsieren, schlug im gleichen, viel zu schnellen Takt mit meinem Herzen.

Du hast es geschafft. Du hast deine Aufgabe über Familie, Freundschaft und Liebe gestellt. Du hast dich des Geheimnisses als würdig erwiesen. Es sei dein.

Ich glaubte noch, die Silhouette meiner Mutter zu erkennen, bevor ich auf einmal nach hinten stolperte und in dem hell erleuchteten Gang des Lagers zum Stehen kam. Vor mir schloss sich das Tor mit einem lauten Knall.

»Cari! Was ist passiert!«, hörte ich eine vertraute Stimme neben mir. Caleb.

»Caleb... du... du lebst?«, fragte ich ungläubig und drehte mich zu ihm. Tatsächlich. Hier stand er. Und wirkte genauso geschunden wie ich.

»Natürlich lebe ich noch. Sollte es denn nicht so sein? Ich war nur kurz weg und habe eine Taschenlampe geholt, doch als ich wieder kam, warst du verschwunden. Das Tor war fest verschlossen und ich konnte es nicht öffnen.«

»Du lebst noch!«, schluchzte ich und umarmte ihn einfach. Zuerst stand er etwas unbeholfen da, doch dann ließ er die Taschenlampe fallen und schlang die Arme um mich.

»Cari, was ist passiert? Du siehst furchtbar aus.«, flüsterte er an meinem Ohr. Als seine Hand meine Seite streifte, zog ich scharf die Luft ein. Auch Caleb war nicht entgangen, dass etwas nicht stimmte, denn er schob mich auf Armeslänge von sich weg und betrachtete mich von oben bis unten. Seine Augen weiteten sich, aus seinem Gesicht wich alle Farbe und auch ich schaute an mir herab. Meine Jacke war wie durch ein Wunder wieder aufgetaucht und ich öffnete sie vorsichtig. Der Stoff auf der Innenseite hatte sich rot verfärbt und klebte an meinem Pullover. Jetzt, da das Adrenalin abebbte, begann mein ganzer Körper zu zittern. Mein verletzter Arm hing schlaff an meiner Seite herunter und auch die Schmerzen in meiner Nase kamen zurück.

»Ist eine lange Geschichte.«, sagte ich und lachte kraftlos, bevor ich gegen Calebs Brust sank.

»Wie viel Blut hast du schon verloren? Bei mir heilen die Wunden viel schneller, deswegen kann ich das nicht einschätzen.«, fragte er und ich hörte das Zittern in seiner Stimme.

»Zu viel.«, erwiderte ich und musste plötzlich stark husten, wobei ich trotzdem versuchte, mir dieses Detail zu merken.

»Aber... ich... ich... habe ihn.«, setzte ich noch dazu, als meine Beine unter mir nachgaben. Caleb konnte mich auffangen, bevor ich auf dem Boden aufschlug.

»Du hast was?«, fragte er und bemühte sich, meine Blutung zu stoppen.

»Den Filer.«, flüsterte ich und streckte meine Hand aus, damit er die Kapsel sehen konnte, doch er achtete gar nicht darauf. Stattdessen konzentrierte er sich komplett auf meine Wunde. Ich sah noch das sanfte Leuchten, das von seinen Händen ausging, bevor ich schließlich von der Ohnmacht übermannt wurde.

15

Carietta?«

Ich wurde unsanft an der Schulter gerüttelt. Langsam kehrte mein Bewusstsein in die Realität zurück und ich machte mich auf den Schmerz gefasst, doch er kam nicht.

»Bitte, bitte wach auf.«

Als ich meine Augen aufschlug, sah ich in einen grauen Himmel. Ich drehte meinen Kopf und erkannte die Ladefläche des Pick – Up wieder. Das Wetter schien mild zu sein, oder ich spürte die Kälte einfach nicht mehr.

»Gott sei Dank! Du lebst.«, hörte ich Caleb neben mir sagen. Langsam richtete ich mich auf und fasste mir augenblicklich an die Wange. Ein stechender Schmerz breitete sich von dort aus und zog sich über meinen gesamten Kopf.

»Es tut mir leid. Ich habe versucht, alles zu heilen aber meine Kräfte haben nicht ausgereicht. Als du aus diesem Tor gestolpert bist, warst du praktisch verblutet. Dein Arm war gebrochen und deine Nase auch. Du hattest innere Blutungen, und zwar schlimme. Ich musste die Blutproduktion in deinem Körper anregen, sonst wärst du gestorben. Ich denke, eine Prellung am Kiefer ist da verkraftbar.«, erklärte er und musste am Ende schmunzeln.

»Ja, ich denke schon.«, brachte ich mühsam hervor und zwang mich ebenfalls zu einem Lächeln, das mir stechende Schmerzen bereitete. Sofort wurde meine Miene wieder ernst.

»Was ist da drin mit dir passiert?«, fragte er und ich hörte die Sorge in seiner Stimme. Ich musste schlucken und wappnete mich für den Ansturm der Erinnerungen. Dann erklärte ich ihm alles.

Als ich am Ende meiner Schilderung angekommen war, wich alle Farbe aus Calebs Gesicht und er sah mich geschockt an.

»Du... hast mich umgebracht?«, fragte er vorsichtig und schluckte schwer. Obwohl er versuchte, es sich nicht anmerken zu lassen, spürte ich seine Betroffenheit deutlich.

»Ich wusste, dass er nicht du war. Sonst hätte ich versucht eine andere Lösung zu finden!«, wich ich schnell aus. Aber stimmte das wirklich? Hätte ich eine andere Lösung gefunden, wenn es der echte Caleb gewesen wäre? Oder hätte ich wieder mein Leben gewählt, wenn ich vor der Wahl gestanden hätte?

»Der Filer. Wo ist er?«, fragte ich schnell, um meine Unsicherheit zu überspielen.

»Selbst als du ohnmächtig warst, hast du ihn nicht loslassen wollen. Ich musste ihn dir mit einer guten Menge Gewalt aus der Hand reißen. Hier.«, erwiderte er und reichte mir die kleine Kapsel. Ehrfürchtig nahm ich sie entgegen und drehte sie in meinen Händen.

»Gib mir mal die Kette.«

Wortlos reichte Cal mir meine Kette und ich steckte das verlängerte Ende des ›A‹s in ein kleines Loch an der unteren Seite der Kapsel. Es passte perfekt. Mit einem leisen Klicken öffnete sich die Kapsel und eine Projektion erhellte Calebs Gesicht.

»Ein Gebäudeplan. Aber von was?«, flüsterte Caleb und starrte wie hypnotisiert auf das blaue Gebilde. Als auch ich den Plan genauer betrachtete, kam plötzlich eine Erinnerung in mir hoch. Ein Kinderwagen. Ein abgelenkter Mann, der nicht bemerkte, wie blaue Rauchschwaden sich um sein Kind wanden und in ihm Zuflucht suchten.

»Brooklyn.«, sagte ich kaum hörbar. Als ich realisierte, wie weit wir reisen mussten, schwanden meine Freude und mein Mut.

»Das sind über 1000 Kilometer.«
Caleb schüttelte den Kopf, als würde er diese Entfernung bildlich vor sich sehen.

»Dann lass uns keine Zeit verlieren.«, erwiderte ich und stand wankend auf.
»Lass mich dir helfen, du wirkst noch ziemlich schwach.«
Dankbar nahm ich seine Hand und er begleitete mich zum Beifahrersitz des Autos.

Nachdem wir ein paar Stunden auf verlassenen Landstraßen und Highways unterwegs gewesen waren, wagte ich einen Blick in den Spiegel. Mein Gesicht war blass, bis auf den Bluterguss allerdings unversehrt. Mein Hals dagegen sah schlimm aus. Würgemale zogen sich quer darüber und sorgten dafür, dass ich auf keinen Fall vergessen würde, was mir widerfahren war. Schnell schloss ich die Klappe wieder und widmete mich dem Wald um uns herum, der mittlerweile immer häufiger kleinen Ortschaften wich. Als die Abenddämmerung schließlich über uns hereinbrach, fuhr Cal auf den nächsten Rastplatz und wir beschlossen, dort zu übernachten.

»Normalerweise sollten wir knapp 22 Stunden mit dem Auto nach Brooklyn brauchen, ich nehme allerdings Umwege, damit sie uns nicht so leicht verfolgen können. Wie werden also ungefähr vier oder fünf Tage unterwegs sein, bis wir dort sind.«, erklärte er entschuldigend und schaltete den Motor aus.

»Das ist vermutlich der sicherste Weg. Mir ist heute etwas in dieser Lagerhalle bewusst geworden. Ich kann nicht kämpfen, kann mich nicht verteidigen. Wenn es wirklich zu einem Kampf kommen sollte, werde ich ein leichtes Ziel abgeben.«, stellte ich fest und wollte weiterreden, doch Cal schien meinen Gedankengang bereits erraten zu haben.

»Und du willst, dass ich dir das Kämpfen beibringe? Wir haben nicht viel Zeit, deshalb werde ich dir nicht wirklich viel beibringen können. Tut mir leid.«

»Das muss reichen.«, erwiderte ich achselzuckend und sprang aus dem Wagen. Meine Jacke warf ich auf den Sitz hinter mir. Der Schwindel von heute Morgen war verschwunden und als ich die kühle Luft des Waldes einatmete, klärten sich meine Gedanken ein wenig.

Plötzlich legte sich ein Arm von hinten um meine Kehle und drückte zu. Nicht so fest, dass ich erstickte, dennoch wurde meine Atmung erheblich eingedämmt. Ich schnappte erschrocken nach Luft und ließ meinen Ellbogen nach hinten in das Gesicht des Angreifers fahren, doch er blockte meinen Schlag mühelos ab und hielt mich am Handgelenk fest.

»Regel Nummer eins. Kehre deinem Gegner nie den Rücken zu.«, flüsterte Cal in mein Ohr und ließ mich los. Als ich mich zu ihm umdrehte, lag ein freches Grinsen auf seinem Gesicht.

»Okay, verstanden.«, gab ich zurück und bemühte mich, eine einigermaßen gerade und stabile Haltung anzunehmen und mich nicht von dem Schrecken lähmen zu lassen, der mich gerade ergriffen hatte.

»Und hier haben wir deinen nächsten Fehler.«, sagte er und rammte mich ohne Vorwarnung. Ich stolperte und knallte hart auf den Boden.

»Oder auch zwei.«, fügte er hinzu und trat mit dem Fuß in meine Magengrube. Stöhnend blieb ich liegen.

»Ich höre?«, würgte ich hervor und drehte mich zur Seite, als mich ein plötzlicher Hustenanfall übermannte.

»Du warst unaufmerksam. Und im Nachteil.«, erwiderte er schlicht und bot mir eine Hand an. Dankbar ergriff ich sie und ließ mir von ihm aufhelfen.

»Du bist schnell, das ist dein Vorteil. Warte nicht, bis dein Gegner einen Angriff starten kann, greif zuerst an.«

Als ich ihn ansah, bemerkte ich seinen Blick, der an meinem Bauch hängengeblieben war. Bei unserer kleinen Auseinandersetzung war mein Pullover nach oben gerutscht und entblößte nun einen fetten Streifen freie Haut. Ich verstand nicht so ganz, warum er so fasziniert davon war, nutzte die Gelegenheit jedoch sofort und rammte ihm mein Knie in den Bauch. Ich schnappte laut nach Luft. Verdammte Seelenverbindung. Stöhnend ging er zu Boden, zeigte mir dann jedoch einen erhobenen Daumen.

»Gut... gemacht.«, quetschte er zwischen zusammengebissenen Zähnen hervor. Ich lachte nur.

Eine Ewigkeit ging es so weiter. Wir übten das Kämpfen, bis wir beide vollkommen verschwitzt waren, achteten aber sorgfältig darauf, uns nicht ernsthaft zu verletzen. Im Großen und Ganzen erwies sich das Training als nicht wirklich einfach, da wir uns gewissermaßen selbst verletzten, wenn wir den anderen angriffen. Als es schließlich dunkel wurde, verlegten wir unseren Übungskampf in das Licht der Toilette auf der Raststation. Meine Atmung ging schwer und ich bemerkte, wie meine Bewegungen ermüdeten, auch Cal schien es nicht anders zu gehen. Im Licht der gelblichen Scheinwerfer glänzten seine Haare wie flüssige Nacht und sein T – Shirt klebte aufgrund des Schweißes an seinem Oberkörper. Darunter zeichneten sich die Konturen seiner Bauchmuskeln deutlich ab. Mein Blick verharrte etwas zu lange dort, nur einen Moment, doch er nutzte ihn schamlos aus und ein kräftiger Schlag traf mich mitten ins Gesicht, woraufhin ein lautes Knacken ertönte. Neben mir vernahm ich ein leises Fluchen von Cal. Ich taumelte zurück und stieß mit dem Kopf gegen einen Strommast. Benommen rutschte ich daran herunter und ließ mich auf die Knie sinken. Warmes Blut füllte meinen Mund und ich wischte mir mit dem Handrücken über die Nase, die mittlerweile blutete wie ein kleiner Wasserfall.

»Unaufmerksam.«, sagte Caleb schlicht und kam zu mir herüber.

»Musstest du wirklich so stark zuschlagen? Ich hab dir den Kiefer vorhin auch nicht gebrochen!«, gab ich beleidigt zurück und spuckte ihm vor die Füße, doch er lachte nur.

»Das hättest du gar nicht zustande gebracht.«, neckte er mich und hielt mir wieder die Hand hin. Dieses Mal nutzte ich die Gelegenheit, die er mir bot, rutschte unauffällig ein kleines Stück zur Seite und zog an seiner Hand, so stark ich nur konnte. Cal, der definitiv nicht mit diesem Zug gerechnet hatte, verlor das Gleichgewicht, bevor er, mit dem

Gesicht voraus, gegen den Strommast knallte. Nochmals konnte man ein Knacken vernehmen und mit einer Spur Genugtuung erkannte ich das Blut, das nun auch aus seiner Nase lief. Da meine Nase schon gebrochen war, wurde der Schmerz durch Cals Verletzung tausend Mal schlimmer und ich schrie laut auf.

»Selbst schuld.«, gab er leise von sich, bevor er neben mir auf den Boden sank. »Ich glaube das reicht für heute.«

Nachdem Cal unsere gebrochenen Nasen und zum Glück auch meine Blutergüsse geheilt hatte, machten wir es uns im Frontraum des Pick – Up gemütlich. Die Winterjacken hatten wir zu Decken umfunktioniert, wodurch die Kälte, die das Wageninnere nun heimsuchte, nicht bis zu uns vordringen konnte. Mein Atem bildete kleine Dampfwölkchen in der kalten Umgebung.

»Cal, ich will nicht sterben.«, flüsterte ich in die dunkle Stille des Autos.

»Das wirst du nicht. Das wird keiner von uns beiden.«
»Das kannst du nicht versprechen.«

»Ich weiß. Aber ich werde alles in meiner Macht stehende tun, damit dir nichts passiert.«

Dir. Nicht uns. Er wusste, dass er weder mich noch sich selbst schützen konnte. Dennoch versetzte mir der Gedanke einen Stich. Wenn es gut lief, kamen wir beide lebend aus der Sache und der Fluch würde niemals ausgelöst werden. Wenn es schlecht lief, würde entweder einer von uns oder wir beide sterben und damit die ganze restliche Welt. Ich hatte keine Zweifel daran, dass Anats Rache über die Menschen hereinbrechen und alles und jeden ins Verderben stürzen würde.

Unsere Konversation verstummte und ich versank noch etwas tiefer in meiner Jacke. Das Licht einer Straßenlaterne schien sanft ins Wageninnere und beleuchtete die Schneeflocken, die vom Himmel herab rieselten. In der Ferne konnte man Autos über den Highway rasen hören und ab und an drückte jemand auf die Hupe. Dunkle Umrisse der Bäume, die sich im Wind bogen, zeichneten sich neben mir ab.

Ganz langsam und vorsichtig zog ich meine Hand unter der Jacke hervor und legte sie auf die Mittelkonsole. Eine Einladung. Es war dunkel im Wageninneren und Cal hätte einfach behaupten können, er hätte die Bewegung nicht wahrgenommen, doch plötzlich spürte ich seine Hand auf meiner. Nur ganz leicht, aber sie war da. Die sanfte Berührung half mir schließlich dabei einzuschlafen.

Als ich aufwachte, waren wir schon wieder auf der Straße. Auf Calebs Stirn hatte sich eine Falte gebildet, so konzentriert war er, obwohl die Straßen wie leergefegt wirkten.

»Ist alles in Ordnung?«, fragte ich vorsichtig und richtete mich auf. Caleb zuckte zusammen, als hätte ihn jemand geschlagen, was mir ein Lachen entlockte.

»Tut mir leid.«

»Schon gut. Ich war nur sehr konzentriert.«

»Aber warum? Die Straßen sind leer. Es ist ja nicht so, als müsstest du aufpassen in einen anderen Wagen zu fahren.«

Als er keine Antwort gab, lehnte ich mich in meinem Sitz zurück und betrachtete die Landschaft. Die Bäume waren weiß gefärbt vom Schnee, ebenso die Wiesen am Straßenrand. Der Himmel war mit grauen Wolken verhangen, aber es schneite nicht mehr. Ich schnappte mir die Schokolade aus einer unserer Einkaufstüten und begann, ein paar Stücke abzubrechen. Dankbar nahm Caleb eins entgegen und widmete sich wieder der Straße.

Der Rest der Fahrt verlief schweigend und als sich der Tag dem Ende neigte, waren wir in einer etwas größeren Stadt angekommen, deren Namen ich bereits wieder vergessen hatte. Caleb hielt auf einem kleinen Parkplatz neben einem Kaufhaus und stieg aus, ohne mir zu sagen, was er vorhatte. Ich beschloss, im Auto zu warten und staunte über den Abendhimmel. Das Grau war einem sanften rosa gewichen, das weiter hinten am Himmel in orange und rot überging. Es sah aus, als stünde der Himmel in Flammen. *Wunderschön.*

Eine lange Stunde später kam Caleb zurück zum Auto, seine Hände waren leer.

»Was hast du so lang da drin getrieben?«, fragte ich vorwurfsvoll, doch er ignorierte mich.

»Hallo? Ich rede mit dir.«, versuchte ich es erneut, doch wieder beachtete er mich nicht. Langsam wurde ich sauer. Ich warf ihm einen wütenden Blick zu und drehte mich zur Seite, bevor Cal den Wagen startete und zum nächsten Hotel fuhr. Wortlos ließ ich ihn aussteigen und ein Zimmer mieten, bevor er zurückkam und mir mit den Taschen half. Das Zimmer war einfach eingerichtet, zu einfach. An der linken Seite stand ein kleines Doppelbett, an der rechten war eine Küche eingebaut worden. An der hinteren Wand befand sich eine weitere Tür, die vermutlich ins Bad führte. Caleb schloss die Tür hinter uns, da stellte ich mich ihm direkt in den Weg.

»Stopp. Du sagst mir jetzt sofort was mit dir los ist. Die ganze Fahrt hast du fast kein Wort mit mir gewechselt. Und vorhin hast du mich einfach ignoriert. Hab ich irgendwas falsch gemacht?«, fragte ich direkt heraus, doch da bildete sich ein Grinsen auf Calebs Gesicht. Er ließ die Taschen sinken und zog mich zum Bett. Widerwillig ließ ich es geschehen. Er setzte sich auf die Kante, den Wintermantel immer noch fest um sich gewickelt und bedeutete mir, mich neben ihn zu setzen.

»Beruhige dich. Du hast nichts falsch gemacht. Hast du dich gar nicht gewundert, warum die Straßen vorhin so leer waren, obwohl wir auf vielen dicht befahrenen Strecken unterwegs waren?«

»Doch aber…«, begann ich, doch er fiel mir einfach ins Wort.
»Heute ist Weihnachten, Cari.«, sagte er und musste dabei erneut lachen.

»W... was?«, fragte ich erstaunt und ging im Kopf die vergangenen Tage durch. Tatsächlich, es passte perfekt. Ein kalter Schauer lief meinen Rücken herunter, als mir bewusst wurde, wie viel Zeit schon vergangen war.

»Ja, heute ist Weihnachten.«, wiederholte er und kramte in seiner inneren Jackentasche. Er zog eine Tüte daraus hervor, die unmöglich dort hineinpasste, doch ich hatte nur Augen für die Farbe des Papiers. So eine Farbe hatte ich noch nie gesehen. Im ersten Moment schien die Tüte blau, doch bei genauerem Hinsehen schimmerte die Oberfläche in allen Farben des Regenbogens.

»Ist das etwa... für mich?«, fragte ich ungläubig und hob meinen Kopf, um ihm ins Gesicht schauen zu können. Er schien meine Begeisterung zu bemerken, denn er nickte freudig und reichte mir die Tüte.

»Du weißt aber schon, dass das eigentliche Geschenk da drin ist, oder?«, fragte er und musste ein Lachen unterdrücken, als er bemerkte, wie ich die Tüte mit leuchtenden Augen drehte und wendete.

»Oh! Ja, ja natürlich.«

Ein einziges, großes Stück Stoff kam zum Vorschein. Nein, kein Stück Stoff, ein Anzug, wie mir bei genauerem Hinsehen auffiel. Er war ganz in schwarz gehalten und mit einzelnen Elementen versehen, die wie Schuppen wirkten.

»Was. Ist. Das? Wenn du irgendeinen seltsamen Fetisch ausleben möchtest, muss ich dich leider enttäuschen. Für sowas bin ich nicht zu haben.«, bemerkte ich und hielt das Kleidungsstück skeptisch vor mir in die Höhe.

»Das«, antwortete er und nahm es mir aus der Hand, »ist ein Trainingsanzug für dich, der deinen Kräften standhält.«

»Meinen *Kräften*?«

Natürlich wusste ich sofort, von was er sprach, die Erinnerung an das Eis in meinen Adern und diese unglaubliche Wut in mir, ließ mich allerdings immer noch erschauern.

»Ich habe deine Arme gesehen, als du zusammengebrochen bist. Nachdem dein Vater starb, hast du völlig die Kontrolle verloren. Dein Pullover hat sich in deine Haut gebrannt. Weißt du, wie anstrengend es war, die verbrannten Fetzen abzubekommen? Mit diesem Anzug passiert dir das nicht. Er kann extremer Hitze standhalten und ist dazu noch extrem dünn und elastisch. Er ist perfekt für dich. Du hast keine Ahnung, wie lang ich gebraucht habe, um einen Laden zu finden, der so etwas anbietet.«

»D... danke! Aber... ich habe überhaupt nichts... für dich.«, stammelte ich und wurde plötzlich rot.

»Denkst du, ich mache dir deswegen Vorwürfe? Wie ich an deinem Gesicht ablesen kann, hattest du nicht mal eine Ahnung, welcher Tag heute ist. Es ist alles gut.«

»Ich... ich weiß nicht was ich sagen soll... allerdings gibt es da ein Problem. Meine *Kraft*, wie du es nennst, hat sich seit

Tagen nicht mehr gezeigt. Seit dem Vorfall mit meinem Vater ist es, als habe sie sich verflüchtigt.«, gab ich leise zu und senkte den Kopf.

»Das bekommen wir schon wieder hin. Ich bin mir sicher, ich finde einen Weg, dich so sauer zu machen, dass das Biest in dir erwacht.«, antwortete er mit einem Lachen in der Stimme.

»Oh, da bin ich mir absolut sicher.«

Plötzlich wurde mir das Gewicht des Rings in meiner Tasche schmerzlich bewusst. Aus einem Impuls heraus kramte ich ihn hervor und hielt ihn ihm entgegen.

»Was ist das?«, fragte er und beäugte erst mich, dann den Ring skeptisch.
»Mein Geschenk an dich. Er gehörte meinem Vater. Ich möchte, dass du ihn nimmst.«

»Bist du sicher? Ich weiß nicht so recht…«

Ohne ihn ausreden zu lassen zog ich seine Hand zu mir und schob ihm den Ring auf den Finger. Dabei bemerkte er das passende Gegenstück an meiner Hand und ich konnte die Röte förmlich spüren, als sie ihm und mir ins Gesicht schoss.

»Wenn du meinst.«, murmelte er und wandte sich dann schnell ab.

»Ich weiß, dass wir eigentlich so schnell wie möglich nach Brooklyn kommen sollten, aber wir könnten einen Tag Pause einlegen, das verwirrt sie vielleicht. Oder wir fahren einen Umweg.«, schlug ich vor und stand auf, um meinen schweren Mantel abzulegen. Den eigentlichen Grund für diese Überlegung wollte ich ihm nicht nennen. Er sollte nicht wissen, dass ich das Ziel dieser Reise noch nicht erreichen wollte, dass ich noch länger bei ihm sein wollte, schließlich hatten wir beide keine Ahnung, was uns am Ende erwartete.

»Klingt nach einer guten Idee. Ich kenne eine Lichtung im Wald hier in der Nähe. Ich glaube, da können wir ungestört üben.«

»Aber was ist, wenn ich dich wieder verletze? Willst du mich einfach wieder erschießen?«, fragte ich und versuchte, ein Lachen mitschwingen zu lassen. Es klang eher wie ein Schluchzen.

»Wohl kaum. Ich hab in den vergangenen Tagen etwas Neues über meine Fähigkeit gelernt, was mir wohl ganz nützlich werden könnte. Das wird sicherlich lustig. Ich schlage vor, dass wir direkt morgen früh nach dem Frühstück losfahren.«

Nachdem wir beide geduscht und unsere Schlafanzüge angezogen hatten, saßen wir auf dem kleinen Bett und ich starrte aus dem Fenster. Es war eine wolkenlose Nacht und am Himmel funkelten unendlich viele Sterne.

»Du liebst sie, oder?«, fragte Cal mich auf einmal und ich zuckte zusammen.

»Was?«

»Die Natur. Die Nacht. Einfach alles um dich herum. Du starrst irgendwie ununterbrochen aus dem Fenster.«

»Manchmal, wenn es besonders schlimm wird, hilft mir das. Dann komme ich mir nicht mehr so eingesperrt und verloren vor.«

»Wenn was besonders schlimm wird?«, fragte er leise und sah mich mitfühlend an.

»Wenn die Stille um mich herum droht mich zu erdrücken. Wenn die Schuldgefühle wegen meinen Eltern oder Adrian mir das Herz zerreißen und mich alle Entscheidungen infrage stellen lassen, die ich jemals getroffen habe. Wenn ich anfange, an mir selbst zu zweifeln und an allem, was ich schaffen muss. Dann hilft mir die Natur um mich herum, vor allem die Nacht. Sie erinnert mich daran, dass selbst die schlimmsten Tage ein Ende haben und dass es noch andere Orte gibt. Orte, an denen es besser ist als hier. Orte, an denen ich vielleicht irgendwann einmal friedlich leben kann.«

Als mir die Wahrheit meiner Worte bewusst wurde, zog mein Herz sich schmerzlich zusammen.

»Eines Tages, wenn wir das alles überstanden haben, wird es einen Ort auf der Erde für dich geben, ganz sicher.«

Langsam legte ich mich im Bett zurück und drehte meinen Kopf zurück zum Fenster. Heute war einer dieser schlimmen Tage. Einer der schlimmsten.

»Ich habe bisher jedes Weihnachten mit meiner Familie verbracht. Wir haben es uns immer vor dem brennenden Kamin gemütlich gemacht und einen alten Film angesehen. Danach gab es Geschenke. Manchmal, wenn die Eltern von Adrian wieder schwierig waren, hat er sogar mit uns gefeiert. Das waren die schönsten Feste. Wie haben uns mit Plätzchen vollgestopft, bis ich mich fast übergeben musste. Einmal sind wir sogar nachts durch die Straßen gelaufen und haben uns die Dekorationen an den anderen Häusern angesehen. Du kannst dir nicht vorstellen, wie alles gefunkelt und geblinkt hat. Es gibt jetzt noch Nächte, in denen ich davon träume.«, erzählte ich leise, ohne ihn anzusehen.

»Das klingt wunderschön. Ich habe Weihnachten immer mit meiner ganzen Familie verbracht. Das Haus war zum Bersten voll und das Essen war köstlich. Alle Verwandten haben die ganze Nacht durch gefeiert, gesungen und miteinander gelacht. Mittlerweile habe ich keinen Kontakt mehr zu ihnen, zu keinem von ihnen.«, warf er ein und ich konnte die Verbitterung in seiner Stimme hören.

»Warum nicht?«
»Sie hätten meinen Eltern helfen können. Aber sie haben es nicht getan. Wir wurden von allen im Stich gelassen. Ich wurde von allen im Stich gelassen.«

Auch Caleb sank neben mir auf das Bett, achtete jedoch sorgfältig darauf, einen Abstand zwischen uns zu wahren, wie um die zerbrechliche Ehrlichkeit nicht zu zerstören, die uns in diesem Moment umgab.

»Auch für dich gibt es irgendwo einen Platz auf dieser Welt.«

Vielleicht bei mir. Doch das sagte ich nicht laut. Zu viel stand noch immer zwischen uns. Die Kluft, die er erst vor kurzen verursacht hatte, war noch nicht verheilt. Vielleicht würde sie das auch nicht mehr. Ich drehte mich mit dem Rücken zu ihm, so dass ich noch immer aus dem Fenster sehen konnte und spürte seinen Atem in meinem Nacken.

»Gute Nacht Carietta.«, flüsterte er und ich hörte, wie er sich von mir wegdrehte. Die vertraute Wärme verschwand und ließ nur ein kaltes Loch zurück.

»Gute Nacht.«

16

Als Caleb mich weckte, umfing mich der köstliche Duft von Croissants und Kakao. Ich schlug die Augen auf und reckte die Nase in die Luft.

»Mhhh. Das riecht köstlich!«

Ich setzte mich auf und schaute mich um. Caleb hatte den kleinen Tisch in unserem Zimmer reichlich gedeckt. Ich erkannte Croissants, Marmelade, Eier, Pancakes und einen großen Krug voller Kakao. Als ich aufspringen und zum Tisch laufen wollte, hielt Cal mich am Arm fest.

»Das hier«, sagte er und deutete auf das Festmahl, »gibt es, wenn du erfolgreich trainiert hast.«

»Ach komm schon. Das ist Folter!«, protestierte ich und versuchte, mich aus seinem Griff zu winden, doch er ließ einfach nicht locker.

»Du musst dir dieses Essen verdienen,«, scherzte er und reichte mir den Anzug. »Probier ihn an.«

Widerwillig nahm ich den Anzug entgegen und verschwand mit einem letzten sehnsüchtigen Blick auf den gedeckten Tisch ins Bad.

Zufrieden stellte ich fest, dass ich in dem Anzug einigermaßen gut aussah. Er ließ mich größer wirken und schmiegte sich eng an meinen Körper. Trotzdem kam ich mir in dem ganzen Aufzug irgendwie lächerlich vor.

»Bist du endlich fertig?«, hörte ich eine Stimme auf der anderen Seite der Badezimmertür und schloss auf. Caleb stand davor, die Augen geweitet, den Mund leicht geöffnet.

»Ich nehme an, ich sehe akzeptabel aus?«, fragte ich scherzhaft und drückte mich an ihm vorbei zur Tür des Zimmers. »Komm schon, ich will mein Frühstück.«

Die Natur schien uns wohlgesonnen. Es war ein relativ milder Tag, und so kurz nach Weihnachten waren die Straßen noch immer wie leergefegt. Kurze Zeit nach unserem Aufbruch kamen wir auch schon auf der Lichtung an und ich sprang aus dem Wagen. Cal folgte mir auf dem Fuß.

»Ich glaube wirklich nicht, dass das funktionieren wird.«, sagte ich skeptisch und nahm gegenüber von ihm meine Position ein.

»Ich finde schon einen Weg. Du musst nur wissen, dass ich nichts von dem was ich sagen werde ernst meine, okay?«
»Okay.«
»Dann lass uns loslegen.«

Ich versuchte mir ins Gedächtnis zu rufen, was er mir bei unserem nächtlichen Kampf eingebläut hatte. Ich war die Schnellere, ich musste zuerst angreifen, ihn sich nicht vorbereiten lassen. Also tat ich genau das. Wir standen ein paar Schritte auseinander aber dieser Abstand reichte mir vollkommen. Blitzschnell trat ich einen Schritt nach vorne und ließ meinen Fuß in Richtung seines Unterleibs fahren. Doch er hatte meinen Schritt kommen sehen und hielt mein Bein fest, zog mich daran zu sich und riss mich von den Füßen. Ich landete hart auf dem Rücken und stöhnte, als ich ihm meinen Fuß entriss.

»Ist das alles was du drauf hast?«, fragte er und ging seinerseits in Kampfstellung.

»Das hättest du wohl gerne.«, knurrte ich und sprang wieder auf die Beine. Ich versuchte mich erneut an einem Angriff und zielte mit der Faust auf sein Kinn, doch er duckte sich geschmeidig darunter hinweg und landete seinerseits einen Treffer in meinen Magen. Ich krümmte mich unter der Wucht des Schlages zusammen und taumelte zurück.
»Du bist schwach.«, sagte er leichthin und betrachtete anscheinend gelangweilt seine Fingernägel.

»Das... stimmt... nicht.«, würgte ich hervor und richtete mich auf. Ich versuchte es immer wieder, doch Caleb wirkte, als könnte er alle meine Bewegungen voraussehen. Ich spürte, wie meine Muskeln langsam schwächer wurden, meine Konzentration ließ nach und Cal konnte immer häufiger einen Treffer hinter meiner Verteidigung landen, wobei er kein bisschen angestrengt wirkte.

Doch noch immer spürte ich nichts von der Kraft. Es schien, als wäre sie verschwunden.

»Deine Verteidigung ist miserabel.«, spottete er und verpasste mir ein blaues Auge, wie um seine Aussage zu untermauern. Er hingegen wirkte völlig unversehrt, bis auf einen kleinen Kratzer auf der Wange, den ich ihm mit meinen Fingernägeln zugefügt hatte.

»Ich gebe ja schon mein Bestes. Aber sie kommt einfach nicht. Was, wenn ich sie vielleicht gar nicht mehr besitze?«, fragte ich und spuckte Blut auf die Wiese. Er musste mir einen Zahn ausgeschlagen haben.

»Hör auf, Ausreden zu erfinden. Tust du das auch, wenn die Schuldgefühle wegen deinen Eltern oder Adrian zu schlimm werden?«, fragte er und wich langsam ein paar Schritte zurück.

»Was hast du gesagt?«
»Ich fragte: erfindest du auch Ausreden, um dir ihren Tod zu verschönern?«

Obwohl er mich gewarnt hatte, seine Worte nicht ernst zu nehmen, trafen sie mich wie Messerstiche mitten ins Herz.

»Ihr Tod war nicht meine schuld. Adrians Verletzung war nicht meine schuld.«, sagte ich leise und konnte die aufkommende Wut in mir deutlich spüren, die den Schmerz allmählich überlagerte.

»War es das denn nicht? Hättest du an diesem Morgen nicht mit Adrian in dem Bus gesessen, hätten sie keinen Grund gehabt, den Busfahrer zu töten. Ihm ginge es jetzt gut.«

»Hör auf.«, stieß ich kaum hörbar hervor und wandte mich ab, um meine Tränen zu verbergen, doch Caleb dachte nicht einmal daran.

»Und der Tod deiner Eltern? Versuchst du wirklich, mir zu erzählen, dass er nicht deine schuld war? Wenn du das tust, belügst du dich selbst. Dein Vater ist gestorben, weil du dich geweigert hast, mit ihnen zu kooperieren, du hättest nur ja sagen müssen.«

»Du weißt, dass es nicht so war.«
Doch er ignorierte meine Worte einfach und fuhr unbeeindruckt fort.

»Und der Tod deiner Mutter. Dass ich nicht lache! Sie ist nur gestorben, um dich vor alldem hier zu bewahren. All diese Dinge, die sie verhindern wollte, sind nun trotzdem eingetreten! Ihr Tod war völlig umsonst.«

Ich wusste, dass seine Worte Lügen waren, dass er sie nur sagte, um mich wütend zu machen. Dennoch war ich auf einmal fest davon überzeugt, dass sie einen Funken Wahrheit enthielten.

»Vielleicht hättest du schon deutlich früher von der Bildfläche verschwinden müssen. Vielleicht hätte ich dich im

Krankenhaus einfach umbringen sollen, dann wäre alles so viel einfacher gewesen! Dein Vater wäre noch am Leben.«

Die Wut brodelte immer höher, drohte, meine Sicht zu verschleiern.

»Meine Eltern wären noch am Leben.«

Da zerbrach etwas in mir. Den Verlust meiner Eltern oder Adrians Verletzung, das ging vielleicht auf meine Kappe, das war mir tief in meinem Inneren immer bewusst gewesen, doch der Verlust von Calebs Eltern war mit Sicherheit nicht meine schuld.

Das Eis in meinen Adern kam so schnell, dass ich nicht mal Zeit hatte, mich von Cal zu entfernen. Stattdessen spürte ich unglaubliche Hitze an meinen Händen und blickte an mir herunter. Meine Arme standen in blauen, flackernden Flammen, doch die Kleidung fing kein Feuer. Sie funktionierte. Lange konnte ich allerdings nicht darüber nachdenken, denn mein Körper machte sich schon wieder selbstständig.

»Ich... ich habe es nicht unter Kontrolle.«, wollte ich schreien, doch es kam kaum ein Flüstern aus meinem Mund. Caleb hingegen schien hocherfreut.

»Na endlich. Mir sind die Vorwürfe ausgegangen.«, sagte er leichthin und ging wieder in Kampfposition.
                              M e i n e   B e i n e
bewegten sich von allein. Sie sprinteten los, gingen dann direkt vor Cal in die Hocke und ich sprang mit

übermenschlicher Kraft in die Luft. Am höchsten Punkt meines Sprunges angekommen, ließ ich Feuerranken zu ihm herunterrasen. Eine verfehlte ihn knapp, doch die andere versengte sein Oberteil. Cal taumelte ein paar Schritte zurück, weshalb ich nicht auf ihm landete und ich spürte ein leichtes Ziehen in meiner Brust. *Die Seelenverbindung.* Als ich mich aufrichtete, die Arme noch immer ein loderndes Inferno, fiel mir etwas auf. Beim letzten Mal, als sich meine Kraft so stark gezeigt hatte, war das Fleisch an meinen Armen verbrannt, zusammen mit dem Pullover, dieses Mal nicht. Auch Caleb stand wieder gerade, doch er hatte keine Kampfposition angenommen. Seine Augen waren fest geschlossen und die Hände hatte er leicht von sich gestreckt, mit den offenen Handflächen in meine Richtung. Er krümmte die Finger ein wenig und ich spürte wie sich mein Herzschlag verlangsamte. Benommen wich mein Körper zurück und ich schaffte es wieder, die Kontrolle zurückzugewinnen. Die Flammen loderten immer noch, doch es schien, als würde ihre Leuchtkraft nachlassen.

»Wie?«, fragte ich erstaunt und Cal öffnete die Augen. Ein winziges Lächeln umspielte seine Mundwinkel.

»Ich habe doch gesagt ich habe etwas Neues gelernt. Ich habe mir lange Gedanken über meine Fähigkeit gemacht. Konnte ich wirklich nur Wunden heilen? Und dann ist mir etwas aufgefallen. Immer, wenn ich dich geheilt habe, war da ein stetiges Pochen in meinem Kopf. Irgendwann habe ich verstanden, dass das dein Herzschlag ist, den ich da hören kann. Doch ich kann ihn nicht nur hören, wenn ich dich berühre, ich kann ihn *immer* hören. Sobald ich den

Herzschlag einer Person hören kann, sind dem Schaden, den ich bei dieser Person anrichten kann, keine Grenzen gesetzt. Ich kann den Herzschlag dieser Person verlangsamen, so wie ich es bei dir getan habe. Ich kann aber auch den Blutfluss stoppen, ganz oder nur zu bestimmten Körperstellen hin, sodass Gliedmaßen absterben. Ich kann Gefäße in deinem Körper zum Platzen bringen oder ein Organversagen herbeiführen. Aber das ist noch nicht mal das Beste.«, sagte er und kam auf mich zu.

Ich musste schlucken und realisierte, dass Caleb gerade eben erheblich gefährlicher geworden war.

»Was ist das Beste?«

»Das hier.«

Er hob eine Hand und drehte die Finger.
Alle Gedanken, die gerade eben noch durch meinen Kopf gerast waren, wurden zu Rauchschwaden und verschwanden. Das Feuer an meinen Armen erlosch.

»Ich kann Gedanken steuern. Ich kann den Willen einer Person unterwerfen.«, sagte er fast ehrfürchtig und drehte die Finger erneut. Gegen meinen Willen setzte ich mich in Bewegung, unfähig zu sprechen oder auch nur stehen zu bleiben. Mein Kopf war komplett leergefegt. Immer, wenn ein neuer Gedanke sich zusammensetzen wollte, zerbarst er wieder in tausend Bruchstücke und war verschwunden. Dicht vor Cal blieb ich stehen und er ließ die Hand sinken. Der Würgegriff um meinen Kopf verschwand. Ich holte zitternd Luft und rieb mir die Arme.

»Mach das nie wieder!«, fauchte ich ihn an und stieß ihn vor die Brust.

»Ist ja gut. Aber wir haben erreicht, was wir erreichen wollten. Deine Kraft ist zurück.«

Und tatsächlich. Ich spürte einen leisen Funken durch meine Adern rasen, ständig abrufbereit.

»Ich habe schon ein paar Mal an dir geübt.«, gab er achselzuckend zu und meine Augenbrauen schossen in die Höhe.

»Wann?«

»Erinnerst du dich an die Autofahrten die letzten Tage oder den Aufenthalt im Hotel, bei denen du immer müde wurdest, aber dennoch nicht einschlafen konntest? Ich habe deinen Puls heruntergefahren, bis kurz vor die Ohnmacht.«

Mistkerl.

»Na vielen Dank auch. Was hat es eigentlich mit diesem Anzug auf sich? Warum sind meine Arme nicht verbrannt wie letztes Mal?«, fragte ich skeptisch und schaute an mir herunter. Alles saß noch perfekt.

»Das war nicht der Anzug, das war ich. Ich habe deine Zellen gezwungen, sich immer wieder neu zu bilden, deine Haut ist quasi immer wieder verbrannt und dann neu gewachsen.«

»Das klingt ekelerregend.«, stellte ich schlicht fest und drehte mich um, schon wieder auf dem Weg zurück zum Wagen.

»Hey, bekomm ich gar kein Dankeschön dafür, dass du deine Kraft wegen mir wieder einsetzen kannst?«, rief er mir hinterher und ich hörte seine Schritte auf dem Waldboden.

»Nein.«

17

Müde ließ ich mich auf das kleine Doppelbett fallen und betrachtete die Decke des Zimmers. Nachdem Caleb uns zurück zum Hotel gefahren hatte, konnte ich gar nicht schnell genug unter die Dusche springen. Einfach alles an mir fühlte sich falsch an. Ein stetiges Pochen hatte in meinem Kopf eingesetzt, nachdem Caleb seine Kontrolle beendet hatte und noch immer hatte ich Probleme damit, meine Gedanken zu sortieren. Die Haut an meinen Armen fühlte sich seltsam ledrig an. Wie viel mein Körper heute wohl wirklich hatte leisten müssen? Ich hatte mich nach einer langen Stunde unter dem heißen Wasser genauer im Spiegel betrachtet. Die Ringe unter meinen Augen waren schlimmer geworden, zumindest unter dem einen, das andere war noch immer blau und angeschwollen. Dennoch hatte ich um meine Pupille einen dünnen, goldenen Ring erkennen können, der genauso aussah wie der, den auch Cal besaß.

»Soll ich dir damit helfen?«, fragte Caleb und stupste mir knapp unter die Schwellung meines Auges. Ich nickte nur und er ließ sanft eine Hand darüber gleiten. Wärme durchströmte meinen Kopf und endlich ließ auch das Pochen nach, ich konnte wieder einigermaßen klar denken.

Cal hatte sich neben mich auf das Bett fallen lassen und schaute jetzt von oben auf mich herab.

»Du weißt, dass nichts von dem, was ich vorhin gesagt habe, ernst gemeint war, oder? Ich würde dir niemals die Schuld für irgendeines dieser Ereignisse geben.«

»Ja.«, sagte ich so fest wie möglich, doch ich spürte noch immer den Stich, den mir der Gedanke an diese Worte versetzte.

Vielleicht hätte ich dich im Krankenhaus einfach umbringen sollen.

Das hätte er, wenn da nicht diese Kraft gewesen wäre. Er hätte mir solange die Kehle zugedrückt, bis ich erstickt wäre. Wann genau hatte er seine Meinung über mich geändert?

»Du hättest mich an diesem Tag wirklich töten können.«, sagte ich und war selbst überrascht davon, dass ich diesen Gedanken laut ausgesprochen hatte. »Dann hätten sie nichts über deine Kräfte herausgefunden und deine Eltern würden vielleicht noch leben. Genau genommen hättest du den Auftrag erfüllt und wärst fein aus der Sache raus gewesen. Warum hast du mich gerettet?«

Caleb schwieg lange, bevor er schließlich den Mund aufmachte und erwiderte: »Ich weiß es selbst nicht genau. Als ich dich gegen diese Wand gedrückt habe, da war mein einziger Gedanke noch, dass ich so meine Eltern retten kann. Doch dann hast du plötzlich die Kontrolle verloren und deine Kraft hat sich gezeigt. Ich konnte keinen klaren Gedanken fassen, habe nur ans Überleben gedacht, doch als ich dann auf dich geschossen habe... da ist etwas in mir zerbrochen. Jede Zelle meines Körpers hat danach geschrien, dich zu heilen, dich zurückzuholen. Ich konnte den Gedanken nicht ertragen, dich auf diese Weise sterben zu sehen. Dich überhaupt sterben zu sehen.«

»Ich könnte es auch nicht ertragen dich sterben zu sehen.«, gab ich leise zu, ohne wirklich über meine Worte nachgedacht zu haben und drehte mich zu ihm.

»Gut, dass wir uns da einig sind. Darf ich dich an das Frühstück erinnern, dass noch immer auf dich wartet?«, fragte er mit einem Grinsen und ich sprang, von plötzlichem Heißhunger getrieben auf, um zum Tisch zu rennen, den ich komplett vergessen hatte.

Eine gute Stunde später waren von dem üppigen Festmahl nur noch Krümel übrig und ich strich mir über den überfüllten Bauch.

»Ich weiß gar nicht, wann ich das letzte Mal eine richtige Mahlzeit hatte, geschweige denn eine so gute.«, sagte ich zufrieden als ich aufstand und mich kurz darauf wieder ins Bett fallen ließ. Meine Muskeln schmerzten vom Kampf heute Morgen und das viele Essen tat sein Übriges. Ich war hundemüde.

»Ist es in Ordnung, wenn ich noch ein wenig die Augen schließe, bevor wir wieder fahren?«, fragte ich mit geschlossenen Augen, doch noch bevor Cal antworten konnte, war ich eingeschlafen.

Ich wurde unsanft an der Schulter gerüttelt und öffnete murrend die Augen. Als ich mich aufrichtete, bereute ich den Schlaf sofort. Ein heißes Ziehen fuhr durch meine Arme und Beine und ich stöhnte auf.

Cal verkniff sich ein Lachen und half mir auf die Beine.

»Du hast den ganzen Tag verschlafen. Wir sollten weiterfahren. Wahrscheinlich sind wir morgen in Brooklyn.«

Brooklyn.

Bei diesem Wort wurde mir plötzlich übel. Es war von Anfang an klar gewesen, dass wir früher oder später dort ankommen und das beenden würden, was wir angefangen hatten. Doch dieses Ziel nun in so greifbarer Nähe zu wissen, fühlte sich irgendwie nicht real und falsch an. Als könnte es gar nicht sein, dass wir dieses Ziel wirklich erreichten.

Ich schluckte meine Zweifel herunter und richtete mich mühsam auf. Warum noch weiter darüber nachdenken, das hier war doch schließlich alles, was ich gewollt hatte, oder? Diesen Leichnam finden und zerstören, unsere Leben und die gesamte Welt retten.

»Dann lass uns keine Zeit mehr verlieren.«

Kurz darauf saßen wir beide im Auto, das Schweigen zwischen uns nur unterbrochen von dem starken Wind, der in regelmäßigen Stößen gegen die Windschutzscheibe stieß. Es gab einfach nichts mehr zu sagen. Wir hatten die Karten auf den Tisch gelegt. Waren schonungslos ehrlich zueinander gewesen.

»Wenn wir das hier überstanden haben, möchte ich noch einmal komplett von vorne anfangen. Ich will das alles hier auf ewig vergessen und irgendwo hin, wo mich niemand kennt. Nie wieder zurückblicken.«, sagte ich bestimmt und schaute aus dem Fenster in den weißen Sturm. »Macht mich das zu einem schlechten Menschen?«

Cal schwieg lange und ich dachte schon, dass er meine Frage einfach ignoriert hätte, da sagte er leise:

»Ich will das alles hier auch vergessen. Deswegen bist du kein schlechter Mensch. Die Vergangenheit zerstört uns, wenn wir uns zu lang mit ihr aufhalten. Wir müssen nach vorn schauen. Auf das, was noch kommt. Auf die Möglichkeiten, die wir noch haben. Und wir dürfen die, die ihr Leben für uns gegeben haben, niemals vergessen, müssen ihre Namen auf ewig in Ehren halten.«

Ich gab mir größte Mühe, den Kloß in meinem Hals herunterzuschlucken. Wollte nicht zeigen, wie sehr seine Worte und die damit verbundenen Erinnerungen schmerzten.

»Der Schmerz wird niemals ganz vergehen, oder?«, fragte ich leise, meine Stimme erstickte beinahe an den Tränen, die sich ihren Weg durch meine Kehle bahnten.

»Nein. Aber er wird erträglicher. Er wird ein beständiger Teil von dir, der dich zu dem Menschen macht, der du bist.«

Ich drehte mich nicht zu ihm um, spürte aber seinen stetigen Blick in meinem Rücken, der es mir nur noch schwerer machte, nicht zu weinen.

»Wir müssen das schaffen. Nur so war ihr Opfer nicht

umsonst.«, sagte er leise und ich nickte nur. Gewinnen, die Aufgabe vollenden, eine andere Option als das gab es gar nicht.

Stunden später, die Nacht war mittlerweile hereingebrochen, fuhren wir durch immer größere Städte, langsam kamen mir ihre Namen bekannt vor. Mit jeder Meile, die wir zurücklegten, schnürte sich meine Kehle weiter zu, bis Luft holen zu einem Ding der Unmöglichkeit wurde. Im Morgengrauen wären wir am Museum, dann würde die alles entscheidende Aufgabe vor uns stehen. So viele Zweifel schwirrten in meinem Kopf umher. So viele Möglichkeiten, wie unser Versuch schiefgehen und uns alle in die Verdammnis reißen könnte. Vor fünf Minuten waren wir auf eine weitere Landstraße abgebogen, um eventuelle Verfolger zu verwirren. Die Straßenlaternen, die den Bordstein in großen Abständen säumten, funktionierten entweder gar nicht mehr oder nur noch sehr schwach. Die einzige Beleuchtung, die wir hatten, waren die Scheinwerfer des Autos und die wenigen ersten Sonnenstrahlen, die sich ihren Weg durch dicken Nebel am Horizont kämpften. Ich drehte mich gerade zu Caleb, um ihm eine Frage zu stellen, da weckte etwas in meinem Augenwinkel meine Aufmerksamkeit. Ich konnte nicht schnell genug reagieren, konnte meine Macht nicht schnell genug um uns herum ausbreiten, um den alles verschlingenden Hitzeschwall abzuwehren, der mir das Fleisch am Rücken versengte, als die Granate unser Auto traf.

Ich schrie.

Schrie, als die Hitze meine Haare entzündete und meine

Haut verbrannte. Schrie, als sich Granatsplitter und Wrackteile des Autos in meinen Körper gruben.

Schrie noch immer, als der Sicherheitsgurt riss und ich aus der Frontscheibe geschleudert wurde, während sich nun auch Glassplitter in meine Beine gruben. Meine Sicht verschwamm, nur entfernt nahm ich den Feuerball wahr, zu dem das Auto geworden war. Cal war nirgendwo zu sehen. Ich flog noch immer durch die Luft, überschlug mich, wollte seinen Namen schreien, doch ich bekam kein Wort heraus.

Als ich schließlich auf dem kalten Asphalt aufschlug, ertönte ein lautes Knacken in meiner Schulter und ich schrie wieder, als sich die Scherben und Wrackteile tiefer in meinen Arm bohrten. Ich überschlug mich auch auf dem Boden, bis ich schließlich einige Meter vom Auto entfernt liegen blieb.

Benommen vor Schmerz und an der Schwelle zur Ohnmacht drehte ich mich zur Seite, um auf das Wrack schauen zu können. Von Caleb fehlte jede Spur. Ich musste dauerhaft blinzeln, um irgendetwas erkennen zu können, da fuhr ein schwarzer Jeep an dem brennenden Gerüst vorbei und hielt direkt neben mir an. Angst überkam mich und ich versuchte wegzurutschen, doch die verbrannte Haut und die Scherben ließen es nicht zu. Die Wagentüren öffneten sich und bei dem schwarzen Schopf, den ich erblickte, drehte sich mir der Magen um. Ich versuchte zu schreien, wegzulaufen, irgendetwas anderes zu tun, als nur hier zu liegen, doch mein Körper gehorchte mir nicht mehr.

»Cal.«

Es war mehr ein Wispern als ein tatsächlich ausgesprochenes Wort. Doch ich versuchte mit aller Kraft, die ich noch hatte, seinen Namen zu schreien. In der naiven Hoffnung, dass er mir helfen könnte.

Mein Mund öffnete sich nicht noch einmal.

Der schwarzhaarige Mann blieb vor mir stehen und betrachtete mich von oben herab.

»Ich hatte wirklich mehr von dir erwartet. Da bist du schon mit so einer Gabe gesegnet und trotzdem lässt du dich durch eine einfache Granate außer Gefecht setzen.«

Ich ließ ihn weiter schwafeln, denn hinter seinen Füßen, die genau vor meinem Gesicht positioniert waren, erkannte ich Cal. Er humpelte stark, schien jedoch sonst keine Verletzungen davongetragen zu haben. Seine Lippe war aufgeplatzt und blutete, doch seine Entschlossenheit stand ihm klar ins Gesicht geschrieben.

»Man hätte auch etwas unauffälliger schauen können. Denkst du ich weiß nicht, dass Caleb direkt hinter mir steht?«, fragte der Mann beiläufig und lachte. Ich riss die Augen auf, Cal sprintete los, um den Typen irgendwie lange genug aufzuhalten, damit wir fliehen konnten.

Und hielt mitten in der Bewegung inne. Seine Muskeln verkrampften sich plötzlich und er sank auf die Knie. Blut tropfte aus seinem Oberschenkel auf den Asphalt, als er schließlich auf dem Boden zusammenbrach.

Ich versuchte den Mund zu öffnen, zu schreien oder irgendeine Beleidigung zu fauchen, als ich den Käfer sah, der sich mitten auf seinem Rücken festgebissen hatte, doch meine Lippen blieben versiegelt. Wutentbrannt funkelte ich den Mann an, der sich mittlerweile über mich gebeugt hatte und ebenfalls einen goldenen Käfer in der Hand hielt.

»Süße Träume.«, säuselte er mit einem hämischen Grinsen und ließ den Käfer auf meine Brust fallen.

Dann wurde alles schwarz.

18

In der Zelle, in der ich erwachte, roch es nach Blut und Rost. An einer Wand erkannte ich durch ein schmales Fenster weit oben den klaren Himmel. Es war Mittag oder sogar schon früher Abend. Wie lange war ich schon hier? Ich lag seitlich auf einer kleinen Pritsche, ohne Kissen oder sonst irgendetwas. Es war nicht die gleiche Zelle, in der ich schon zwei Mal gelandet war. Das hieß, ich war zumindest nicht wieder in Thunder Bay. Aber wo war ich dann? Ich blickte an mir herab und stellte fest, dass der Käfer noch immer auf meinem Brustkorb festsaß. Ich versuchte mich irgendwie zu bewegen, doch ein heißer Schmerz durchfuhr mich. Dann fielen mir die vielen Wunden an meinem Körper auf, die nicht behandelt worden waren. Die Schnittwunden hatten angefangen zu eitern und waren stark geschwollen. Auch ohne meine Stirn befühlen zu können, spürte ich die fiebrige Hitze in jeder Faser meines Körpers. Wenn meine Wunden nicht bald behandelt wurden, würde ich an einer Infektion sterben, bevor ich irgendein Ritual für irgendwen vollziehen könnte. Als hätte jemand meine Gedanken gelesen, wurde ein schwerer Schlüssel im Schloss gedreht und meine Zellentür ging mit einem lauten Knarzen auf. Grelles, künstliches Licht erfüllte die Zelle, in der ich lag und ich kniff meine Augen zu, um etwas erkennen zu können, da das Licht mich blendete. Ich hörte schwere Schritte, dann ein Aufstöhnen vor Schmerz, als eine zweite Person in die Zelle gestolpert kam. Kurz darauf fiel die Tür wieder ins Schloss und tauchte den Raum in Dunkelheit. Vorsichtig öffnete ich meine Augen und blickte direkt in Calebs sorgenvolles Gesicht.

»Cari, wie geht es dir?«, fragte er vorsichtig und strich mir eine Strähne aus dem Gesicht. Die Berührung sandte ein Brennen durch meinen Kopf und ich versuchte mich zu winden, brachte jedoch nur ein leichtes Zucken zustande. Cal schüttelte den Kopf und betrachtete die Wunden auf meinem Körper.

»Es ist ein Wunder, dass du noch nicht tot bist.«, flüsterte er und blickte mir wieder in die Augen.

Plötzlich wurde von der anderen Seite der Tür gegen das Metall geklopft und eine tiefe, schroffe Stimme ertönte.

»Beeil dich! Du bist nicht zum Kaffeetrinken da drin!«

Fragend sah ich ihn an und bemerkte dann den fehlenden Käfer auf seinem Körper.

»Sie haben ihn mir abgenommen. Aber nur, damit ich dich soweit heilen kann, dass du nicht stirbst. Wir haben nicht viel Zeit.«, sagte er leise und begutachtete zuerst meinen Rücken, der ohne Zweifel am schlimmsten aussehen musste.

»Ich kann die verbrannte Haut an deinem Rücken heilen und die Infektion aus deinem Körper entfernen, aber die Schnitte kann ich nicht schließen, dazu fehlt mir die Kraft. Du musst sie nachher mit irgendetwas verbinden. Und dein Arm... ich kann die Knochen nicht wieder zusammenfügen.«

Ich brachte nur ein schwaches Senken meines Kopfes zustande, da beugte Cal sich schon über mich und ließ seine Hände auf die verbrannte Haut auf meinem Rücken sinken. Wohlige Wärme umfing mich und ich erlaubte es mir, einmal tief einzuatmen, als die Bewegungsfreiheit langsam zurückkehrte. Als nächstes kümmerte er sich um die Schnitte an meinen Armen und Beinen. Der Eiter löste sich auf und die Schwellungen gingen zurück, doch die Schnitte blieben, wie er es prophezeit hatte. Der Schmerz verflüchtigte sich zu einem vagen Brennen und zitternd setzte ich mich auf.

»Wie lange soll das denn noch dauern?«, tönte die Stimme von draußen erneut.

»Nur noch eine Minute!«, rief Caleb zurück und wischte sich den Schweiß von der Stirn.

»Cal, was ist hier los?«, fragte ich leise und griff nach seiner Hand. Er ließ sich auf die Knie sinken.

»Es tut mir leid. Ich hätte bemerken müssen, dass sie uns verfolgen. Es ist meine schuld, dass das passiert ist.«, sagte er nur leise und wandte sich ab.

»Wir waren so dicht dran.«

»Ich weiß. Es tut mir unendlich leid. Sie lassen mich nur dieses eine Mal zu dir. Egal was kommt, wir werden das schaffen.«

Bevor ich etwas erwidern konnte, senkte Cal seine Lippen auf meine und zog mich zu einem stürmischen Kuss an sich. *Ein Abschiedskuss*, begriff ich, als er sich ohne ein weiteres Wort von mir löste und zurück zu der Zellentür ging. Ich versuchte aufzustehen, ihm hinterherzulaufen, ihn zu fragen warum er mir nicht half den Käfer an meinem Körper loszuwerden und von hier zu flüchten, doch meine Beine gaben unter mir nach und ich fiel vor der Pritsche auf die Knie. Ein heißer Schmerz durchzog meinen Arm. Die Zellentür wurde geöffnet, als Caleb sich noch einmal umdrehte und die Hand nach mir ausstreckte. Doch er wurde unsanft fortgezerrt und aus der Zelle befördert, bevor sie wieder verschlossen wurde.

Der Klang des sich drehenden Schlüssels im Türschloss hatte etwas Endgültiges an sich.

Caleb hatte nicht gelogen. Ich sah ihn nur dieses eine Mal. Dank seiner Heilung war ich in der Lage, mich zu bewegen und herumzulaufen, wenn auch etwas wackelig auf den Beinen. Aus meinem Oberteil riss ich behelfsmäßige Verbände, um eine erneute Entzündung der Schnitte zu verhindern. Als ich meinen Hinterkopf abtastete, hatte ich eigentlich eine kahle Stelle vermutet, war mein Haar durch das Feuer doch restlos abgebrannt. Doch Cal hatte es wieder nachwachsen lassen. Nicht so lang wie davor, doch es Strich mir sanft über die Schulter. Mein linker Arm hing noch immer nutzlos an mir herunter und bescherte mir jedes Mal unglaubliche Schmerzen, wenn ich mich hinlegen wollte.

Wie viel Zeit verging, konnte ich unmöglich sagen. Vielleicht fünf oder sechs Tage, vielleicht mehr, vielleicht weniger. In dieser Zelle verlor ich jedes Zeitgefühl. Ein Mal am Tag wurde ein kleiner Schlitz unten an der Tür geöffnet und ein Teller mit irgendeinem Brei und einem Pappbecher voll Wasser hereingeschoben. Anfangs hatte ich mich geweigert, irgendetwas zu essen. Doch die Tür wurde nicht erneut geöffnet und das Tablett am Abend wieder aus der Zelle geholt. Auch mit dem Essen darauf. Ich hatte auch schon versucht, das Tablett in meiner Zelle zu behalten, um zumindest irgendeine Waffe bei mir zu haben. Doch dann wurde das Fenster von außen verschlossen und ich saß in völliger Dunkelheit. Neues Essen wurde nicht nachgeliefert. Also hatte ich irgendwann keine andere Wahl mehr als das Tablett wieder durch den Spalt in der Tür zu schieben. Als ich das erste Mal diesen Brei anrührte, musste ich mich direkt in den Eimer in der anderen Ecke des Zimmers übergeben. Später, als der Hunger jeden Widerstand ausschaltete, bemerkte ich, dass das Essen vermutlich mit Schlafmitteln versetzt war, denn ich wurde schon Minuten danach unglaublich müde. Meine Beine trugen mich kaum noch. Und so schleppte ich mich zu der Pritsche und blieb meistens davor auf dem Boden liegen, bevor ein unruhiger Schlaf mich einholte.

Doch das wirklich Schlimmste an dem Aufenthalt in diesem dunkeln Loch waren meine eigenen Gedanken.

Wie hatte es so weit kommen können? Was hatten wir falsch gemacht?

Immer wieder ging ich diese letzten Stunden im Kopf durch. Es war doch eigentlich alles gut gelaufen. Wir hatten extra Umwege genommen, um mögliche Verfolger zu verwirren und abzuhängen.

Doch wir waren nicht vorsichtig genug gewesen. Eigentlich hätte mir klar sein müssen, dass sie uns irgendwann wieder finden würden, doch ich hatte mich Illusionen hingegeben. Der naiven Hoffnung, dass wir diesen Körper wirklich finden und die Welt retten könnten.

Unglaublich dumm.

Ich war so unglaublich dumm gewesen.

Der schlimmste Gedanke jedoch, der mich in jedem meiner Träume heimsuchte, war, dass Cal mich erneut verraten haben könnte. Als er in meine Zelle gekommen war, trug er keinen Käfer, der seine Kräfte irgendwie beeinträchtigte. Warum hatte er sich dann nicht einfach gewehrt und uns hier heraus geholt? Warum hatte er nur die Befehle befolgt, die man ihm gegeben hatte und war danach wortlos gegangen? Als ich an diesem Abend, wenn es überhaupt Abend war, meinen schweren Körper auf die Pritsche hievte, ertönten von draußen lautes Zischen und Knallen. Ruckartig setzte ich mich auf und ging in Verteidigungsposition. Draußen am Himmel war es dunkel geworden, deshalb konnte ich kaum etwas erkennen. Ich brauchte eine ganze Weile, bis ich erkannte, dass die Geräusche nicht aus dem Gang auf der anderen Seite meiner Zellentür stammten, sondern von der Welt außerhalb meines kleinen Fensters. Ich raffte mich auf und lief zu dem schmalen Rechteck, das nur den Blick auf einen kleinen Streifen Himmel freigab. Minutenlang blieb es still und ich wollte mich schon wieder abwenden, da ertönte erneut ein lautes Zischen und in der Ferne konnte man Jubel hören. Plötzlich wurde das Innere meiner Zelle von grünem Licht durchflutet. Draußen war ein lauter Knall zu hören.

Und endlich begriff ich.

Silvester.

Heute, exakt eine Woche, nachdem ich Cal den Ring meines Vaters gegeben hatte, war das neue Jahr angebrochen. Geistesabwesend strich ich über das kühle, glatte Metall an meinem Finger.

So viel war in diesen letzten Monaten passiert. *Zwei Monate,* zumindest glaubte ich das. Und mein Leben war eine absolute Katastrophe. Ich war eingesperrt in einer Zelle. Mit einem gebrochenen Arm und ohne Familie. Die einzige Person, an die ich mich hätte wenden können, war irgendwo außerhalb dieser Zelle, ebenfalls eingesperrt und litt vermutlich ähnliche Qualen wie ich momentan. Wäre mein Leben nicht komplett aus den Fugen geraten, würde ich wahrscheinlich gerade in unserem Garten stehen. Mit Adrian auf der einen und meinem Vater auf der anderen Seite. Wir hätten alle eine Tasse Kakao in der einen und eine Wunderkerze in der anderen Hand. Vermutlich wären Adrians Eltern auch vorbeigekommen und sein kleiner Bruder hätte eine Rakete nach der anderen in den dunklen Himmel abgeschossen.

Meine Kehle wurde eng und ich ließ mich auf den Boden sinken.

So eine Zeit würde es nie wieder geben. Mein Vater war tot. Mit Adrian hatte ich seit dem Unfall kein einziges Wort mehr gewechselt. Adrians Eltern hassten mich vermutlich und ich würde nie mehr nach Hause zurückkehren. Denn wenn wir wirklich dazu gezwungen wurden, dieses Ritual zu vollziehen, wäre ich diejenige, die sterben würde. Vielleicht hätte Cal irgendeine Chance, diesen ganzen Schlamassel zu beenden, bevor die Welt zu einem einzigen Sturm aus Asche werden würde.

Lange saß ich einfach nur dort, auf dem Boden der kalten Zelle, und betrachtete das Feuerwerk, das immer wieder in den Himmel abgeschossen wurde und die Nacht taghell erleuchtete.

»Cari, wach auf!«
Erschrocken fuhr ich hoch und blickte in Adrians Gesicht.

Er grinste mich vergnügt an und eilte dann aus dem Zimmer. Seinem Zimmer, wie ich wenig später begriff. Ich rappelte mich auf und sah mich um. Draußen lag eine dicke Schneeschicht über allem, doch der Tag war ansonsten klar und sonnig. Solche Tage gab es selten hier in Rosslyn. Ich lief die Treppe zum Erdgeschoss herunter und entdeckte Adrian zusammen mit einem schwarzhaarigen Jungen vor dem großen Kamin im Wohnzimmer sitzen. Beide hielten dampfende Tassen in den Händen und unterhielten sich angeregt. Ich tapste in die Küche und holte mir ein Glass Wasser, bevor ich mich wieder auf den Weg ins Wohnzimmer machte. Ich wollte beiden gerade einen guten Morgen wünschen, da drehte sich der schwarzhaarige Junge um.

Ich blieb wie angewurzelt stehen und ließ das Glas los. Mit einem lauten Klirren zersprang es auf dem Boden und tränkte den dicken Wollteppich, auf dem ich stand.

Vor mir in dem dunklen Ledersessel saß Caleb. Eben hatte er mich noch freundlich angelächelt, doch nun trübte Sorge seine Züge.

»Ist alles in Ordnung?«, fragte er vorsichtig und stand auf, vermutlich um mir beim Einsammeln der Scherben zu helfen. Ich stand weiterhin nur stumm da, den Blick noch immer auf Cal gerichtet.

»Wie kann das sein?«, fragte ich leise und blickte zwischen den beiden hin und her. Adrian starrte mich nur verständnislos an.

»Wie kann was sein?«, fragte Cal vorsichtig und kam einen Schritt auf mich zu. Unwillkürlich wich ich zurück.

»Wie... ihr beide. Ihr seid euch nie begegnet.«, stieß ich hervor und zeigte zwischen den beiden hin und her.

Plötzlich legte mir jemand eine Hand auf die Schulter und ich fuhr herum. Hinter mir stand meine Mutter und sah lächelnd auf mich herab.
Ich schüttelte heftig den Kopf und streifte ihre Hand ab.
»Das ist nicht real. Du bist tot.«, flüsterte ich und Tränen traten mir in die Augen.

Doch meine Mutter erwiderte nichts, schaute mich einfach weiterhin mit diesem leichten Lächeln an.
»In dieser Realität ist sie das nicht.«, sagte da eine Stimme hinter ihr und mein Vater trat an ihre Seite.

»In dieser Realität?«, fragte ich verständnislos und blickte zwischen den vier Leuten hin und her, die sich jetzt um mich versammelt hatten.
»In dieser Realität hat jeder Plan funktioniert, der in deiner Realität schief gelaufen ist. Deine Mutter konnte den Filer und alles was mit ihm zu tun hatte erfolgreich verstecken. Calebs Eltern konnten ihre Schulden abbezahlen. Du bist an jenem Morgen nicht in diesen Bus eingestiegen. Jede Möglichkeit, bei der du in deiner Welt versagt hast, hier bist du nicht gescheitert.«, erklärte Adrian hinter mir sanft, aber bestimmt.

»Doch leider ist das hier nicht deine Realität. Du bist gescheitert, so oft. Wegen dir sind Cals Eltern tot. Wegen dir bin ich blind. Wegen dir leben sie nicht mehr.«, fuhr er ebenso ruhig fort und deutete mit dem Finger auf meine

Eltern.

»Es ist alles deine schuld.«

»Nein.«, flüsterte ich mit gebrochener Stimme und drehte mich um mich selbst.

»Doch. Es ist allein deine schuld.«, sagte nun auch Cal und sah mich plötzlich mit einem hämischen Grinsen an. Ich fiel auf die Knie, als mir immer weitere Dinge vorgeworfen wurden.

»Nein! Es ist nicht meine schuld!«

Ich schreie. Schreie immer weiter, doch niemand scheint mich zu hören. Immer weiter reden sie auf mich ein. Immer schlimmere Dinge werden von ihnen ausgesprochen.

Keuchend richtete ich mich auf und schaute mich um. Ich war noch immer in der Zelle. Noch immer war es draußen dunkel, doch durch einen kleinen Spalt bei der Tür fiel Licht.

»Siehst du? Ich hab doch gesagt das Mittel wirkt Wunder. Wie sie geschrien hat. Einfach fabelhaft.«, sagte draußen eine kratzige Männerstimme. Ich versuchte aufzustehen, doch die Welt wankte plötzlich um mich herum. Der Boden schien unter meinen Füßen wegzukippen. Ich fiel der Länge nach hin und zog wegen meines verletzten Arms scharf die Luft ein. Es ertönte ein leises Lachen, dann wurde die Tür wieder geschlossen und ich lag in der Dunkelheit.

Die nächsten Wochen verschwammen in einer Woge aus Dunkelheit, Schmerz und grausamen Visionen, wie mein Leben hätte laufen können, hätte ich nicht auf ganzer Linie versagt. Zumindest glaubte ich, dass es Wochen waren. Ich versuchte alles, um das Mittel nicht mehr nehmen zu müssen, das mich in andere Realitäten versetzte. Doch wenn ich mein Essen nicht zu mir nah, wurde entweder die Tür geöffnet und ein Wärter kam herein, um es mir gewaltsam zu verabreichen, oder ich bekam kein Essen, sondern nur eine Spritze verpasst, die das Mittel enthielt.

Schon nach kurzer Zeit konnte ich nicht mehr unterscheiden, was real war und was nicht. Manchmal verschwammen beide Welten ineinander. Dann kam Cal plötzlich durch die Tür und war wieder mein Retter in der Not. Doch sobald wir es aus der Zelle und nach draußen geschafft hatten, zerfiel die Welt um mich herum zu Staub und ich wachte wieder schreiend in der Zelle auf. Andere Trugbilder erkannte ich auf Anhieb, zum Beispiel meine Eltern, die mich des Öfteren heimsuchten. Doch ich konnte nicht aufwachen. Ich schrie und versuchte sogar sie umzubringen, doch es gelang mir nie, da die falsche Realität sich vorher auflöste oder zu etwas Neuem wurde.

Meinen Arm hatte man auch nicht behandelt. Vermutlich waren die Knochen gerade dabei, krumm wieder zusammenzuwachsen und mir für immer Qualen zu bescheren. Einer der Wärter jedoch, ein grimmiger, braunhaariger, stämmiger Typ, hatte besonderen Gefallen daran gefunden, mich immer an dem kaputten Arm nach oben zu hieven oder festzuhalten. Es schien, als genieße er meinen Schmerz.

Ich hatte mein Essen vor Stunden serviert bekommen. Das glaubte ich zumindest. Jegliches Zeitgefühl war verschwunden, nachdem ich an Silvester die Raketen beobachtet hatte. Mein Fenster war an jenem Abend von außen verschlossen worden. Seitdem hatte man es nicht mehr geöffnet. Die Luft in der Zelle war abgestanden. Meine Haare waren mittlerweile komplett verfilzt und strähnig. Die Schnitte hatten sich nicht erneut entzündet, würden aber allesamt hässliche Narben geben.

Plötzlich wurde die Tür aufgerissen und der grimmige Mann trat mit einem hämischen Grinsen auf dem Gesicht ein.

»Danke, dass du es dir selbst nie einfach machst. Ich habe die Anweisung, dein Abendessen heute mal ausfallen zu lassen und dich direkt ins Land der Träume zu schicken. Sagte ich Abendessen? Vielleicht auch Mittagessen oder Frühstück. Wer weiß das schon so genau? Aber wem sage ich das! Du müsstest mich ja bestens verstehen!«

Er kam langsam auf mich zu und zog dann eine Spritze mit einer langen Nadel aus der Hosentasche. Ich krabbelte rückwärts, laufen konnte ich schon seit Tagen nicht mehr. Der Käfer saß noch immer fest auf meiner Brust und ich war bei einem Versuch, ihn mir von Leib zu ziehen, mehrmals ohnmächtig geworden. Der Typ beschleunigte seine Schritte nicht, er wusste, dass er gewonnen hatte. Ich stieß mit dem Rücken gegen die Zellenwand und spürte die Kälte meinen Körper entlangkriechen.

»Bitte.«, wimmerte ich leise und hielt die Hand schützend vor mich.

Plötzlich hörte ich einen ungläubigen Aufschrei, danach das Klirren von berstendem Glas auf Beton. Langsam ließ ich meine Hand sinken und schaute direkt auf die blutende

Brust des Mannes, der es so liebte, mich zu foltern. Er ging in die Knie und sackte dann auf dem Boden zusammen. Hinter ihm stand Cal.

Wieder ein Trugbild. Warum sollte es dieses Mal anders sein?

Die Stimme in meinem Kopf schrie mich an, ich solle vernünftig bleiben. Es war schlichtweg unmöglich, dass er hier war. Doch ich hatte mein Essen nicht zu mir genommen, oder? Mir war das Mittel nicht verabreicht worden, also war das hier *real*.

»Geht es dir gut?«, fragte Cal besorgt und rannte zu mir, um mir auf die Füße zu helfen. Bereitwillig ließ ich mich von ihm stützen, brachte jedoch kein Wort heraus. Gemeinsam humpelten wir den Gang entlang. Cal erschoss jeden, der uns in den Weg kam und ich konnte schon das Tageslicht erkennen, welches hinter der nächsten Ecke auf uns wartete. Ich konnte nicht verhindern, dass sich meiner Kehle ein leises Schluchzen entrang. Wir rannten immer weiter und schließlich waren wir draußen. *Draußen.*

Ich sank auf die Knie und schaute mich um. Wir waren in einem Industriegebiet, um uns herum nur trostlose, graue Gebäude. Doch in diesem Augenblick gab es für mich nichts Schöneres als das hier.

»Cari, wir müssen weiter.«

Schwerfällig richtete ich mich auf, da hörte ich hinter mir ein Klicken. Ganz langsam drehten wir uns um.

Ich schaute direkt in die Mündung eines Gewehrs.

Caleb schob sich ohne zu zögern vor mich.

»Also ihr zwei. Das Ganze läuft jetzt folgendermaßen. Ihr geht ohne den kleinsten Widerstand wieder da rein und auf direktem Weg in eure Zellen, verstanden?«

Eher würde ich sterben als dieser Forderung nachzukommen.

Cal schien meine Gedanken zu teilen, denn er schüttelte heftig den Kopf.

Die darauffolgenden Ereignisse schienen sich zu überschlagen. Cal stieß mich zu Boden, wo ich mit meinen schwachen Beinen und meinem kaputten Arm liegen blieb. Mit einer geschmeidigen Bewegung wich er der ersten Kugel aus, die für sein Herz bestimmt gewesen war.

Und dann hatte er den Mann erreicht. Sie kämpften heftig um das Gewehr und ich konnte unmöglich sagen, wer die Oberhand hatte. Immer wieder wankten sie in verschiedene Richtungen, doch schließlich hielt Cal die Waffe in der Hand. Er richtete sie auf den wankenden Mann und ging langsam rückwärts zu mir zurück. Als er gerade eine Hand nach mir ausstreckte, den Blick noch immer auf den Typen gerichtet, ging Cal zu Boden. Das Gewehr fiel ihm aus der Hand und klapperte über den Asphalt. Ich verstand nicht, was mit ihm los war, da tauchte im Türeingang plötzlich eine zweite Person mit einer Pistole in der Hand auf. *Da begriff ich.* Ich krabbelte über den Boden zu Cal und erblickte sein blutdurchtränktes Hemd. Warum heilte er sich nicht?

Die Kugel war direkt in seinem Herzen eingeschlagen. Er japste vergeblich nach Luft und sah sich panisch um. Als er mich erblickte, entspannte er sich ein wenig. Sein trüber Blick richtete sich fest auf meine Augen. Ich fing an zu schluchzen, dann weinte ich bittere Tränen.

»Cal, du musst dich heilen!«, schrie ich ihn an, doch er schüttelte kaum merklich den Kopf.

»Funktioniert nicht.«, würgte er hervor und fasste sich an die Brust, direkt auf die Wunde. Ich verschränkte meine Finger mit seinen und drückte sie auf die blutende Wunde, um den Fluss zu stoppen, doch das Blut sickerte einfach zwischen meinen Fingern hindurch und färbte meinen Pullover dunkel.

Cal legte seine kalten Finger an meine Wange und strich sanft darüber. Ich schmiegte mein Gesicht in diese Berührung und schmeckte die salzigen Tränen auf meinen Lippen.

»Bitte verlass mich nicht. Nicht so. Es gibt eine Welt, die gerettet werden muss.«, schluchzte ich und drückte noch fester auf die Wunde. Als ich in sein Gesicht sah, verzog er die Lippen zu einem mitleidigen Lächeln.
»Sieht aus als müsstest du sie allein retten. Ich liebe dich.«
Die letzten Worte waren nur noch ein Flüstern.
Dann rutschten seine Finger von meiner Wange und sanken kraftlos zu Boden. Die Finger, die mit meiner anderen Hand verschränkt gewesen waren, erschlafften. Alles Leben wich aus seinen Augen.
Caleb war tot.

Ich schrie. Ich weinte.
Über seinen leblosen Körper gebeugt schüttelte mich ein Schluchzer nach dem anderen. Ich bekam keine Luft mehr, konnte und wollte nicht verstehen was hier gerade passiert war. Er war nicht tot. Das konnte nicht sein. Plötzlich hörte ich ein heiseres Lachen und sah ruckartig auf. Durch den Tränenschleier über meinen Augen sah ich alles

verschwommen, doch ich erkannte die Person, die auf mich zuschritt.

Adrian.

Ich war erneut in einer dieser kranken Visionen gefangen.

Doch Adrians Augen waren trüb und er sah mich nicht direkt an. Er war auch hier blind. War was hier Illusion und was Realität? In meinem Kopf breitete sich ein stechender Schmerz aus und ich wand mich darunter. Mein Blickfeld wurde dunkler, doch ich hielt den Blick fest auf Adrian gerichtet.

»Du hast versagt. Erneut.«

Als ich dieses Mal zu mir kam, war mir alles egal. Ich stemmte mich, blind vor Wut und Trauer auf die Füße und warf mich mit allem was ich hatte gegen die schwere Metalltür. Ein stechender Schmerz fuhr durch meinen gebrochenen Arm, doch ich nahm ihn gar nicht richtig wahr. Immer wieder warf ich mich gegen die Tür und schrie meine Verzweiflung laut hinaus. Noch mehr Knochen splitterten, Blut sickerte meinen Arm herunter.

Als ich eine tiefe Beule in das Metall geschlagen hatte, wurde die Tür grob aufgerissen und ich wurde von vier Männern gepackt, die mich hochhoben. Am Rande meines Bewusstseins sah ich die drei Käfer, die jetzt auf meiner Brust saßen. Und dann erkannte ich, was ich getan hatte. Ein dunkles Brandloch war gerade dabei, die Tür von innen schmelzen zu lassen. Der Käfer, der meine Macht hatte eindämmen sollen, war nur noch ein Fleckchen Asche auf dem Boden der Zelle.

Ich wurde zu einer anderen Zelle geschleppt, die keine

Fenster besaß. In der Mitte waren in einem Abstand von über einem Meter zwei Pfosten in den Boden eingelassen worden. Glänzende Ketten hingen baumelnd daran herab. Meine Hand- und Fußgelenke wurden in Fesseln gelegt und an den Ketten festgemacht. Meine Bewegungsspanne reichte gerade so weit, dass ich meine Arme nicht dauerhaft durchstrecken musste. Ich wand mich heftig, doch die Ketten ließen nicht nach.

Und da begriff ich. Sie waren aus dem gleichen Material wie die Käfer. Dafür geschaffen, meine Magie im Keim zu ersticken.

Der braunhaarige Mann, der in meiner letzten Vision gestorben war, rammte mir eine Spritze in den Hals und meine Sicht verschwamm.

19

Wenn ich nicht schon längst jedes Zeitgefühl verloren hatte, dann war das spätestens jetzt passiert. Ich stand durchgehend mit einem Fuß in der Bewusstlosigkeit, was zu großen Teilen meinem Arm zuzuschreiben war. Man hatte ihn strammer in den Ketten gezogen als den anderen und die gebrochenen Knochen konnten sich unmöglich wieder zusammensetzen.

Wenn ich für kurze Zeit zu mir kam, schrie ich meistens. Sobald meine Stimme nachgab, fing ich an zu wimmern oder zu schluchzen, doch ich verkniff mir zu weinen. Ich hatte keine Träne mehr vergossen, seit ich Caleb in dieser Illusion hatte sterben sehen.
Es hatte sich so verdammt real angefühlt. Ich hatte ihn sterben sehen. Immer und immer wieder. Und es fühlte sich jedes Mal so real an.

Irgendwann nahm ich diesen emotionalen Schmerz nur noch stumpf wahr.
Immer wenn mir meine Psyche einen neuen Fluchtversuch vorspielte, ließ ich mich draußen vor den Treppenstufen des Gebäudes auf den Boden sinken. Immer wieder spielte sich das gleiche Szenario ab. Cal, wie er dem Mann die Waffe aus der Hand wand. Cal, wie er mir eine Hand reichte, um mir aufzuhelfen. Cal, wie er von einer Kugel getroffen wurde. *Cal, wie er starb.*

Immer wieder klebte sein Blut an meinen Händen und ich bildete mir manchmal ein, es auch noch an meinen Händen zu sehen, wenn ich aus meinen Trugbildern erwachte. Noch immer spürte ich es warm an meinem Arm herablaufen.

Die Leute, von denen ich bewacht wurde, hatten ein paar Mal versucht, mir mein Essen zu verabreichen, doch nachdem ich einem von ihnen fast den Finger abbiss und später versuchte, mich selbst mit dem Löffel zu ersticken, wurde ich künstlich ernährt. Sie hatten auch ein paar Mal versucht mit mir zu reden, doch ich war schon lange nicht mehr ansprechbar. Lange Zeit stand ich einfach nur da, gefangen in diesen magischen Ketten, die auch mein psychisches Wohlbefinden stark einschränkten. Nach einer gefühlten Unendlichkeit, ich hatte mich schon mindestens drei Mal geweigert etwas zu trinken, verließen zwei der Wachen den Raum und kamen kurz darauf mit einer schwarzhaarigen Gestalt zurück.

Komisch. Diese Person kam mir so bekannt vor.
Die Person hob den Kopf und ich erstarrte selbst in meinem benebelten Zustand. Caleb.

Tausende Schreckensvisionen spielten sich auf einmal ab.
Es geschah schon wieder.
Panisch begann ich an meinen Ketten zu zerren. Ich wollte ihn nicht schon wieder sterben sehen.
Tränen stiegen mir in die Augen und ich wand mich noch stärker. Der Schmerz in meinem Arm wurde unerträglich, doch ich ignorierte ihn einfach.
Er durfte nicht sterben. Nicht schon wieder.

Die zwei Wachen ließen Cal los und er rannte auf mich zu.

»Cari.«

Seine Stimme brach.

»Was haben sie dir angetan?«

Ich hörte ihm gar nicht richtig zu. Er hatte schon alle möglichen Dinge zu mir gesagt, mir allerlei Dinge versprochen, doch am Ende war er immer gestorben und sein Blut klebte an *meinen* Händen.

»Bitte… bitte geh. Du wirst sterben. Du stirbst immer.«, flüsterte ich mit heiserer Stimme.

Meine eigene Stimme war mir fremd. So lange hatte ich sie schon nicht mehr aus meinem Mund gehört.

»Wovon redest du? Ich gehe nirgendwohin. Und schon gar nicht ohne dich. Sie haben mich hergebracht, damit ich deinen Arm versorge. Sie wollen, dass du ihre Fragen beantworten kannst.«

Als er das aussprach, lief es mir kalt das Rückgrat herunter und ich richtete meinen Blick auf ihn. In seinen Augen stand so viel Kummer und Schmerz.

Er beugte sich vor und strich mir sanft übers Haar.

»Wir schaffen das hier. Zusammen.«, flüsterte er mir ins Ohr und legte dann seine Hände sanft auf meinen Arm.

Ich schrie laut auf als meine Knochen gezwungen wurden, wieder zusammen zu wachsen. Dann erfüllte die vertraute Wärme meinen Körper und ich atmete erleichtert auf.

»Danke.«, hauchte ich und ließ mich erschöpft in den Ketten hängen.

»Zusammen.«, sagte er nur, bevor er meinen Arm losließ und mir einen schnellen Kuss auf die Lippen hauchte, bevor er wieder von mir weggezerrt wurde.

Meine Benommenheit ließ von Tag zu Tag mehr nach. Ich war in der Lage, mich in den Ketten aufzurichten und machte es mir zur neuen Aufgabe, meine Wachen mit Blicken zu erdolchen. Sie redeten nicht mit mir, wollten mich allerdings trotzdem weiter zum Essen und Trinken zwingen. Mein Wille war wieder hergestellt, sie hatten mich noch nicht vollständig gebrochen. Ich versuchte alles, um sie auf Abstand zu halten, doch in meinen Ketten waren meine Möglichkeiten stark eingeschränkt. Als ich schließlich kurz vor dem Verdursten war, gestattete ich es ihnen doch, mir etwas Wasser und Essen einzuflößen. Sie mischten nicht länger ein Betäubungsmittel darunter, anscheinend wollten sie wirklich mit mir reden. Oder sie hatten einfach keine Lust mehr auf meine Schreie.

Irgendwann wurde die Tür zu meiner Zelle geöffnet, ich dachte schon es würde ein erneuter Wachwechsel stattfinden, da betrat ein bekanntes Gesicht den Raum. Alle meine Muskeln spannten sich an und ich versuchte zurückzuweichen. Ohne Erfolg. Schwarze Locken blitzten unter der dunklen Kapuze hervor und diese stechenden, grünen Augen wirkten belustigt, als er mich in den Ketten zappeln sah.

»Dir ist bewusst, dass deine Anstrengungen vollkommen nutzlos sind, oder?«, fragte er gelassen und trat direkt vor mich.
»Was willst du?«, fauchte ich und richtete meinen wutentbrannten Blick auf ihn, unter dem er meine Furcht hoffentlich nicht erkannte.

»Ich wollte sehen, wie es dir geht. Nachschauen, ob die Gefangene bereit zum Transport ist oder nicht.«

»Transport? Wohin?«, fragte ich verunsichert und kniff die Augen zusammen.

»Es wundert mich, dass du dir das noch nicht selbst zusammengereimt hast. Du hattest schließlich vier Monate dafür Zeit.«

Vier Monate.

So lange war ich hier schon eingesperrt? Das war unmöglich. Das letzte Mal als ich den Himmel gesehen hatte war an Silvester gewesen. Aber war das wirklich schon so lange her?

Als ob der Typ meine Gedanken gelesen hätte, öffnete er den Mund und sagte: »Ja, du bist tatsächlich schon vier Monate hier. Die Zeit verschwimmt, wenn man nicht mehr unterscheiden kann, was real ist und was nicht. Habe ich recht?«

Ich wollte ihm diese selbstgefällige Miene aus dem Gesicht prügeln, doch die Ketten waren einfach zu fest angezogen.

Er wandte sich schon wieder zum Gehen, da öffnete ich den Mund, ohne überhaupt wirklich nachzudenken.

»Wie heißt du?«

Er blieb wie angewurzelt stehen und drehte sich zu mir um.

»Was hast du gerade gesagt?«, fragte er leise und mit einem misstrauischen Unterton in der Stimme.

»Dein Name. Du hast doch einen, oder? Wie heißt du?«

»Ich wüsste nicht, was dich das angehen sollte.«

»Na ja, so oft wie du mich jetzt schon zusammengeschlagen und hierher gebracht hast, finde ich, wir sollten zumindest den Namen des anderen kennen. *Meinen* Namen kennst du mit Sicherheit. Aber ich kenne deinen nicht.«

Er drehte sich nicht zu mir um, doch ich erkannte, dass er am Überlegen war. Schließlich lachte er leise und schritt Richtung Tür.
»Hey! Bist du etwa zu feige, mir deinen Namen zu nennen?«, stachelte ich ihn an und er blieb erneut stehen.

»Ich bin nur ein nutzloses Mädchen und du warst doch schon immer so erpicht darauf, dich mit mir zu unterhalten!«, setzte ich noch nach.
Endlich drehte er sich um und als ich die zügellose Wut in seinem Blick sah, musste ich schlucken. Doch ich durfte jetzt nicht aufgeben.

»Hast du wirklich Angst davor, was ich mit deinem Namen tun könnte? Ich frage mich, wie es jemand wie du hinbekommen hat, mich zu überwältigen. Vielleicht lag es nur an meinen Verletzungen. In gesundem Zustand hättest du niemals eine Chance gegen mich!«

Mit schnellen, kontrollierten Schritten ging er zurück zu mir und schlug mir so plötzlich in die Magengrube, dass mir nichts anderes übrig blieb als mich hustend und würgend zu krümmen. Er setze einen Kinnhaken hinterher und ich schmeckte Blut. Als er mein Kinn packte und mich zwang, ihn anzusehen, grinste er hämisch.

Er beugte sich dicht an mein Ohr und flüsterte ein einziges Wort, bevor er mein Gesicht ruckartig losließ und davon stolzierte.

Nelio.

Es dauerte noch zwei Tage, bevor man schließlich meine Ketten löste und mich zurück in meine alte Zelle brachte. Die Tür war erneuert und verstärkt worden. Man hatte das schmale Fenster wieder geöffnet und manchmal bildete ich mir ein, den frischen Frühlingswind auf meiner bleichen Haut spüren zu können.

Am dritten Tag wurde ich schließlich aus meiner Zelle gezerrt und in einen weißen, gekachelten Raum gebracht. Die Kleider wurden mir von Leib gerissen und ich wurde unsanft von oben bis unten abgeschrubbt. Anscheinend musste ich ordentlich aussehen, bevor ich starb. Auch meine Haare wurden gewaschen und, noch immer nass, in einen strengen Zopf nach hinten geflochten, dass mir Tränen in die Augen traten.

Wieder in meiner Zelle angekommen, nur in ein kleines Handtuch gehüllt, welches viel zu viel preisgab, warf man mir schließlich dunkle Kleidung auf den Boden. Das Material war unangenehm klobig und kratzte auf der Haut, doch ich war dankbar über die neue Kleidung. Zumindest bis das Brennen der aufgeschürften Haut begann. Es waren nur winzige Wunden, doch sie ließen mich nicht schlafen, ich fand keine angenehme Lage mehr.

Weitere Tage vergingen und mir wurde unentwegt Essen vorgesetzt. Zuerst aß ich es bedenkenlos, doch als ich merkte, dass sie wieder Betäubungsmittel daruntergemischt hatten, war es schon zu spät. Es war eine niedrigere Dosis als die letzten Male und so beschränkten sich meine Halluzinationen auf meine Träume. Zumindest glaubte ich das. In den vergangenen Monaten war zwischen Einbildung und Realität nur noch ein schmaler Grat bestanden.

Meine Träume allerdings waren schlimmer als alles andere. Ich sah nicht mehr nur Caleb sterben, sondern auch meine Eltern und jede andere Person, die ich kannte. Und sie starben nicht mehr nur direkt vor mir, sondern durch mich. Es war meine Kraft, die sie zu Asche verbrannte, meine Kugel, die sich ihren Weg in ihr Fleisch bohrte, mein Messer, geführt von *meiner* Hand, dass in ihre Herzen gerammt wurde.

Ich wurde nach einem besonders schlimmen Traum aus dem Schlaf gerissen, als zwei bullige Männer die Zellentür lautstark aufstießen und mich an den Armen packten. Ich wehrte mich nicht, es war sowieso zwecklos. Einen Käfer auf meiner Brust hätte ich vielleicht noch wegbrennen können, aber drei? Unmöglich. Ich würde wieder bewusstlos werden, und damit war auch niemandem geholfen. Sie führten mich durch den gleichen Gang, in dem auch meine andere Zelle gelegen hatte, gingen allerdings bis zur letzten Tür am Ende des Flurs. Als die Tür geöffnet wurde, blickte ich in das Innere eines Gefährts, welches starke Ähnlichkeit mit einem Gefängniswagen hatte. Ich erhaschte jedoch einen kurzen Blick auf die Außenwelt und bekam schlagartig weiche Knie.

Es war tatsächlich der gleiche Eingang gewesen, welcher auch in meinen Träumen da gewesen war. Hier war Cal gestorben, unzählige Male. Für den Bruchteil einer Sekunde bildete ich mir ein, ihn dort liegen zu sehen, doch dann wurde ich nach vorne gestoßen und auf eine Sitzbank gedrückt. Meine Hand- und Fußgelenke wurden erneut in Ketten gelegt und man ließ mich allein.

Minute um Minute verging, doch wir fuhren nicht los. Auf was warteten diese Menschen? Als die Tür neben mir schließlich noch einmal aufging, setzte mein Herz einen Schlag aus. Caleb wurde ebenfalls von zwei Männern hereingeschleppt, aus seinem Mundwinkel tropfte Blut und er wirkte seltsam benebelt.

»Caleb!«

Mir wurde ein harter Stoß in die Rippen verpasst, dass ich mich krümmte und husten musste.

»Ruhe!«, fuhr mich der dritte Mann an, der mir den Schlag verpasst hatte.

Cal wurde am anderen Ende der zweiten Bank mir gegenüber festgekettet und ließ seinen Kopf in die Handflächen sinken.

»Für jedes Wort, das du von dir gibst, verliert sie einen Finger.«, sagte der Mann neben mir zu Caleb gewandt, der sich daraufhin versteifte, dann drehte er sich zu mir.

»Das Gleiche gilt für dich.«

Wie viel Zeit wir fahrend im Auto verbrachten, konnte ich unmöglich sagen, da der Wagen hinten keine Fenster hatte. Die einzige Lichtquelle war die eingelassene Scheibe, die zur Fahrerkabine führte. Kurz bevor wir losfuhren, war

Nelio noch dazugestoßen und hatte sich unangenehm nah neben mich gesetzt. Ich bildete mir ein, seine Augen auf mir zu spüren, doch immer, wenn ich mich zu ihm drehte, war sein Blick auf Caleb geheftet, der diesen Blick genauso energisch erwiderte. Sie schienen sich wortlos zu verständigen. Irgendwann wandte Nelio sich ab und seufzte theatralisch.

»Diese Stille macht mich noch ganz verrückt.«, sagte er gedehnt und sah dann auffordernd zwischen Cal und mir hin und her. Als wir beide schwiegen, warf er dem Wachmann einen vorwurfsvollen Blick zu.

»Was hast du ihnen angedroht, dass sie sich nicht dazu herablassen mit mir zu reden?«

»Wer sagt, dass sie sich nicht freiwillig dazu entschieden haben?«, gab der Wachmann zuckersüß zurück und drehte sich dann von Nelio weg.

Nelio ging nicht auf die Stichelei ein und wandte sich an mich.

»Was hat er dir angedroht? Ich verspreche dir, dass es nicht geschehen wird, zumindest nicht durch ihn.«

Als er die letzten Worte aussprach, grinste er süffisant und mein Magen krampfte sich vor Übelkeit zusammen. Wie gern ich ihn gerade erstechen wollen würde! Oder verbrennen. Oder aus dem Wagen schubsen. Doch leider ließ sich keine Option in die Tat umsetzen.

»Komm schon! Ich langweile mich!«, klagte er und stieß mich mit dem Ellbogen an. Ich schwieg weiter.

»Er hat gedroht, uns einen Finger abzuschneiden, wenn der jeweils andere redet.«, sagte Caleb kaum hörbar. Die Köpfe der beiden Männer schnellten zu ihm herum und der ältere, der uns vorhin gedroht hatte, zog schon sein Messer.

»Aber, aber. Er ist doch nur meiner Bitte nachgekommen. Lass die beiden in Ruhe und kümmere dich um deinen eigenen Kram.«, ging Nelio dazwischen und hob beschwichtigend eine Hand. Der andere Mann warf ihm einen wütenden Blick zu, steckte jedoch sein Messer weg. Nelio schien hier etwas zu sagen zu haben.

»Na also. Redest du jetzt endlich mit mir?«, fragte er wieder an mich gewandt, doch ich drehte ihm demonstrativ den Rücken zu. Ich hörte ein belustigtes Schnauben, dann ein scharfes Einatmen von Cal. Perfekt. Der Bluterguss an meinem Kiefer war also noch zu sehen.

»Was hast du ihr angetan?«, zischte Cal leise und richtete seinen Blick voller Hass auf Nelio.
»Ach komm schon. Das ist doch nur ein kleiner blauer Fleck. Außerdem stehen ihr Verletzungen irgendwie, findest du nicht auch, Bruder?«

Ich erstarrte.

Bruder.

Caleb und Nelio waren Brüder? Ungläubig drehte ich mich wieder zu den beiden um und blickte zwischen ihnen hin und her. Wenn man bewusst auf die Gemeinsamkeiten achtete, war es unmöglich zu übersehen. Die gleichen, markanten Gesichtszüge. Das gleiche Haar, nur in unterschiedlichen Farben. Cals Augen waren von strahlendem Blau, Nelios von einem durchdringenden, dunklen grün. Doch sie hatten die gleiche Form. Auch Nelio beherrschte dieses kleine Grinsen, dass ich an Caleb vor Monaten zuletzt gesehen hatte.

»Oh, du hast es ihr nicht erzählt?«, fragte Nelio spöttisch und grinste seinen Bruder an. Aus Cals Augen sprach blanker Hass.

»Du musst wissen, Cal ist jünger als ich. Er hat noch bei unseren Eltern gewohnt, als ich ausgezogen bin. Mein Leben war eigentlich ziemlich ereignislos, bis ich eine Stelle bei einem großen Chemiekonzern angenommen habe. Ich habe Wind von den Schulden unserer Eltern bekommen, doch ich hatte noch nie wirklich etwas für sie übrig. Mein Chef wusste natürlich von meiner Verwandtschaft zu ihnen und hat mich in alles eingeweiht, als er sich meiner Loyalität sicher gewesen war. Es hat mich tief geschmerzt, als ich sie sterben sah, doch sie waren ein notwendiges Opfer. Wenn es stimmt was sie sagen und wir die Welt nach unseren Vorstellungen umgestalten können, sobald diese Göttin wieder da ist, war es jede einzelne Mühe wert. Eine Welt wie ich sie mir erträume, was gibt es schon Schöneres?«

»Also mir fallen da ziemlich viele Dinge ein.«, murmelte ich, um meinen Schock zu überspielen.

Nelio lachte nur und ignorierte uns daraufhin wieder.

Warum hatte Cal mir nichts davon erzählt? Hatte er mir nicht vertraut? Ich spürte seinen Blick auf mir, doch ich wich ihm aus. Es gab nichts mehr zwischen uns zu sagen, zumindest nichts, was Nelio mithören sollte.

Kurze Zeit später hörte ich die Bremsen des Fahrzeugs quietschen und der Wagen kam ruckelnd zum Stehen. Der dumpfe Schlag einer zufallenden Autotür riss mich aus meinen Gedanken. Die Hintertüren des Autos wurden unsanft aufgerissen, der Mann, der sie geöffnet hatte, wurde vollkommen von Schatten verhüllt. Während Nelio meine Ketten löste und der andere Typ Calebs, packte er mich fest am Arm, riss mich hoch und zerrte mich aus dem Wagen.

Draußen war es mittlerweile dunkel geworden und der Parkplatz, auf dem wir uns befanden, war menschenleer. Nelio versuchte, mich zum Gehen zu bringen, als ich mir plötzlich einbildete, Gesprächsfetzen von Cal und dem Mann neben ihm zu hören. Ich blieb wie angewurzelt stehen und lauschte angestrengt auf die hitzige Diskussion, doch sie redeten einfach zu leise, um etwas verstehen zu können. Nelio verstärkte den Griff um meinen Arm und riss mich unerbittlich mit sich fort, das Gespräch der beiden erstarb hinter meinem Rücken.

Er führte mich auf ein großes Gebäude zu, das ich auf den ersten Blick in der Dunkelheit nicht erkennen konnte, doch dann wurde mir schlagartig klar, wo wir uns befanden. *Das Brooklyn Museum.*
Und wir standen direkt davor.

In einem plötzlichen Schock gefangen ließ ich mich schließlich wehrlos von Nelio ins Innere ziehen. Als wir die berühmte Ausstellung der ägyptischen Artefakte betraten, die bereits am Anfang groß ausgeschildert gewesen war, beschlich mich ein komisches Gefühl. Viele der Fundstücke, die ausgestellt worden waren, kamen mir seltsam vertraut vor, als hätte ich sie in der Vergangenheit schon einmal gesehen oder sogar berührt. Nelio hingegen wirkte vollkommen unbeeindruckt und zog mich an den verschiedenen Glasvitrinen vorbei. Er hatte ein klares Ziel vor Augen, als er mich weiter in eines der unteren Stockwerke führte, in dem die Fundstücke aufbewahrt wurden, die für die normalen Besucher nicht zugänglich waren.

Wir liefen immer weiter, kamen an einer Reihe verschlossener Türen vorbei, die alle gleich aussahen, bis wir das Ende des Gangs erreichten das vom Licht der Neonröhren kaum noch beleuchtet wurde. *Wie hatten sie sich unbemerkt Zugang zu diesem Gebäude verschaffen können?* Die Tür, vor der wir zum Stehen kamen, sah auf den ersten Blick sehr alt und unbenutzt aus, Spinnweben hingen an ihr herunter. Doch bei genauerem Hinsehen erkannte ich Spuren auf dem Boden, die durch den Staub gezogen worden waren. Die Tür war erst vor kurzer Zeit geöffnet worden. Nelio stieß sie auf und schubste mich hinein.

Der Raum, der zum Vorschein kam, war groß und nur von Kerzen erleuchtet. Wenn die Artefakte im Ausstellungsraum schon schön gewesen waren, drohte mich der pure göttliche Glanz, der von den Artefakten in diesem Zimmer ausging zu überwältigen. Masken, Zepter, Waffen aller Art. Diese

Sammlung musste ein unglaubliches Vermögen wert sein. Doch das wertvolle weiße Metall konnte ich nirgendwo ausmachen. Ich war so damit beschäftigt, die Wände anzustarren, dass ich den Kreis aus Hieroglyphen erst bemerkte, als wir schon darin standen. Nelio stieß mich unsanft zu Boden, sodass ich auf den Knien landete und trat dann aus dem Kreis. Plötzlich fielen die goldenen Käfer von meinem Körper und blieben nutzlos auf dem Boden liegen. In meinem Inneren baute sich ein stetes Pochen auf, das immer stärker wurde, meine Adern schlagartig flutete, bis sich meine Kraft mit erschreckender Heftigkeit Bahn brach. Ohne wirklich nachzudenken, richtete sich mein Körper blitzschnell auf und wirbelte zu Nelio herum. Ich hob meine Hände und ließ der Macht, der unbändigen Wut in mir freien Lauf. In einer blauen Flammensäule schoss sie hervor, direkt auf sein Herz zu - und prallte dann am Kreis der Hieroglyphen gegen eine unsichtbare Wand.

Ich ließ meine Hände ungläubig sinken. Nelio stand nach wie vor seelenruhig und völlig unbeeindruckt außerhalb des Kreises, was meine Wut nur noch anstachelte. Ich rannte auf ihn zu, um ihn zu schlagen, zu kratzen, ihn irgendwie zu verletzen und der Wut in mir Luft zu verschaffen, mich abreagieren zu können. Doch auch ich prallte gegen diese unsichtbare Barriere.

»Was zum Teufel?«, fluchte ich und klopfte vorsichtig mit den Fingerknöcheln gegen den magischen Schutzwall, wie gegen eine massive, unsichtbare Wand. Ich ballte meine Hand zu einer Faust, bis ich den Schmerz, der durch meine Nägel verursacht wurde, deutlich spürte. Dann schlug ich so hart ich konnte gegen die Mauer und wurde einen halben Meter zurückgeschleudert.

»Reine Vorsichtsmaßnahme.«

Er zuckte die Achseln und deutete mit einem Ruck seines Kopfes hinter mich, bevor er den Raum mit einem süffisanten Grinsen verließ. Meine Wut wich nach und nach einer beklemmenden Verwirrung und schließlich einer erbarmungslosen Neugierde, bis ich mich nicht länger beherrschen konnte und mich langsam umdrehte, um zu sehen, auf was er gedeutet hatte.

Plötzlich stockte mein Atem und mein Herz setzte einen Schlag aus. Ich war so auf meine Umwelt und die plötzlich wiederkehrende Macht fokussiert gewesen, dass ich nicht wahrgenommen hatte, was die ganze Zeit hinter mir verborgen gewesen war. Ein riesiger, steinerner Sarkophag.

Ihr Sarkophag. *Anat.*

20

Panik drohte mich zu übermannen, doch ich zwang mich, tief einzuatmen, mich auf mein eigentliches Ziel zu konzentrieren, das Cal und ich uns vor so langer Zeit gesteckt hatten. Sie hatten mich geradewegs zu ihr geführt, zu dem Leichnam, den ich zerstören musste, um alles beenden zu können. Sie dachten, sie hätten mich gebrochen, mich besiegt, doch in Wahrheit hatten sie sich nur ihr eigenes Grab geschaufelt.

Jetzt oder nie.

Langsam trat ich an den Sarkophag, konzentrierte mich auf meine Kräfte und die damit verbundene Wut, die sich in den vergangenen Wochen ins Unermessliche gesteigert hatte, doch es war noch immer nicht genug, um Anat vernichten zu können. Immer tiefer ließ ich mich in dieses Gefühl, diese berauschende Macht fallen, ließ die Wut zu, die mich vollkommen erfüllte, als plötzliche eine Woge anderer Gefühle in mir aufwallte.

Zu der Wut gesellten sich Trauer und Schmerz, Verzweiflung, Angst. Sie brachen wie eine Welle über mir herein und der Strahl puren Lichts, der aus meiner Handfläche strömte, war vollkommen unkontrolliert.

In dem Moment, in dem das Licht mit dem Stein in Berührung kam, durchfuhr mich ein elektrischer Schlag, als hätte ich Hochspannungsleitungen berührt. Ich wurde brutal zurückgeworfen und schlug mir den Kopf auf dem harten Boden auf. Noch immer kribbelten meine Fingerspitzen und auf meiner Zunge breitete sich ein metallischer Geschmack aus.

Anats Sarg jedoch war vollkommen unversehrt.

Benommen setzte ich mich auf und versuchte, wieder auf die Füße zu kommen, gegen den Schwindel in meinem Kopf ankämpfend.

Hinter mir erklang ein belustigtes Schnauben.

Ruckartig drehte ich mich um, noch immer leicht schwankend und entdeckte Nelio, mit Cal und seinem Bewacher im Schlepptau.

Nelio neigte seinen Kopf nur ein wenig, doch diese Bewegung reichte aus, um den Mann, der Cal festhielt, dazu zu verleiten, Caleb ebenso unsanft in den Kreis zu stoßen wie Nelio es mit mir getan hatte. Hastig wich ich einen Schritt zurück, damit Cal nicht auf mir landete und als ich mich zu ihm hinabbeugte, um ihm aufzuhelfen, begann Nelio wieder über mich zu spotten.

»Ehrlich, ich habe wirklich mehr von dir erwartet. Ja, ich gebe zu, ich habe dich für dumm gehalten. Aber nicht für *so* dumm.«

Die goldenen Käfer fielen von Cals Körper ab, doch auch seine Macht wurde von den Hieroglyphen eingedämmt, sodass wir beide mit dem Sarkophag und der Klinge, mit der wir uns töten sollten, in diesem Kreis gefangen waren

Erwartungsvoll hob Nelio eine Augenbraue und deutete auf den Dolch, der zwischen uns auf dem Boden lag.

»Wenn ich bitten darf? Ich warte.«

Ich verengte meine Augen zu Schlitzen uns musterte ihn wutentbrannt.

»Du spinnst doch! Du kannst mich nicht zwingen. Wenn du willst, dass einer von uns beiden den anderen tötet musst du schon selbst in diesen Kreis kommen und uns dazu bringen!«, warf ich ihm hitzig entgegen.

Ein winziges Lächeln umspielte seine Lippen.

Der ältere Mann schob sich ein Stück vor Nelio, als würde er ihn beschützen wollen, doch sein hässliches Grinsen vermittelte ein ganz anderes Gefühl.

»Ich dachte mir schon, dass ihr euch nicht wirklich kooperativ zeigen würdet, deshalb habe ich eine kleine Motivation besorgen lassen. Ich muss zugeben, es war nicht ganz einfach ihn zu finden, aber nichts ist unmöglich.«

Sein Lächeln wurde noch breiter.

»Nelio, wärst du so nett?«

Die Art wie er das Wort *Motivation* aussprach, ließ mich aufhorchen. Nelio verließ den Raum durch eine schwach beleuchtete Nebentür, die mir vorher gar nicht aufgefallen war und kehrte kurz darauf mit einem Jungen zurück. Dieser war an Hand- und Fußgelenken in Ketten gelegt und man hatte ihm einen Sack über den Kopf gezogen.

Obwohl ich sein Gesicht nicht erkennen konnte, kam mir seine Statur seltsam bekannt vor. Die aufrechte Haltung, die muskulösen Oberarme, die gebräunte Haut, die unter den Fetzen seines Shirts zu erkennen war. Nelio landete einen gezielten Tritt in die Kniekehlen des Jungen und er kippte mit einem Stöhnen nach vorne, bevor der andere Mann ihm die Kapuze vom Kopf riss.

Nein.

Das durfte nicht sein.

Das konnte einfach nicht sein.

Sicherlich würde ich jede Sekunde aus diesem Albtraum aufwachen und mich in Calebs Armen wiederfinden. In Sicherheit.

Unbewusst hatte ich seine Hand ergriffen und der Druck, den er mir über sie vermittelte, riss mich zurück in die Realität.

Caleb war auch hier.

So etwas wie Sicherheit gab es für mich schon lange nicht mehr, hatte es vielleicht nie gegeben.

Meine Instinkte übernahmen die Kontrolle, ich setzte mich wieder in Bewegung und hämmerte erneut mit meinen Fäusten gegen die unsichtbare Wand, als ich endlich sein Gesicht erkennen konnte, als ich meinen Verdacht bestätigt bekam, obwohl ich im Grunde meines Herzens bereits gewusst hatte, wer sich unter dem Sack verbarg. *Adrian.*

So lange hatte ich ihn schon nicht mehr gesehen. Er hatte sich kaum verändert, bis auf eine lange Schnittwunde, die sich über sein linkes Auge zog.

Ich schrie und fluchte, während ich abwechselnd meinen Körper und meine Kraft gegen die Barriere warf.

»Das könnt ihr nicht machen! Haltet ihn da raus! Er hat nichts mit dieser Sache zu tun! Bringt ihn weg von hier!«, flehte ich verzweifelt und versuchte, meine Tränen zurückzuhalten.

»Cari? Bist du das?«, fragte Adrian leise und ich verstummte, hielt mitten in der Bewegung inne. In seiner Stimme schwang so viel Angst und Unverständnis, dass es mir fast das Herz brach. Doch ich hörte auch Erleichterung und Zuversicht, die mein Herz nur noch schwerer machten.

Denn sie waren vergeblich.

»Ja Adrian, ich bin es!«

Ich musste eine kurze Pause einlegen, um ein Schluchzen zu unterdrücken.

»Geht es dir gut?«, fragte ich schließlich leise und mit erstickter Stimme.

Er nickte nur, schaute aber dabei nicht direkt in mein Gesicht. Seine Augen wirkten nicht fokussiert, auf nichts Bestimmtes in der Umgebung gerichtet.

Und da fiel es mir wieder ein. Ich hatte fast vergessen, was ihm damals bei dem Unfall passiert war. Er war erblindet. Doch die anderen Leute in diesem Raum außer Caleb wussten das nicht, sonst hätten sie ihm nicht den Sack übergezogen.

»Es tut mir leid.«, flüsterte ich kaum hörbar, eher zu mir selbst, doch er hörte mich trotzdem und ein trauriges Lächeln umspielte seine Lippen.

»Ich denke, dass du dich nun deutlich kooperativer zeigen wirst?«, fragte der grimmige Mann mit dem dreckigen Grinsen, das mich mittlerweile wütender machte als alles andere. Nelio war schon seit längerer Zeit erstaunlich still geworden und hätte ich es nicht besser gewusst, hätte ich mir in seinem Blick sogar ein wenig Schuldbewusstsein einbilden können.

»Ja, habe ich denn überhaupt eine andere Wahl? Solange ihm nichts geschieht, werde ich mich eurem Willen beugen.«, stimmte ich widerstrebend zu, ohne Adrian eine Sekunde aus den Augen zu lassen.

Ich spürte plötzlich eine Hand an meinem Rücken, warm und vertraut.

Und als Caleb mir das Messer in die Hand drücken wollte, verstand ich. Er wollte, dass ich weiterlebte, nicht er.

»Nein.«

Ich wirbelte herum und ließ das Messer los. Es landete mit einem dumpfen Aufprall auf dem Boden.

»Ich werde dich nicht töten.«, flüsterte ich heiser und blickte energisch zwischen Adrian und Caleb hin und her.

»Tja, aber einer von euch beiden wird am Ende dieser Sache tot sein. Ob ihr das möchtet oder nicht.«, flötete der Mann und holte eine Pistole hervor, die er Adrian gegen die Schläfe presste. Bei diesem Anblick kroch mir die Angst eiskalt den Rücken hinunter.

»Cal, bitte. Ich kann das nicht! Du musst es tun! Er wird sonst sterben!«

Ich deutete auf Adrian und blickte ihn flehend an.

Cal bückte sich und hob das Messer auf, ohne mich aus den Augen zu lassen. Er richtete sich langsam auf, während er auf mich zutrat, einen Schritt nach dem anderen.

Plötzlich spürte ich etwas in mir. Mein Herz fing an, langsamer zu schlagen. Meine Bewegungen wurden träge, meine Gliedmaßen schwerer. Ich kannte dieses Gefühl.

»Cal.«, flüsterte ich erstickt und schüttelte energisch den Kopf. Die Außenstehenden schienen nicht zu begreifen, was vor sich ging, denn sie schauten nur verwirrt zwischen uns beiden hin und her.

»Na los! Wir haben nicht den ganzen Tag Zeit.«, funkte der Mann wieder dazwischen. Nelio hatte noch immer keinen

Ton gesagt. Ich versuchte, das Geschrei und Adrians angsterfülltes Gesicht zu ignorieren und konzentrierte mich stattdessen auf die Hand, die ihre Finger in meinen Geist grub, um mich zu einer willenlosen Marionette zu machen.

»Tu das nicht, bitte.«, wimmerte ich und krümmte mich, als sich die unsichtbaren Krallen immer tiefer in meinen Verstand bohrten.

»Es tut mir leid. Ich *kann* dich nicht töten.«, sagte Cal leise und drehte seine Finger ein winziges Stück. Mein Körper gehorchte. Ich war seiner Kontrolle widerstandslos ausgeliefert. Meine Beine machten, auf sein Kommando hin, einen Schritt nach dem anderen auf ihn zu, bis ich schließlich direkt vor ihm stand.

»Bitte, zwing mich nicht dazu, dich zu töten.«
»Ich kann nicht anders. Du hast noch ein Leben vor dir, meines habe ich schon vor langer Zeit verwirkt. Ich habe deine Eltern auf dem Gewissen, und meine eigenen. Mein Bruder, du siehst selbst, was aus ihm geworden ist. Ich habe Fehler begangen, die man im Leben nicht wieder ausbügeln kann. Angefangen damit, dass ich dich vom ersten Augenblick an belogen habe. Ich habe so viele Dinge falsch gemacht, aber diese Sache kann und werde ich richtig machen. Du hast eine Zukunft. Ich werde dafür sorgen, dass du sie bekommst. Ich will, dass du lebst, und dass du es genießen kannst. Lebe das Leben, das wir zusammen leben wollten. *Lebe.*«
Bei seinen letzten Worten brach seine Stimme, doch er zwang mich, den Dolch in die Hand zu nehmen. Ich brachte

kein Wort heraus, doch innerlich schrie ich mir die Seele aus dem Leib. Das durfte nicht sein. So durfte es nicht enden! Ich warf mich mit allem was ich hatte gegen diese unsichtbare Hand in meinem Kopf, doch es brachte nichts. Zitternd schloss Caleb die Finger um meine Hände und richtete das Messer auf sein Herz. Tränen begannen, meine Wangen herunter zu rollen und meine Finger zitterten unaufhörlich. Plötzlich konnte ich wieder reden.

»Zusammen.«, flüsterte er dicht vor meinem Gesicht und eine einsame Träne entschwand seinen Augen.

»Ich liebe dich. Ich werde dich immer lieben.«, flüsterte ich zurück, meine Stimme kaum mehr als ein Hauch. Die Hand in meinem Geist spannte sich an und war einen Bruchteil bevor das Metall seine Haut berührte einfach verschwunden. Ich konnte meine Hände nicht mehr stoppen. *Genau genommen geschah es also aus freien Stücken.*

Dann stieß ich die Klinge direkt in Calebs Herz.

Als Caleb in meine Arme sank, wurden alle meine Albträume auf einmal wahr. So viele Male hatte ich ihn sterben sehen, doch dass es wirklich passierte, war etwas völlig anderes. Etwas in mir zerbrach und ich schrie und schluchzte so laut ich konnte. Das Messer steckte noch immer in seiner Brust und er sah mich aus trüben Augen an.

»Du darfst nicht sterben.«, flüsterte ich durch meine Schluchzer. Eine törichte Hoffnung.

Ein Messer ins Herz überlebte man nicht. Blut färbte meine Hände, als ich die Klinge mit einer schnellen Bewegung herauszog und die Hände auf die Wunde presste.

»Warum hast du mich gezwungen? Es hätte mit Sicherheit einen anderen Weg gegeben.«

»Nein, den gab es nicht. Und das weißt du auch. Das war die einzige Möglichkeit. Du musst leben.«

»Ich werde dich nie vergessen. Versprochen.«, sagte ich und küsste ihn ein letztes Mal. Als ich mich von ihm löste, flüsterte er mir noch zwei Worte ins Ohr.
Vergib mir.
Sie waren kaum laut genug, um sie überhaupt zu verstehen, doch als ich wieder aufblickte, merkte ich, dass er keine Kraft mehr hatte, um sie zu wiederholen.

»Wir sehen uns wieder. Im nächsten Leben.«, versprach ich und nahm seine Hand in meine.
»Im nächsten Leben.«, wiederholte er und lächelte mich schwach an.
»Vielleicht ist uns dort mehr Zeit vergönnt als hier. Das hoffe ich sehr.«

Dann erschlaffte seine Hand in meiner. Das unsichtbare Band zwischen uns riss.
Für einen Moment wollte ich glauben, dass das hier nur eine weitere Illusion war. Ich würde in ein paar Sekunden in meiner Zelle aufwachen und er wäre noch am Leben. Doch das hier war real. Der stechende Schmerz in meiner Brust, mein Körper, der an der Schwelle zur Ohnmacht stand, bestätigten es mir. Caleb lag tot in meinen Armen. Und sein Blut klebte an meinen Händen. Die weiße Klinge neben mir färbte sich pechschwarz.

Und plötzlich wurde ich nicht mehr nur von meiner eigenen Kraft durchflutet, sondern auch von Calebs. Glühende Hitze brannte sich durch meine Adern und meine Haut begann zu leuchten.

Mir kam eine Idee.

Es gab noch eine Möglichkeit. Einen Ausweg, um Cal zu retten und dieses schreckliche Ritual zu beenden. Ich hatte nur eine Chance, und die durfte ich nicht verschwenden. Doch es gäbe eine Person, die diesen Raum nicht wieder lebend verlassen würde.

Caleb oder Adrian.

Tausende Erinnerungen schossen in meinen Kopf. Sowohl Erinnerungen mit Cal als auch Erinnerungen mit Adrian.

Ich konnte versuchen es zu leugnen, doch eigentlich war meine Entscheidung schon vor langer Zeit gefallen. Sie war an jenem Tag gefallen, als ich im Flur meines Hauses gestanden und das Bild von Adrian und mir gesehen hatte. Als ich den Dolch aus seiner Abbildung gezogen und eingesteckt hatte. Als ich mich dazu entschieden hatte, bei Cal zu bleiben, anstatt Adrian suchen zu gehen.

Ich konnte mir eine Welt ohne ihn nicht mehr vorstellen. Eine Welt ohne Cal war für mich keine lebenswerte Welt mehr.

Als hätte Adrian meine Gedanken gelesen, sackte er in sich zusammen und ließ den Kopf hängen, nickte aber. Ich sah ihn an und er erwiderte meinen Blick seltsam klar.

»Es ist in Ordnung. Er ist es wert, gerettet zu werden. Wir hatten viel Zeit miteinander. Ihr hattet sie nicht. Werde glücklich. Und vergiss mich nicht.«, sagte er leise und lächelte ein wenig.

»Niemals.«

Als Nelio und der andere Mann begriffen, was ich vorhatte, war es schon zu spät. Blitzschnell griff ich nach dem schwarzen Messer neben mir und warf es auf Nelio. Da ich die falsche Seite gegriffen hatte, klaffte auf meiner Handfläche ein tiefer Schnitt. Blut sickerte auf den Boden. Er konnte sich nicht schnell genug wegdrehen und das Messer blieb in seinem Oberarm stecken. Er schrie laut auf, bevor er auf die Knie sank. Im gleichen Moment stürzte Adrian sich auf den Mann, der ihm die Waffe an den Kopf hielt und fiel mit ihm zusammen zu Boden, würgte ihn mit der Kette an seinen Handgelenken.

»Jetzt!«, schrie er und wandte schließlich den Blick von mir ab.

Ich erlaubte mir nicht nachzudenken, was ich hier tat, sondern presste meine Hände auf Calebs Brust.

Ich wusste nicht, was ich tun musste. Ich dachte einfach immer nur das Gleiche. *Heilt ihn. Lasst ihn gesund werden. Seine Geschichte ist noch nicht zu Ende.*

Unter meinen Händen begann es weiß zu leuchten und ich sah, wie sich die Wundränder an seinem Herzen langsam schlossen. Muskeln und Knochen, Haut und Sehnen wuchsen wieder zusammen, bis seine Brust unversehrt unter meinen Fingern lag. Einen kurzen Moment geschah nichts. Dann holte Caleb keuchend Atem.

»Wie?«, fragte er und sah mich verwirrt an. Hinter uns ertönte ein Schuss. Ich wirbelte herum und sah gerade noch, wie Adrian zu Boden sackte, die Hände auf den Bauch gepresst. Ich wollte zu ihm rennen, doch ich konnte noch immer nicht aus dem Kreis treten.

»Nein! Adrian!«, schrie ich heiser und sank an der Barriere zu Boden. Er tat seinen letzten Atemzug, dann blieb er reglos liegen.

Die leeren Augen auf mich gerichtet.

Der grimmige Mann trat auf den Kreis zu und kratzte mit der Pistole, die von dem tödlichen Schuss sicherlich noch immer warm war, ein Stück der weißen Farbe weg.

Ohne nachzudenken griff ich nach dem kleinen Dolch, der - zu meiner Verblüffung - noch immer dort steckte, wo ich ihn nach meinem Wasch - Fiasko untergebracht hatte und warf ihn auf den Mann. Er traf seine Kehle und er gab ein gurgelndes Geräusch von sich, bevor er in einer Lache seines eigenen Blutes zusammenbrach. Ich achtete nicht auf ihn oder seinen letzten, schwachen Kampf, sondern rannte zu Adrian und presste auch ihm die Hände auf die Brust. Nichts geschah. Kein Leuchten, keine Heilung.

Ich besaß die Kräfte nicht mehr. Sie waren in dem Moment, in dem ich Cal zurückgeholt hatte, wieder auf ihn übergegangen.

»Cal! Du musst ihm helfen!«, schrie ich verzweifelt und drehte mich zu ihm um.

»Ich glaube eher weniger.«

Ich versteifte mich und zog die Augenbrauen zusammen.

Cal hatte sich erhoben und war zu Nelio geschlendert. Er zog ihm mit einer raschen Bewegung das Messer aus dem Arm. Nelio fluchte laut.

»Wie meinst du das?«, fragte ich leise und ließ ihn nicht aus den Augen. Mit dem Messer hob er einen der goldenen Käfer vom Boden auf. Er ging langsam zu mir und ließ den

Käfer auf mein Bein fallen.

Die Macht in meinem Inneren verstummte. Ein sengender Schmerz zuckte durch meinen Körper, doch ich blieb bei Bewusstsein.

»Was tust du da?«

Mit einer raschen Bewegung hielt er meine Hand fest, drückte sie auf den Boden und rammte den Dolch mitten hinein. Ich schrie mehr aus Überraschung als aus Schmerz auf.

»Cal? Was tust du da? Hör auf!«, flehte ich und versuchte, das Messer aus meiner Hand zu ziehen. Vergeblich.

»Ich denke nicht daran. Du erinnerst dich an die Dinge, die ich dir vorhin gesagt habe? Ich habe keine andere Wahl. Ich habe die Chance meine Eltern zu retten und ich werde diese Chance nutzen. Es tut mir leid.«

»Du willst den Fluch brechen? Das kannst du nicht. Mein Blut hast du nicht und die Verbindung zwischen uns ist zerstört!«

»Und ob ich dein Blut habe.«

Gemächlich schritt er zurück zum Sarkophag und tauchte seine Finger in die kleine Blutlache, die ich dort mit meiner Handfläche hinterlassen hatte. Verdammt. Er ging zum Deckel des Sarkophags und hielt seine Finger darüber.

»Weißt du, eigentlich hatte ich mit dir alleine herfahren wollen. Ich hätte deinen Körper gezwungen stehen zu bleiben, während ich dich getötet hätte. So viele Leben wären verschont geblieben. Aber dann musste mein ach so toller Bruder mit seinen komischen Leuten auftauchen und alles ruinieren. Sie hätten mich niemals leben lassen - dich hingegen schon. Ich musste meinen Plan umändern - und alles darauf setzen, dass du deinen besten Freund opferst und mich zurückholen würdest. Danke für dein Vertrauen, du hast alles richtig gemacht.«

Diese Sterblichen sind dazu verdammt, die Charakterzüge zu übernehmen, die auch Anat gezeigt hat.

Aber was wäre, wenn es für manche Menschen gar kein Fluch gewesen war? Was wäre, wenn die heilende, fürsorgliche Seite Anats bei ihnen einen Funken Menschlichkeit gepflanzt hatte, der mit dem Verschwinden der Kraft ebenfalls versiegte? In diesem Moment war ich mir jedenfalls sicher, dass Caleb jedes Bisschen Mitgefühl und Reue, alles, was ich zuvor an ihm geschätzt hatte, verloren hatte. Und zum ersten Mal seit ich ihn vor so kurzer Zeit kennengelernt hatte, blickte mir aus diesen blauen Augen wieder ein Fremder entgegen. Als ich nichts entgegnete, sondern ihn nur mit stummen Tränen musterte, wandte er sich kopfschüttelnd ab.

Exakt drei Tropfen fielen auf den vergoldeten Deckel. Direkt auf die Abbildung des göttlichen Mundes.

21

Einen Moment saß ich einfach nur benommen da und starrte auf die glänzende rote Flüssigkeit auf dem Sarkophag, dann ging der ganze Raum in Flammen auf. Sie züngelten weiß an den Wänden empor und wanden sich wie tödliche Schlangen auf direktem Weg zu Adrian und mir. Meine Instinkte übernahmen die Kontrolle, ich spürte den Käfer in Flammen aufgehen und hüllte uns in eine Blase aus strahlendem Licht. Alles außerhalb der Kugel wirkte seltsam verzerrt, dennoch konnte ich deutlich erkennen, wie der Deckel des Sargs zu leuchten begann und dann in tausend Teile zerbarst. Einige von ihnen prallten mit dumpfen Aufschlägen auf die Kuppel, andere bohrten sich in die Wände oder rissen kostbare Artefakte aus ihren Verankerungen, die scheppernd auf dem Boden aufkamen. Das Leuchten meiner Kuppel ließ nach, die Flammen erloschen.

Und dann konnte ich sie erkennen.
Anat.
Sie war wunderschön, auf eine überirdische Weise und wirkte unerreichbar, unverwundbar. Von ihrer olivfarbenen Haut ging ein sanftes Leuchten aus, ihre langen, schwarzen Haare waberten um ihren Kopf, als befände sie sich unter Wasser. Doch das Schönste an ihr waren weder die markanten Wangenknochen noch die vollen Lippen, es waren ihre Augen.
Augen von der Farbe glühenden Goldes.

Wie gebannt starrte ich auf die Flammen, die sich um ihre Pupillen wanden, als sie sich langsam aus ihrem Grab erhob. Bedächtig. Vorsichtig. Ungläubig.

Diese Emotionen ließen sie schon fast menschlich wirken, doch sie verschwanden ebenso schnell wie sie gekommen waren und wichen einem Ausdruck unvergleichbaren Triumphes.

Eine Göttin, die wusste, dass sie die Welt in Schutt und Asche legen konnte, wann immer sie wollte.

Gemächlich ließ sie ihren Blick über die im Raum versammelten Menschen schweifen. Nelio, der noch immer auf dem Boden kniete und sich den blutenden Arm hob. Adrians Mörder, der in der Blutlache erstarrt war, die leblosen Augen starr auf den Boden gerichtet. Cal, dessen Lippen ein triumphierendes Lächeln umspielte, aus dem jede Wärme gewichen war.

Als sie schließlich Adrian und mich in der Blase aus Licht entdeckte, verengten sich ihre Augen zu Schlitzen, als könnte sie mich nicht richtig erkennen, doch ihre Miene verriet kein einziges Gefühl, als sie sich wieder an Caleb wandte, der langsam und hoch erhobenen Hauptes vortrat.

»Sag mir, bist du der Sterbliche, der mich aus meinem ewigen Schlaf erweckt hat?«, fragte sie und deutete mit den Fingern auf den Sarg hinter ihr, aus dem sie mühelos gestiegen war. Ihre Stimme war noch schöner als ihr Aussehen, ließ sie noch göttlicher wirken, als sie sowieso schon war. Es war, als spräche sie gleichzeitig alleine und mit einer Million anderer Stimmen. Der glockenhelle Klang, gepaart mit den tieferen Klängen anderer Stimmen aus geraumer Vorzeit, benebelte mein Gehirn und übte eine berauschende Wirkung auf mich aus. Meine Gliedmaßen ermüdeten und es fiel mir zunehmend schwerer, den Schutzwall um Adrian und mich aufrechtzuerhalten.

Auf Cal schien ihre Stimme keinerlei Auswirkungen zu haben und als er den Mund öffnete, Klang seine Stimme fest und beständig. Wieso hatte ich nie bemerkt, wie gut er schauspielern konnte?

»Der bin ich.«

Ein überlegenes Lächeln umschmeichelte ihre Lippen und entblößte eine Reihe strahlend weißer Zähne, die genauso perfekt wirkten wie alles andere an ihr.

»So lange habe ich auf diesen Tag gewartet. So oft spürte ich meine Seele auf Wanderschaft gehen, bis sie schließlich euch erreichte. Ich wusste vom ersten Moment an, dass ihr diejenigen sein würdet, die dazu bestimmt waren, mich zu befreien. So lange Zeit habe ich durch die Menschen ein so großes Leid erdulden müssen. Es war einst ein Mensch gewesen, der mich mit diesem Fluch belegt hatte. Ich hätte ihn am liebsten zu einem Staubkorn zermalmt - das würde ich noch immer allzu gerne tun. Sagt mir, was genau hält mich davon ab, genau das Gleiche mit dir zu tun, um die Sünden deiner Ahnen zu rächen?«

Cal schluckte sichtlich und ich versuchte, mich stärker auf die Kugel zu konzentrieren, die mich schützte. Schweißperlen flossen mein Rückgrat herunter, Blut sammelte sich in meinem Mund.

Die Sünden deiner Ahnen?

»Dein Fluch hindert dich daran. Die Legenden besagen, dass du der Person etwas schuldest, die dich befreit hat. Du schuldest mir etwas.«, erwiderte er mit leiser, aber bestimmter Stimme.

Die Göttin lachte laut auf, ein verächtlicher Laut, der mir das Blut in den Adern gefrieren ließ.
»Wie recht du doch hast! Was willst du? Reichtum, schöne Frauen? Du sollst es bekommen!«

»Nein, nichts dergleichen. Ich will, dass du meine Eltern zurückbringst.«
Die Welt schien stillzustehen, als er die Worte ausgesprochen hatte, ich hielt den Atem an. Auch wenn er es mir gerade gebeichtet hatte, es erneut aus seinem Mund zu hören tat genauso weh wie das erste Mal. Wie konnte ich nur so blind gewesen sein?
Vergib mir.
Nicht für das, was er getan hatte, sondern für das, was er noch tun würde. Welche Schmerzen er mir noch zufügen würde. Ich erinnerte mich an all die Gespräche, die ich mit ihm über seine Eltern geführt hatte, wie er jedes Mal dicht gemacht, nichts mehr preisgegeben hatte. *Deswegen.* Ich erinnerte mich an das Gespräch, das ich vor dem Eingang des Museums mitgehört hatte. Cal und der andere Mann hatten von Anfang an zusammengearbeitet. Mein Verdacht bestätigte sich, als ich neben mir ein wütendes Schnauben vernahm und mich zu Nelio drehte, der mit wütendem Blick auf Caleb starrte.
»Du könntest alles haben, was du dir nur erträumen kannst. Und du möchtest deine Eltern zurückholen? Welch ein vergeudeter Wunsch! Aber so seid ihr Menschen nun mal, bescheiden und engstirnig. Dein Wunsch sei mir Befehl.«,

trällerte sie süffisant und hob langsam eine Hand.

»Niemand außer den hier anwesenden wird sich an irgendetwas erinnern können, was mit dem Fluch zu tun hatte, den ihr gebrochen habt. Es wird sein, als wäre nichts von alldem hier jemals geschehen.«

Ihr Blick glitt zu mir. Das Lächeln auf ihren Gesicht verschwand und wich einem traurigen Ausdruck.

»Wir werden uns wiedersehen. Schon sehr bald. Bis dahin, lebe wohl.«

Und wache gut über meine Gabe.

Als diese Worte in meinem Geist ertönten, traf mein Blick ihren. Die Menschlichkeit, auf die ich darin traf, überwältigte mich schier. Was hatten die Jahrhunderte, vielleicht sogar Jahrtausende der Gefangenschaft mit ihr gemacht? Wie sehr hatten sie sie verändert? Wie menschlich war sie unter dieser Fassade göttlicher Macht tatsächlich geworden?

Ehe ich auch nur eine dieser Fragen stellen konnte, ballte sie die Hand zur Faust und aus dem Boden brach ein weißer Strahl purer Flammen empor, der sie vollkommen einhüllte. Der Raum wurde immer heller, bis ich das Gefühl hatte meine Augen würden in den Höhlen verbrennen. Bis mein ganzer Körper nur noch aus Asche und Feuer zu bestehen schien.

Jede Hoffnung, die Lösung meiner Mutter zu finden - falls sie überhaupt jemals existiert hatte - schwand dahin.

Ich begann zu schreien, als sich die Welt um mich herum neu sortierte und alles wegspülte, was von meinem alten Leben noch übrig gewesen war.

Immerhin war sie nicht untergegangen.

Teil 2

„Unter allen Leidenschaften der Seele bringt die Trauer am meisten Schaden für den Leib."

- Thomas von Aquin

22

Carietta

Tausende, Millionen von Menschen kämpfen täglich um ihr Überleben, um das Leben ihrer Familie und ihrer Freunde. Sie stehen jeden Morgen aufs Neue auf und entscheiden sich dafür, noch einen Tag länger durchzuhalten, einen Schritt mehr zu gehen, ein Risiko mehr zu wagen.

Weil sie etwas haben, für das es sich zu kämpfen lohnt, jemanden, den man nicht verlieren kann, nicht verlieren darf.

Und was machen diese Menschen, wenn sie nun doch alles und jeden verlieren, der ihnen am Herzen lag?

Wenn sie keinen Grund mehr haben, weiter zu kämpfen, keinen Grund mehr haben, einen Tag länger durchzuhalten?

Nun ja, meistens geben sie auf.

Ja, es gibt ein paar wenige Menschen, die sich dennoch aufraffen. Die sich dafür entscheiden, für eine bessere Welt zu kämpfen. Die Leute stolz zu machen, die sie verloren haben.

Aber leider gehörte ich nicht zu ihnen.

Ich saß auf dem Boden der Kammer, den Blick leer auf die mit Ruß bedeckten Wände geheftet. Meine verbrannten Hände - nun wieder makellos, der verschwundene Sarg, die nicht länger vorhandenen Blutlachen.

All das kümmerte mich nicht mehr.

Am Rand meiner Wahrnehmung bewegte sich ein vertrauter Schatten.

Zwei.

Ich raffte mich dazu auf, meinen viel zu schweren Kopf nach links zu drehen.

Den Menschen einen Moment lang zu betrachten, der meinen besten Freund praktisch zu seiner Hinrichtung geführt hatte. Seine dunklen Locken, die grünen Augen. All das kam mir viel zu blendend vor. Viel zu unnatürlich. Es war nicht fair, dass er hier stand, unversehrt und wunderschön, während Adrian, *mein Adrian*, nicht länger an meiner Seite war. Nicht länger auf dieser Erde war, sein durfte.

Wegen ihm.

Die Wut kam so schnell und brennend, dass sie mich vollkommen übermannte. Ich spürte das neu erworbene Feuer durch meine Adern jagen, mich bei lebendigem Leib auffressen.

In meinem Inneren tobte ein Sturm, bereit, alles und jeden zu zerstören.

Doch nach außen hin brachte ich nicht mal einen Funken zustande.

Hatte das Blinzeln verlernt. Würden meine Augen je wieder aufhören zu tränen? Warum sollte ich mich noch anstrengen? Es war niemand mehr da, den ich hätte schützen können.

Der gerettet werden konnte.

Er ist es wert, gerettet zu werden.

Die Wut verwandelte sich in etwas anderes. In eine Schlange, die sich um meine Kehle wand und mir die Luft zum Atmen raubte.

Ich hatte Caleb gerettet.

Adrians Tod war nicht Nelios schuld, sondern meine.

Ich hatte die Wahl gehabt, ich hätte ihn retten können.

Doch ich hatte mich für Caleb entschieden.

Für den Caleb, der sich ungeduldig den Staub und die Asche von der frischen, makellos sitzenden Kleidung wischte und dann auf mich zutrat. Eine Hand nach mir ausstreckte.

Diese ganze Situation überforderte mich, meinen Verstand.

Heiße Tränen rannen aus meinen Augenwinkeln, vermischten sich mit dem Blut in meinem Mund. Dem Blut auf meiner Hand. Tropften auf den Dolch, der noch immer darin steckte.

Doch ich nahm den Schmerz gar nicht wahr. Nahm nicht wahr, wie Caleb den Kopf schüttelte, sich neben mich kniete und die Klinge mit einer schnellen Bewegung herauszog.

Noch immer hallte Adrians Aufschrei in meinen Ohren. Noch immer spürte ich die Flammen an meinem ganzen Körper lecken, alles fortreißen, was ich gewesen war.

An Calebs Fingern klebte frisches Blut. Das Blut des Mädchens, das in dem Moment gestorben war, in dem Adrian aufgehört hatte zu atmen.

Das schon zu einem kleinen Teil gestorben war, als sie mit ansehen musste, wie ihr Vater mit einer Kugel im Kopf zu Boden ging.

Das vielleicht schon begonnen hatte zu verwesen, als sie die Nachricht erhielt, dass sie von nun an keine Mutter mehr haben würde.

Doch das hier, diese verdrehte neue Welt, war viel schlimmer als der Tod.

Warum hatte Caleb mich nicht einfach getötet? All dieses Chaos hätte niemals stattgefunden. Ich wäre weg gewesen, seine Probleme hätten sich in Luft aufgelöst.

Ebenso wie meine.

Denn ich wäre bei Adrian gewesen, und bei meinen Eltern.

Der Tod erschien mir im Moment wie eine angenehme Alternative, ein wünschenswerter Fiebertraum.

Deshalb betrachtete ich den roten Faden, der aus der Wunde in meiner Handfläche strömte, nur fasziniert.

Geistesabwesend.

»Sie steht unter Schock. Dräng sie nicht, gib ihr etwas Zeit.«

Das kam von Nelio.

»Wir haben keine Zeit mehr. Ich muss wissen, ob es funktioniert hat. Ich muss wissen… ob sie wieder… da sind.«

Caleb.

Als er seine Aussage beendet hatte, steckte er den Dolch weg und hielt mir erneut die Hand hin, wollte mir aufhelfen.

Noch immer strömten stille Tränen meine Wangen herab, hinein in eine ungewisse Zukunft.

Doch eine Sache wusste ich genau.

Caleb und Nelio würden kein Teil dieser Zukunft sein.

Und wegen dieser Gewissheit schaffte ich es, den Kopf zu heben und eine Mischung aus Blut und Tränen auf Calebs ausgestreckte Finger zu spucken.

»Fahr zur Hölle.«, flüsterte ich und wandte mich wieder ab.

Hinter mir vernahm ich ein leises Lachen, dann wurde ich unsanft an den Armen gepackt und hochgerissen. Calebs überhebliche Miene schob sich in mein Blickfeld.

»Zur Hölle? Ich habe ihr einen Besuch abgestattet, als du mich ermordet hast. Erinnerst du dich daran? An das Gefühl, als sich der Dolch - *geführt von deiner Hand* - in mein Herz gebohrt hat. Sag mir, wie hat sich das angefühlt?«

Bei dem Ausdruck des puren Interesses und einer seltsamen, verdrehten Art von Neugier in seinem Blick wurde mir schlecht. *Er wollte es wirklich wissen*. Ich senkte den Kopf, weigerte mich zu antworten.

»Ich habe die Hölle gesehen und glaube mir, wenn ich dir sage, dass ich kein Interesse daran habe, jemals wieder dorthin zurückzukehren.«

Ich weigerte mich noch immer, ihn anzusehen. Wie gerne ich ihm ins Gesicht spucken würde, ihm sagen würde, dass die Hölle noch zu gut für ihn war.

Doch ich blieb stumm, wehrte mich nicht, als er mich aus der unterirdischen Kammer schob und hinaus an die Oberfläche.

Hinein in einen viel zu schönen Tag.

Auf dem Parkplatz vor dem Museum wartete eine schwarze Limousine, in die ich wortlos einstieg. Während wir zum Flughafen gefahren wurden, konnte ich den Blick nicht von dem strahlend blauen Himmel lösen. Von den kleinen Wolkenformationen und der Sonne, die viel zu grell leuchtete.

Es schien, als wollte mich selbst die Natur verhöhnen.

Sieh nur, wie naiv du warst. Sieh, was du angerichtet hast, was er wegen dir tun konnte, schien sie zu sagen.

Und ich fing an, selbst daran zu glauben.

Meine schuld.

Alles meine schuld.

Auch auf dem Flug zurück nach Thunder Bay sagte niemand ein Wort. Caleb verschwand ab und an im hinteren Teil des Privatjets, in den er mich gezerrt hatte, um wichtige Telefonate zu führen.

Nelio musterte mich unablässig.

Seine unnatürlich stark leuchtenden Augen studierten mein Gesicht, meinen Körper, meine Augen.

Unter seinem Blick bekam ich eine Gänsehaut.

Konnte an nichts anderes denken, als an den Fuß in meinem Gesicht, die letzten Worte meines Vaters, den Schlag mitten auf die Wange, diese letzte Begegnung mit Adrian.

All diese ersten und letzten Male, die ich wegen ihm erlebt hatte.

Caleb brachte mir Essen, das ich nicht anrührte, Trinken, das ich angewidert von mir stieß.

Wie konnte er nur an solch unwichtige Dinge denken, nach allem, was passiert war?

Ich ließ meinen Blick abermals aus dem Fenster wandern, betrachtete die dunklen Flecken Erde, über die wir hinwegglitten. Das Zuhause der vielen Menschen, die ein normales Leben führen konnten.

Die nicht dabei waren, am Tod ihres besten Freundes und am Tod ihrer Eltern zu zerbrechen.

Am Verrat der einzigen Person auf der Welt, der man noch Vertrauen geschenkt hatte.

Wie sehr ich mir wünschte, einer von ihnen sein zu können.

Normal zu sein.

Doch Normalität gab es für mich nicht mehr.

Ich heftete den Blick auf die Wolken um uns herum. Betete, eine Flamme oder einen Blitz oder nur einen einzigen Funken heraufbeschwören zu können.

Um dieses verdammte Flugzeug in Flammen aufgehen zu lassen.

Abstürzen zu lassen.

Ich wollte nur noch sterben.

Und am liebsten würde ich Caleb und Nelio mit mir reißen.

Doch meine Kräfte gehorchten mir nicht, schienen mich regelrecht auszulachen. Kein Blitz, keine Flammen, kein einziger Funke.

Und das einzige Geräusch war das Summen der Turbinen und Calebs gedämpfte Stimme irgendwo hinter mir.

Als wir in Thunder Bay landeten, wurden wir von einer weiteren schwarzen Limousine erwartet, in die Caleb mich ungeduldig schob. Er ließ mir nicht einmal Zeit, mich in der Stadt umzusehen, in der mein Vater gestorben war.

Die Scheiben des Wagens waren dunkel getönt, die Außenwelt rauschte in einem einzigen Wirbel aus den unterschiedlichsten Farben an mir vorbei. All die Häuser und Straßen kamen mir fremd vor. Alles hier kam mir fremd vor. Als sei ich in einem Leben eingeschlafen und in einem ganz anderen wieder aufgewacht.

Wir fuhren nicht lange, hielten direkt auf den großen See zu, an dem die Stadt errichtet worden war und das Auto kam schließlich vor einem eisernen, mindestens vier Meter hohen Gartentor zum Stehen.

Neben mir atmete Nelio tief ein und seine Stimme zitterte als er sagte: »Willkommen zu Hause, Carietta.«

Und als ich aus dem Wagen stieg, die Tür hinter mir zustieß, das Gelände hinter dem Tor erspähen konnte, lief es mir kalt das Rückgrat hinab.

Vor mir, inmitten riesiger begrünter Anlagen erhob sich ein Gebäude, doch es als Zuhause zu bezeichnen, wäre einer *Beleidigung* gleichgekommen.

Selbst die Bezeichnung *Schloss* schien mir zu untertrieben.

Ich war viel zu erstaunt, zu beeindruckt, zu überwältigt von dem Anblick, der sich mir bot.

Deshalb ließ ich es widerstandslos geschehen, dass Caleb mich am Oberarm packte und mit sich durch das Tor zog.

Über den ordentlich gepflegten Kiesweg, der unter meinen dreckigen Schuhen unangenehm laut knirschte.

Hinein in eine ungewisse Zukunft, in der ich überhaupt nicht leben wollte.

23

Carietta

Riesengroße Flügeltüren aus dunklem Holz, die von einem großen Vordach geschützt wurden. Ein freundlich dreinblickender Mann, der uns besagte Türen öffnete. Ein riesiger Eingangsbereich mit hellen Wänden, einem Boden im Schachbrettmuster, zwei geschwungenen Treppen aus dem gleichen dunklen Holz, aus dem auch die Türen zu sein schienen, die in die unzähligen Räumlichkeiten führten.

Hier geht es zum Garten, er muss allerdings wieder ein wenig auf Vordermann gebracht werden.

Das hier ist die Küche und das Esszimmer. Mahagoni, ich liebe es einfach. Und die Küchenzeile: feinster Marmor.

Garage.

Trainingsraum.

Fitnessstudio.

Sauna.

Pool.

Heimkino.

Gästezimmer.

Gästezimmer.

Gästezimmer.

Gästezimmer.

Gästezimmer.

Caleb redete immer weiter, kümmerte sich nicht darum, ob ich ihm zuhörte oder nicht. Führte mich durch die verworrenen Gänge und vielen Zimmer. Etage um Etage.

Ich folgte ihm, völlig benommen und wie in Trance. Überwältigt von allem, was ich zu sehen bekam, von der schieren Größe.

Und dennoch war alles so unbedeutend. *Wozu brauchte ich ein Heimkino oder ein Schwimmbad oder hundert Gästezimmer, wenn ich doch für den Rest meines Lebens alleine sein würde?*

Als Caleb abrupt vor einer großen, doppelflügeligen Tür zum Stehen kam, lief ich fast in ihn hinein.

»Und das hier«, verkündete er überschwänglich und drückte die Klinke herunter, »ist dein Zimmer.«

Ich rührte mich nicht, starrte wie versteinert auf die dunklen Dielen, die riesigen Decken, den Kamin, das große Fenster, das eine atemberaubende Aussicht bot.

Neben mir hörte ich, wie Caleb sich ungeduldig räusperte und mir schließlich einen unsanften Stoß verpasste, sodass ich in den Raum stolperte.

»Wir sehen uns zum Abendessen.«, sagte er förmlich, dann wurde die Tür hinter mir geschlossen.

Einen Moment stand ich einfach nur da, betrachtete dieses Zimmer, das nun meins sein sollte.

Und dann konnte ich ein Auflachen nicht unterdrücken.

Einfach alles war so unglaublich absurd, lächerlich.

Dieses viel zu große Haus, Calebs Benehmen, die Tatsache, dass ich nun hier wohnen sollte.

So, als sei nie irgendetwas geschehen.

So, als habe Caleb mich nicht verraten.

So, als würde er mich nicht zwingen, mit den Menschen unter einem Dach zu leben, die die schlimmsten Verluste, den schlimmsten Schmerz, den ich jemals empfunden hatte, zu verantworten hatten.

So, als wäre ich nicht monatelang gefoltert worden, als würde ich die Stellen, an denen sich die Käfer festgebissen hatten, nicht noch immer genau spüren.

Caleb konnte mich nicht zwingen, *würde* mich nicht zwingen, hier zu bleiben.

Dieses Leben zu führen ohne Schulabschluss und Perspektive.

Ohne Familie.

Ich drehte mich um und griff nach dem Türknauf, drehte ihn.

Doch die Tür ließ sich nicht öffnen. Ich verstärkte meinen Griff, rüttelte an der Tür, doch sie gab nicht nach.

Caleb hatte mich eingesperrt.

Ich ging zu dem riesigen Fenster, versuchte, es zu öffnen.

Vergeblich.

In einem plötzlichen Anflug der Verzweiflung hämmerte ich gegen die Scheibe, konnte nur noch daran denken, wie sehr ich hier heraus wollte.

Doch das Glas gab nicht nach.

Als meine Finger begannen, taub zu werden, gab ich meinen lächerlichen Fluchtversuch auf und sah mich erneut in dem Zimmer um.

Mir fiel das große Himmelbett auf, frisch bezogen, schneeweiß.

Und auf den Decken lag, ordentlich zusammengefaltet, Kleidung für mich.

Skeptisch hob ich das Shirt und die lockere Hose hoch, betrachtete die Kleidung, die mir wahrscheinlich perfekt passte.

Ob das hier wohl einer von Calebs wichtigen Anrufen gewesen war? Kleidung für mich zu bestellen?

Ich wollte es nicht wissen.

Mit zitternden Fingern griff ich mir den Rest der Kleidung, die für   mich bereit gelegt worden war und öffnete die einzige unverschlossene Tür, die an meinen Raum angrenzte.

Die Böden, die Duschkabine und der Waschtisch waren aus dunklem Marmor, durchzogen von goldenen Adern. Auf einem Hocker neben der Dusche lag ein Stapel Handtücher parat. Als ich schließlich den Kopf hob, blickte mir ein fremdes Mädchen aus einem riesigen Spiegel entgegen.

Der viele Staub, die Blutspritzer auf meiner zerrissenen Kleidung, all das interessierte mich nicht.

Ich betrachtete nur meine Augen.

In ihnen konnte ich direkt in die geschundene, zerbrochene, leere Seele der Person blicken, die sich hinter der Fassade versteckte. Ein Schatten derer, die ich einmal gewesen war.

Benommen stellte ich das Wasser in der Kabine an, hinterließ dabei rote Spuren auf dem goldenen Hahn.

Ich schälte mich aus der starr gewordenen Kleidung, ließ sie achtlos auf dem Boden liegen und trat unter den heißen Strahl.

Es war mir egal, dass das Wasser viel zu heiß war. Dass meine Haut rosa wurde und anfing, unangenehm zu jucken.

Und irgendwann wusste ich nicht mehr, wie ich noch die Kraft zum Stehen aufbringen konnte.

Meine Beine gaben unter mir nach und ich ließ mich an die kühle Duschwand sinken, den einzigen festen Bestandteil meines Lebens.

Adrian war tot.

Mein Vater war tot.

Meine Mutter war tot.

Caleb hatte mich verraten, hatte mich bereitwillig aufgegeben und zerstört, um seine Familie zurückzubekommen.

Meine Tränen vermischten sich mit dem Wasser, Dreck und Blut sickerten in rosa Schlieren an meinem Körper herab und in den Abfluss.

Verschwanden, wie mein gesamtes Leben.

Ich blieb auf dem Boden sitzen, den Blick auf die Glasscheibe vor mir geheftet.

Blieb sitzen, als das Wasser zuerst nur leicht abkühlte und dann schließlich eiskalt wurde.

Als mein Körper anfing zu zittern unter einer Kälte, die ich nicht spüren konnte.

Auch als ich sicherlich schon Stunden auf dem harten Boden saß, meine Finger und Zehen taub wie der Rest von mir.

Ich konnte mich nicht aufraffen, als es an der Tür klopfte. Hatte nicht einmal die Kraft, der Person zu antworten.

Und als Caleb das Türschloss mühelos aufbrach und mich ausdruckslos musterte, wollte ich nur noch im Boden versinken.

Aber nicht, weil ich mich dafür schämte, dass er mich so sah.

Sondern weil seine Anwesenheit bedeutete, dass ich aufstehen musste. Dass ich weitermachen musste, obwohl keine Kraft mehr vorhanden war, mit der ich weitermachen könnte.

Wortlos nahm er sich ein Handtuch von dem Stapel neben der Dusche, schaltete den Wasserhahn aus und kniete sich vor mich.

Ich sah ihn nicht an.

Er legte das Handtuch mit einer Sanftheit um meine Schultern, die eine Gänsehaut auf meinem ganzen Körper verursachte.

»Du solltest nicht hier sitzen bleiben, es ist eiskalt. Du wirst noch krank.«, sagte er besänftigend und musterte mich besorgt.

Hände, die zitternd die Rundungen meines Körpers erkunden.

Tiefblaue Augen, die mich in ihren Bann ziehen.

Ein Messer, durch meine Handfläche gerammt.

Ich zuckte so heftig zurück, dass das Handtuch von meinen Schultern rutschte und Caleb streckte die Hand nach mir aus, wollte sie auf meinen Arm legen. Er hatte mich töten wollen, ihm hatte nie etwas an mir gelegen.

»Du wirst mich nie wieder anfassen.«, flüsterte ich und griff nach dem nun durchnässten Tuch neben mir. Versuchte, mich notdürftig damit zu bedecken und gleichzeitig seiner Berührung auszuweichen.

Caleb ignorierte meine Warnung, legte die Finger auf meinen Oberarm, wollte mir aufhelfen.

Doch ich wollte nicht aufstehen.

Ich scherte mich nicht darum, dass blaue Funken an meinen Fingerspitzen knisterten, ließ der Wut, die Besitz von mir ergriff, freien Lauf.
In dem Moment, in dem Caleb meine Haut berührte,

verbanden sich feine blaue Blitze mit seiner und verbrannten ihn augenblicklich. Fluchend fuhr er zurück und hielt sich die dampfende Hand. Zwischen seinen Fingern erkannte ich die Brandblasen und Fetzen verletzter Haut.

Er stand auf und verließ das Bad ohne ein weiteres Wort.

Ich sollte mich schuldig fühlen, weil ich ihn vermutlich schwer verletzt hatte. Sollte mich schuldig fühlen, weil ich die letzte Person, die sich vielleicht noch ein wenig um mich scherte, immer wieder von mir stieß.

Doch ich fühlte rein gar nichts.

Angewidert stieß ich das nasse Tuch von mir und es landete mit einem dumpfen Klatschen auf dem Boden.

Ich konnte mich noch immer nicht dazu aufraffen, die Dusche zu verlassen, den ersten Schritt in meinem neuen Leben zu gehen.

Und so blieb ich sitzen, bis die Sonne untergegangen war und selbst das Feuer in meinen Adern mich nicht mehr wärmen konnte.

Irgendwann öffnete sich die Tür erneut, doch es war nicht Caleb, der den Raum betrat. Der Schatten war größer, muskulöser und bewegte sich mit einer raubtierhaften Anmut.

Nelio.

Als er einen Bademantel von einem Haken neben der Dusche nahm, der mir vorher überhaupt nicht aufgefallen war und zu mir in die Kabine trat, wünschte ich mir einen weiteren Wutausbruch. Irgendeine Möglichkeit, ihn so zu verletzen, wie er mich verletzt hatte.

Doch meine Kraftreserven waren leer. Es war keine Wut mehr vorhanden, die ich noch auf ihn hätte hetzen können.

Schweigend zog er mir den Mantel an, der sich wunderbar warm auf meiner unterkühlten Haut anfühlte und schob einen Arm unter meine Knie und in meinen Nacken. Hob mich hoch, als würde ich nichts wiegen.

Ich ließ es geschehen.

Ließ ihn mich aus dem dunklen Bad und in dieses viel zu große Zimmer tragen, wo er mich in das Himmelbett legte, dessen Decken sich als unglaublich weich entpuppten. Irgendjemand hatte ein Feuer im Kamin entfacht und der sanfte, rötliche Schein der Flammen erfüllte den Raum.

Nelio breitete die Decken über mir aus und strich mir die nassen Locken aus dem Gesicht. Als seine Finger über meine Wange strichen, erwartete ich ein Gefühl des Ekels oder Abneigung, irgendeine Regung meiner Emotionen. Doch sie blieben so kalt wie mein Körper unter den Decken.

Nelio zog sich einen bequem aussehenden Sessel von einem Schreibtisch aus dunklem, massiv aussehendem Holz neben das Bett und ließ sich lautlos darauf sinken.

»Wie geht es dir?«, fragte er leise und ich konnte nur mit größter Mühe ein Auflachen unterdrücken.

War das hier gerade sein Ernst? Er hatte mich mehrmals entführt, geschlagen, meinen Vater getötet und meinen besten Freund zu seiner Hinrichtung geführt.

Und jetzt fragte er mich, wie es mir ging?

Ich antwortete ihm nicht.

Wortlos musterte ich sein Erscheinungsbild. Die dunklen Locken, die diese markanten Wangenknochen umrahmten, die mir schon bei unserer ersten Begegnung aufgefallen waren. Die grünen Augen, hinter denen er vergeblich versuchte, seine Emotionen zu verstecken. Die Tätowierungen, die sich von seinen Armen bis in seinen Nacken zogen und seinen sehnigen, muskulösen Körper noch stärker betonten.

Ich hasste einfach alles an ihm.

Als ich meinen Blick tiefer wandern ließ, entdeckte ich meine Hand, die schlaff auf der Kante des Bettes lag. Nelio hatte seine daneben gelegt. In sicherer Entfernung, aber dennoch so nah, dass er die Finger nur ein wenig ausstrecken müsste, um mich berühren zu können. Schließlich wandte ich den Blick ab und begann damit, in die Flammen zu starren, in das Feuer, das leise knisterte und wertvolle Wärme spendete, die ich bitter nötig hatte.

»Warum? Warum das alles?«, fragte ich schließlich, schaute Nelio jedoch nicht an. Meine Stimme klang selbst in meinen Ohren dünn und schwach.

Gebrochen.

Lange Zeit bekam ich keine Antwort und im Halbschlaf angekommen dachte ich schon, Nelio hätte mich womöglich überhaupt nicht gehört.

Doch als ich meine Augen schloss und spürte, wie die Erschöpfung mich übermannte, bildete ich mir ein, eine leise Antwort von ihm vernehmen zu können.

»Weil ich weiß wie es ist, alles zu verlieren.«

24

Nelio

Nur mit Mühe konnte ich meine Gänsehaut unterdrücken.

Ich wurde das Bild von Cariettas leerem Blick nicht los. Auch nicht, als ich meine Augen schloss und tief durchatmete.

Ich hatte Caleb laut fluchen hören, hatte gehört, wie er Cariettas Tür hinter sich zugeschlagen hatte.

Und als er an meinem Zimmer vorbei gestürmt war, hatte ich einen Blick auf seine verbrannte Hand erhaschen können.

Auf meinen Lippen hatte sich unwillkürlich ein Grinsen ausgebreitet. Das, was er ihr angetan hatte, um unsere Eltern zurückzubekommen. Zu so etwas wäre nicht einmal *ich* fähig gewesen.

Zumindest nicht, wenn ich Carietta so gut gekannt hätte wie er.

Ich hatte Stunden mit mir gerungen, doch als ich aus ihrem Zimmer kein einziges Geräusch vernahm - nicht einmal mehr das Brausen der Dusche - und als auch Caleb keinen weiteren Versuch startete, mit ihr zu reden, war ich schließlich zu ihr gegangen.

Ich hatte den Kamin in ihrem viel zu kalten Raum angezündet, doch von ihr war nirgendwo eine Spur gewesen.

Und dann hatte ich das zerbrochene Schloss an der Tür zum Badezimmer entdeckt. In dem angrenzenden dunklen Raum hatte ich sie zuerst überhaupt nicht ausmachen können, doch dann fing sich der schwache Lichtschein, der durch die Tür gedrungen war, in ihren roten Locken.

Sie hatte sich nicht gewehrt, als ich ihr einen Bademantel übergezogen hatte. Als ich sie hochgehoben und in ihr Bett getragen hatte.

Sie hatte mich nur gefragt warum.

Und wie immer hatte ich am wenigsten mit dieser Frage gerechnet.

Ich hatte Geschrei erwartet. Vielleicht die ein oder andere Verbrennung. Auch mit einem Heulkrampf oder schlimmen Beschimpfungen ihrerseits wäre ich problemlos klargekommen.

Nicht aber mit diesen leeren Augen und ihrem kraftlosen Körper, der sich an meiner Brust so unglaublich kalt angefühlt hatte.

Ich hatte sie lange Zeit einfach nur angestarrt, hatte verzweifelt nach einer Antwort gesucht auf eine Frage, die ich mir selbst schon viel zu oft gestellt hatte.

Warum hast du diesen Job angenommen, Nelio?

Warum tust du nie was ich dir sage, Nelio?

Warum kannst du nicht mehr wie dein Bruder sein, Nelio?

Warum bist du so eine Enttäuschung, Nelio?

Aus irgendeinem Grund hatte ich es nicht über mich gebracht, sie anzulügen, ihr Hoffnungen zu machen. Und als ich mir sicher war, dass sie tief und fest schlief, hatte ich ihr so ehrlich geantwortet, wie noch niemandem in meinem Leben.

Weil ich weiß wie es ist, alles zu verlieren.

So leise ich konnte erhob ich mich aus dem Sessel und betrachtete Carietta noch einen Augenblick. Ihr Atem ging schwach, aber stetig. Ihre Augenlider flatterten, als würde sie jeden Moment wieder aufwachen.

Ich wollte nicht mehr hier sein, wenn sie wieder aufwachte. Dieser Konversation wollte ich auf jeden Fall aus dem Weg gehen. Dass sie mich hasste, war trotz ihres körperlichen Zustandes unschwer zu erkennen.

Deshalb drehte ich mich um und verließ ihr Zimmer, ohne ein einziges Geräusch zu verursachen.

Ich konnte mir nicht erklären, wie ich hierher gekommen war, doch plötzlich stand ich vor Calebs Zimmertür. Ich machte mir nicht die Mühe anzuklopfen, sondern drückte die Klinke herunter und platzte mitten in ein augenscheinlich wichtiges Geschäftsgespräch.

Noch immer waren mir der Anblick der dunklen Möbel und Teppiche auf den edlen Böden zugleich vertraut und fremd. So lange hatte ich dieses Haus nicht mehr von innen gesehen.

Ich hatte geglaubt, nie wieder hierher zurückzukehren.

Bei dem Geräusch der quietschenden Scharniere fuhr er ruckartig herum, entspannte sich jedoch bei meinem Anblick sichtlich.

»Ja, dann sehen wir uns morgen… ich wünsche Ihnen auch eine gute Nacht.«, erwiderte er freundlich auf irgendwelche Belange seines Gegenübers am Telefon, bevor er den Anruf beendete und mich skeptisch musterte.

»Was willst du?«, fragte er müde und ließ sich in einen schweren Ledersessel fallen. Schenkte sich ein Glas irgendeines teuer aussehenden, bernsteinfarbenen Schnapses ein und bedeutete mir mit einer Hand, mich ebenfalls zu setzen.

Ich blieb stehen.

Mustere ihn fassungslos.

»Unsere Eltern waren bis vor kurzer Zeit noch tot. Und du sitzt hier, telefonierst mit deinen *ach so wichtigen* Geschäftspartnern und tust so, als wäre nie irgendetwas passiert?«

»Du musst bedenken, dass für alle außer Carietta, dich und mich nie etwas passiert ist.«, stellte er schlicht fest.

Das Desinteresse und der gelangweilte Ausdruck in seinem Gesicht ließen mich rot sehen.

»Dir ist bewusst, dass ich sie in ihr Bett tragen musste? Sie hätte sonst die ganze Nacht in der Dusche verbracht! Ist dir überhaupt klar, was du ihr angetan hast?«, fuhr ich ihn an und wunderte mich selbst über meine Wut. Seit wann interessierte ich mich so sehr für Cariettas Wohlbefinden?

Caleb bemerkte mein Unbehagen augenblicklich und schmunzelte. Ich hatte ganz vergessen, wie kalt und berechnend er sein konnte.

»Sie muss sich an dieses neue Leben gewöhnen, das müssen wir alle. Gib ihr ein wenig Zeit, sich zurechtzufinden. Aber sag mir, Bruder, seit wann kümmerst du dich um sie?«

»Du hast ihr Leben zerstört und erwartest, dass sie das einfach so hinnehmen kann?«

»Bin wirklich ich derjenige, der ihr Leben zerstört hat?«, fragte er leise und schaute zum ersten Mal seit einer gefühlten Ewigkeit von seinem Glas auf.

»Ich habe ihrem Vater keine Kugel in den Kopf gejagt. Ich habe ihren besten - einzigen - Freund nicht zu seiner Hinrichtung geführt, um sie gefügig zu machen. Ich habe übrigens von deinem kleinen Ausrutscher gehört. Du hast sie geschlagen, weil sie dich nach deinem Namen gefragt hat? Ich wusste ja, dass du ein sehr zerbrechliches Ego besitzt, aber dass dein Schwan…«

»Du hast ihr einen Dolch durch die Hand gerammt! Du hast ihren besten Freund genauso bereitwillig geopfert wie ich es einmal getan hätte! Du hast ihr die ganze Zeit vorgespielt dass du sie lieben würdest um deine Ziele zu erreichen!«, unterbrach ich ihn und er erhob sich ruckartig.

»Ich habe ihr vieles vorgespielt, doch meine Zuneigung war immer aufrichtig.«, erwiderte er leise und trank sein Glas in einem Schluck leer. Stellte es mit einem lauten Klirren zurück auf den Beistelltisch.

»Warum hast du ihr diese Dinge dann angetan? *Warum siehst du jetzt tatenlos dabei zu, wie sie innerlich zugrunde geht und vollkommen zerbricht?«*

Caleb musterte mich ausdruckslos, massierte seinen Nasenrücken, fuhr sich mit der Hand durch die Haare.

»Im Moment gibt es Dinge, die dringender erledigt werden müssen…«, fing er an. Doch ich ließ ihn seinen Satz nicht beenden.

»Dinge, die *dringender* erledigt werden müssen? Was ist nur los mit dir? Was ist aus dem Bruder geworden, der du einmal gewesen bist? Der Caleb, den ich kannte, hätte niemals zugelassen, dass das hier passiert. Dass das mit ihr passiert.«

»Dann kümmer' du dich doch um sie, wenn sie dir neuerdings so am Herzen liegt!«

Ich setzte schon zu einer Erwiderung an, sicher, dass unser Gespräch in einen ernsthaften Streit ausarten würde, als Caleb vor mir ganz stumm wurde und er etwas - jemanden - hinter mir fixierte.

Ich drehte mich langsam um und blickte in die traurigen, müden Augen meiner Mutter. Ihre blonden Haare hatte sie zu einem ordentlichen Knoten im Nacken zusammengebunden.

Sie sah selbst vor dem Schlafengehen makellos aus.

»Ihr wisst, wie sehr ich es hasse, wenn ihr euch streitet.«, sagte sie leise und schüttelte enttäuscht den Kopf.

»Mutter, jetzt ist kein guter Zeitpunkt, wirklich nicht.«, presste ich zwischen zusammengebissenen Zähnen hervor, doch sie ignorierte mich vollkommen.

»Wie geht es dem Mädchen?«

»Das Mädchen hat einen Namen…«, fing ich erneut an, wurde dieses Mal jedoch von Caleb unterbrochen.

»Hervorragend. Es geht ihr wunderbar. Sie ist nur etwas erschöpft von dem Flug und ruht sich ein wenig aus. Morgen könnt ihr sie sicherlich kennenlernen.«

»Das wäre schön.«

Sie wandte sich schon wieder zum Gehen, da sprach er sie erneut an.

»Es wäre doch sicherlich in Ordnung, wenn sie eine Weile bei uns wohnt oder? Nur, bis sie einen Platz zum Schlafen gefunden hat. Du weißt doch, wie schwer es ist, in Thunder Bay eine Wohnung zu finden…«

Sie drehte sich wieder zu uns um, in ihre Augen trat ein verträumter Ausdruck. Als wäre sie nicht hier, sondern an einem anderen, viel weiter entfernten Ort.

Doch dann war der Moment vorbei und in ihrem Gesicht breitete sich ein sanftes Lächeln aus.

»Aber natürlich. Sie kann bleiben, solange sie möchte.«

Mit diesen Worten verschwand sie aus dem Zimmer.

Ich hatte dieses Phänomen heute schon mehrmals beobachtet. Jedes Mal, wenn Caleb unsere Eltern um etwas bat oder ihnen eine Frage stellte, wirkten sie einen Moment vollkommen geistesabwesend.

Und dann gewährten sie ihm alles, was er haben wollte.

Mich hingegen schienen sie überhaupt nicht wahrzunehmen. Sie hatten mich nicht einmal begrüßt, während sie Caleb förmlich um den Hals gefallen waren und ihn über seine monatelange Abwesenheit befragt hatten.

»Ich denke, es ist besser, wenn du jetzt gehst.«, forderte er mich auf, wandte seinen Blick jedoch nicht von der Tür ab, durch die nur Sekunden zuvor unsere Mutter verschwunden war. So, als könne er noch immer nicht ganz glauben, dass sie tatsächlich wieder am Leben war und ich begriff, dass die Möglichkeit zu bleiben und hier bei uns zu wohnen das einzige Zugeständnis war, das er Carietta machen würde.

»Ja, das denke ich auch«, erwiderte ich leise und verließ sein Zimmer.
Verständnislos betrachtete ich meinen Arm in dem gut beleuchteten Badezimmerspiegel. Vor kurzer Zeit hatte ein Messer darin gesteckt, und die Wunde, sie war einfach *verschwunden*. Meine nassen Haare hingen mir in die Stirn und tropften in regelmäßigen Abständen auf die unversehrten Tätowierungen. Ich hatte noch immer keine Ahnung, welches Ausmaß Calebs Wunsch umfasste, warum er nach Anats Verschwinden ausgesehen hatte, als käme er von einem verdammten Geschäftstermin und Carietta und ich noch immer vollkommen in Asche und Dreck gehüllt gewesen waren.

Alyssa wäre vollkommen fasziniert gewesen.

Bei dem Gedanken an sie breitete sich ein schneller, stechender Schmerz in meinem Herzen aus.

Sie hat dich von Anfang an nur benutzt. Hör auf, dich lächerlich zu machen.

Als ich sie das letzte Mal gesehen hatte, war sie schwer verletzt gewesen und ins künstliche Koma versetzt worden. Nachdem Carietta sie durch eine Panzerglasscheibe und aus dem dritten Stockwerk des Hauptquartiers befördert hatte.

Weil ich ihren Vater ermordet hatte, wie Alyssa es mir befohlen hatte.

Ich war so dumm gewesen, so naiv. Wie hatte ich nur glauben können, dass sie mehr gewollt hatte als eine hirnlose, verliebte Marionette, die für sie die Drecksarbeit erledigte?

Ich erinnerte mich noch gut daran, wie ich sie ins Krankenhaus gefahren hatte. An die vielen schlaflosen Stunden, die ich an ihrem Bett gesessen und darauf gewartet hatte, dass sie endlich wieder aufwachen würde.

Und dann war ihr Ehemann aufgetaucht, hatte mir erklärt, dass sie seit zwei Jahren verheiratet wären.

Hatte mich gefragt, wer ich war.

In diesem Moment war für mich eine Welt zusammengebrochen, ich erhaschte einen Blick hinter Alyssas perfekte Fassade. Deshalb erzählte ich ihm alles, genoß den verletzten Ausdruck in seinem Gesicht, verließ daraufhin wortlos das Krankenhaus und erlaubte mir nicht, auch nur eine Sekunde länger an sie zu denken.

Doch die Ungewissheit quälte mich.

Hatte sie überlebt? Hatte auch sie sämtliche Erinnerungen an ihren einstigen Lebensinhalt verloren? Hatte sie sich scheiden lassen?

Konnte sie sich an mich erinnern?

Eigentlich hatte ich nichts anderes zu tun, außer es herauszufinden.

Das Hauptquartier lag verlassen da, nirgendwo brannte Licht. Ich wusste nicht, warum ich etwas anderes erwartet hatte. Es gab die Sekte, die Anats Fluch brechen wollte, nicht länger. Mit einem leisen Seufzen stieg ich zurück in den Wagen und erlaubte mir, einen Moment durchzuatmen.

Ich sollte wirklich zurück nach Hause fahren

Nach Hause.

Wie absurd das klang. Zurück in ein Haus, dass eigentlich ein Schloss war und zu dem ich keinerlei persönlichen Bezug aufbauen konnte. Zurück zu einem Bruder, der mich hasste - den ich hasste - und zu Eltern, die sich seit Jahren nicht mehr richtig um mich gekümmert hatten.

Nein, ich wollte heute Nacht nicht zu Hause sein mit all den Schuldgefühlen, der Reue, der erzwungenen Normalität, die auf mir und allen anderen in diesem Haus lastete.

Also beschloss ich, dem Krankenhaus einen Besuch abzustatten.

Als ich durch die Glastüren in das innere des Gebäudes trat und der sterile Geruch in meine Nase drang, musste ich unwillkürlich an die Begegnung mit Carietta und Caleb denken.

Der vollkommen verwüstete Raum.

Carietta und Caleb, die eng umschlungen und blutend auf dem Boden liegen.

Caleb, wie er verzweifelt die Hände auf Caris Brust drückt, als das Leben aus ihr weicht.

Der Moment in dem ich begreife, dass Caleb ebenfalls Kräfte besitzt.

Die Angst in Calebs Augen, die Wut in Caris, als ich den Skarabäus auf Caleb werfe.

Viele der Ärzte in diesem Krankenhaus waren von meiner Familie oder der Sekte geschmiert gewesen, hatten uns über jede Auffälligkeit Auskunft gegeben und Wunden verbunden, bei denen normale Ärzte schon längst die Polizei kontaktiert hätten.

Doch die pure Lautstärke des Kampfes zwischen den beiden hatte viele Krankenhauspatienten und

Krankenschwestern aufgeschreckt. Wir hatten sehr viele Fäden ziehen müssen, um diese Aktion geheim zu halten.

»Entschuldigen Sie, geht es Ihnen gut? Wie kann ich Ihnen helfen, suchen Sie etwas Bestimmtes?«

Die Stimme riss mich so abrupt aus meinen Gedanken, dass ich heftig zusammenzuckte und erst in diesem Moment bemerkte, dass ich die Empfangstheke bereits erreicht hatte.

»Ich möchte eine Freundin besuchen.«, würgte ich hervor und hätte beinahe selbst über den Ausdruck *Freundin* gelacht.

»Wie lautet denn ihr Name?«, erkundigte sich der Mann hinter dem Tresen freundlich.

»Alyssa Wilson.«

Der Mann erklärte mir den Weg und ich bedankte mich, lief hastig und blind in einen der Gänge, musste mich an einer Wand abstützen.

Sie war noch immer hier. Sie lag noch immer im Koma.

Es sollte mich nicht interessieren. *Sie* sollte mich nicht interessieren. Doch aus irgendeinem Grund tat sie das.

Ich schüttelte den Kopf, um die Gedanken zu vertreiben, die mich so benommen machten, doch als ich an der Tür von Cariettas ehemaligem Krankenzimmer vorbeikam, begann alles wieder von vorne. Die selben Bilder, die sich immer und immer wieder abspielten.

Blut.

Blaue Flammen.

Ein einziger Schuss.

Als mich ihr behandelnder Arzt darüber informiert hatte, dass sie hier war, hatte ich mich gefreut, sie in so greifbarer Nähe zu haben. Ich hatte von Anfang an an Caleb gezweifelt. Er hatte die Gelegenheit bekommen, den Namen unserer Familie rein zu waschen, die Schulden zu tilgen, die unsere Eltern über die Jahre angehäuft hatten.

Er musste nur Cariettas Vertrauen erringen und sie zu uns bringen.

Doch schon in dem Moment, in dem ich Cari das erste Mal auf ihrem Heimweg begegnet war, wusste ich, dass er es nicht können würde. Die pure Naivität und Ahnungslosigkeit, mit der sie mich gemustert hatte. Das leichte Humpeln, da ihre Verletzung noch immer nicht ganz verheilt gewesen war.

Ich hatte gewusst, dass sich mein dummer kleiner Bruder in sie verlieben würde.

Und nachdem Cal zwei unserer Männer umgebracht hatte, war Alyssa der Geduldsfaden gerissen. Sie wollte Carietta, dieses Mädchen mit der unberechenbaren Kraft in ihren Adern. Und sie wollte sie um jeden Preis. Niemand hatte sich freiwillig dafür gemeldet, Caleb und Carietta aufzuspüren und sie zurück ins Hauptquartier zu bringen.

Niemand außer mir. Vollkommen verblendet meldete ich mich sofort, einfach nur um Alyssa zu gefallen und ihren Anforderungen gerecht zu werden.

Ich hatte Calebs Kräfte gesehen, während Alyssa die ganze Zeit über nichts von ihnen geahnt hatte. Sie war so versessen auf Carietta gewesen, dass sie Caleb vollkommen missachtet hatte.

Ich hätte es Alyssa sagen können, hätte ihr braves Schoßhündchen spielen und meinen Bruder verraten können. Doch aus irgendeinem Grund hatte ich es nicht getan. Vielleicht hatte ich Caleb eine Chance geben wollen, der sich schlussendlich doch selbst verraten hatte.

Doch Alyssa hatte ihren ursprünglichen Plan offenbart. Und dann hatte sie Caleb bestrafen wollen.

Egal wie sich Carietta oder Caleb entschieden hätten, immer wäre Alyssa der Sieger gewesen. Immer hätte Caleb gelitten. Sie hatte Rache gewollt - und die hatte sie bekommen.

Schließe dich uns an und dein Vater wird leben.

Es hätte Caleb das Herz gebrochen.

Widersetze dich und er wird sterben.

Er musste dabei zusehen, wie sie zerbrach.

Du hattest eine Aufgabe und du hast sie grandios vermasselt. Deine Eltern werden den Preis für dein Versagen bezahlen.

Er musste mitansehen, wie sein eigener Bruder seine Eltern ermordete. Er musste mitansehen, wie das Mädchen, in das er sich verliebt hatte, ihren Vater verlor.

Er hatte es tatsächlich geschafft, den schlimmsten Weg von allen zu wählen.

Und dann war Carietta durchgedreht, hatte Alyssa aus dem Fenster gestoßen.

Niemals würde ich den durchdringenden Blick dieser blau glühenden Augen vergessen, die mir versprachen, dass ich Alyssa bald folgen würde.

Abrupt blieb ich stehen. Ich hatte ihr Zimmer erreicht.

Was, wenn ihr Ehemann bei ihr war? Erinnerte er sich an mich? Würde er mich fortschicken oder vielleicht sogar den Sicherheitsdienst rufen?

Es war mir egal. Ich brauchte diesen letzten Abschied, ich hatte ihn mir verdient.

Also atmete ich tief ein und drückte die Klinke herunter.

Sie war allein. Die dunklen Haare ordentlich auf dem Kissen ausgebreitet. Das makellose Gesicht ruhig und unberührt. Die Maschinen um sie herum gaben in regelmäßigen Abständen leise Töne von sich.

Alles war unverändert.

Zögerlich nahm ich mir einen Stuhl, setzte mich neben sie, betrachtete das Gesicht, von dem ich mir eingebildet hatte, es zu lieben. Nahm ihre Hand in meine, die kalten Finger vertraut an meiner Haut.

»Wenn du wüsstest, was seit deinem Unfall alles passiert ist.«, flüsterte ich und schüttelte den Kopf über meine eigenen Worte. Jetzt sprach ich schon mit einer Komapatientin.

»Wir haben es geschafft. Anat ist frei. Aber deine Sekte existiert nicht mehr, es ist alles weg. Niemand erinnert sich mehr an dich oder die Dinge, die du getan hast.«

Eine seltsame Zufriedenheit durchflutete mich, als ich die Worte aussprach, die schon seit Ewigkeiten darum bettelten, aus meiner Kehle kommen zu dürfen.

Alyssa regte sich nicht.

»Die Mission deiner tollen Gruppe ist gescheitert und ich habe deine Spielchen längst durchschaut. Falls du jemals wieder aufwachen solltest, ist dir nichts geblieben und das verschafft mir eine solche Genugtuung. Du hast meinen Bruder und mich zu Monstern gemacht. Du hast das Leben eines unschuldigen Mädchens für immer zerstört und es ist nur gerecht, dass dir das Gleiche widerfährt. Ich bin fertig mit dir, Alyssa, und ich hoffe du schmorst in der Hölle wenn du das hier nicht überlebst.«

Wie seltsam befreiend sich diese Wort anfühlten.

Ich ließ ihre Hand abrupt los, stand auf und wandte mich zum Gehen.

Du hast das Leben eines unschuldigen Mädchens für immer zerstört.

Du hast meinen Bruder und mich zu Monstern gemacht.

Ich hoffe du schmorst in der Hölle.

Doch warum sollte ich nur hoffen, wenn ich sicherstellen konnte, dass sie es niemals lebend aus diesem Krankenhaus schaffte?

Ich erlaubte mir nicht nachzudenken, als ich mich umdrehte, um ihr Bett herumging und damit begann, eine Maschine nach der anderen abzustellen. Ich hatte mich so lang wie ein Monster verhalten, eine grausame Tat machte an dieser Stelle keinen Unterschied mehr.

Vielleicht warst du für deine Familie nicht genug, doch für mich bist du genug.

Der Monitor, der ihre Herzfrequenz anzeigte begann, gefährlich schnell zu Piepen.

Bis ich auch diesen ausschaltete.

Du wirst sie nicht vermissen. Sie umzubringen wird dir Genugtuung verschaffen.

Für einen Moment bildete ich mir ein, ihren Herzschlag hören zu können, der erst unnatürlich schnell und dann immer langsamer wurde.

Schließlich ganz verstummte.

Ich liebe dich.

»Leb wohl, Alyssa.«

Ich verließ das Zimmer, das Krankenhaus, ohne mich noch einmal umzudrehen.

25

Carietta

Der Hall einer Kugel. Immer und immer wieder. Ohrenbetäubend laut.

Blut, das gegen eine Glasscheibe spritzt und es mir unmöglich macht, ihn zu erreichen.

Eine Klinge, schnell und präzise über eine Kehle geführt.

Noch mehr Blut.

Es befleckt meine Hände, meine Füße, meine Arme und Beine. Mein Gesicht.

Und ich kann ihm nicht entkommen. Es ist überall, dickflüssig und dunkelrot, warm und tödlich. Bereit, auch mich zu verschlingen.

Ich schreie, doch das Öffnen meines Mundes führt nur dazu, dass das Blut auch in mich dringen, mich ertränken kann.

Caleb steht neben mir, vollkommen ungerührt. Er lacht mich aus, sieht tatenlos dabei zu wie ich versinke.

Immer tiefer.

Tiefer.

Tiefer.

Ich öffnete die Augen und strampelte mich aus den Decken, die viel zu eng um meinen Körper gewickelt waren. Als ich aus dem Bett rollte und meine vollkommen überhitzte Haut auf den kühlen Boden stieß, beruhigte sich mein Herzschlag.

Ich ertrank nicht in einem See aus Blut. Ich war in dem Haus von Caleb und Nelio, in meinem Zimmer. Zitternd setzte ich mich auf und schaute mich um. Das Fenster war noch immer geschlossen, draußen war ein neuer Tag angebrochen, der Himmel strahlte in einem klaren Blau und einzelne Sonnenstrahlen fielen auf die dunklen Dielen. Das Feuer im Kamin war heruntergebrannt, die Tür zum Badezimmer stand weit offen.

Und plötzlich fiel mir wieder ein, warum mir so kalt war. Der Bademantel, den Nelio mir gestern übergezogen hatte, war aufgegangen und gab meine Haut der Kälte Preis, meine Haare waren noch immer feucht, ob vor Schweiß oder Wasser konnte ich nicht sagen.

Nelio.

Bei dem Gedanken an gestern Abend wurde mein Körper von einer Taubheit ergriffen, wie ich sie noch nie erlebt hatte. Die Schwellungen unter meinen Augen wurden mir schmerzhaft bewusst. Nelio hatte mich in mein Bett getragen. Er hatte gesagt, dass er mich verstehen würde.

Oder hatte ich mir das nur eingebildet?

Im Raum fehlte jede Spur von ihm, es wirkte, als hätte ich meine müden Knochen allein aus dem Bad geschleppt.

Von plötzlichen Kopfschmerzen geplagt ließ ich den Kopf in meine Hände sinken.

Es war vorbei, ich hatte verloren.

Ich hatte gerade beschlossen, den ganzen Tag auf dem Boden sitzen zu bleiben - Kälte hin oder her - da erfüllte ein ohrenbetäubendes Knurren meine Ohren. Ich hatte seit mehreren Tagen nichts mehr gegessen.

Ungenießbares Essen. Zucker, der mit Salz verwechselt wird. Der Geruch von angebranntem Toast.

Von mir aus konnte ich hier verhungern, doch zuerst musste ich eine letzte Sache mit eigenen Augen sehen. Ich hatte keine Ahnung, woher der plötzliche Energieschub kam, doch ich nutzte ihn, um mich anzuziehen und die Klinke meiner Zimmertür herunterzudrücken. Sie war noch immer verschlossen.

Dachte Caleb wirklich, er könnte mich hier wie ein Tier gefangen halten? Wutentbrannt hämmerte ich gegen die Tür, doch auf der anderen Seite blieb es stumm. Da kam mir plötzlich ein anderer Gedanke. Auch im Bad gab es ein Fenster. Konnte es sein, dass Caleb vergessen hatte, es abzuriegeln? Es gab nur einen Weg das herauszufinden. Ich ließ die Klinke los und stürmte zum Badezimmer. Auf dem

Weg dorthin entdeckte ich auf dem Schreibtisch einen Autoschlüssel.

Nelio war also doch hier gewesen.

Ich steckte ihn schnell ein und riss förmlich an dem kleinen Fenster, das sich neben dem Waschtisch befand. Es ließ sich problemlos öffnen.

Meine Freude währte nur kurz, als ich mich aus dem Fenster lehnte und nach unten schaute - direkt auf die Oberfläche des Lake Superior. Ich musste mich entscheiden: entweder ich blieb hier, eingesperrt in einem goldenen Käfig oder ich nahm meinen Mut zusammen und sprang in den See - ohne zu wissen wie tief er war oder welche Temperatur das Wasser hatte.

Ich entschied mich für letzteres, erlaubte mir nicht nachzudenken, als ich zuerst einen, dann den anderen Fuß aus dem Fenster schwang und schließlich den Rahmen hinter mir losließ.

Für einen Moment war ich vollkommen schwerelos, spürte nichts außer dem kühlen Wind auf meiner Haut. Und dann landete ich bis zu den Oberschenkeln in eiskaltem Wasser, wobei ich einen leisen Aufschrei nicht unterdrücken konnte.

Zitternd watete ich an das Ufer, versicherte mich, dass der Schlüssel noch immer unbeschadet in meiner mittlerweile nassen Hose steckte, und schlich zu dem Parkplatz des Anwesens, um das passende Auto zu suchen.

Ich dachte schon, Nelio hätte mir einen üblen Streich gespielt und einen Schlüssel ohne dazugehöriges Auto in mein Zimmer gelegt, doch schließlich entdeckte ich es: ein dunkler Pick - Up, der Caleb und meinem Fluchtwagen zum Verwechseln ähnlich sah. Mit zitternden Händen setzte ich mich hinter das Steuer. So schwer konnte das doch nicht sein.

Ich brauchte ein paar Anläufe, doch schließlich schaffte ich es anzufahren und steuerte den Wagen zurück nach Rosslyn. Auf dem Weg kamen mir nicht viele Autos entgegen, Rosslyn war ein kleines Dorf, kaum der Rede wert. Und ich war dankbar dafür, dass kaum jemand sah, wie wenig Kontrolle ich in Wahrheit über mein Fahrzeug hatte.

Kurz bevor ich meine Straße erreichte, hatte ich das Gefühl, verfolgt zu werden. Vielleicht hatte jemand die Polizei kontaktiert? Vielleicht hatte mich jemand alleine hinter dem Steuer sitzen sehen und dachte, ich wäre leichte Beute?

Verschwitzte Finger, die den Verschluss meiner Hose öffnen, nachdem sie einen roten Abdruck auf meiner Wange hinterlassen haben.

Ein Kuss, gegen den ich mich nicht wehren kann.

Der Geruch von starken Alkohol, der von meinem Gegenüber und von mir kommt.

Kalte Ziegel in meinem Rücken.

Ich trat so abrupt auf die Bremse, dass die Reifen quietschten und sah mich verwirrt um. Ich musste dringend in der Wirklichkeit bleiben, durfte mich nicht von der Vergangenheit überrumpeln lassen. Doch es war nur eine Frage der Zeit.

Vor mir erhob sich das Haus, in dem ich gelebt hatte, seit ich denken konnte und bei seinem Anblick verschlug es mir die Sprache.

Ich wusste nicht, was ich erwartet hatte. Vielleicht eine Ruine oder ein leeres Baugrundstück. Vielleicht ein leerstehendes Haus, da die ursprüngliche Familie nicht länger existierte. Doch ich hatte kein Licht in den Fenstern erwartet, keinen Rauch, der in dicken Wolken aus dem Schornstein emporstieg. So, als wäre nie etwas passiert. In der Einfahrt stand der Wagen meines Vaters, unversehrt.

Konnte es sein?

Ich sollte, durfte mich nicht an diese dumme Hoffnung klammern, ich tat es dennoch. Vielleicht hatte die Göttin Mitleid mit mir gehabt, vielleicht hatte sie meine Familie zurückgebracht, gab mir eine Chance, mein Leben so zu leben, wie es vor dem Busunglück gewesen war. Mein Herz schien mir förmlich aus der Brust zu springen, als ich den Wagen verließ und die Stufen zu der Eingangstür hinauflief.

Vor dem ersten Klopfen oder Klingeln hielt ich inne. Wenn meine Eltern mir die Tür öffneten, würden sie mich dann noch erkennen? Würden sie sich dann noch an all die Dinge erinnern können, die passiert waren? Dass sie beide bei dem Versuch gestorben waren, genau das zu verhindern, was schließlich doch passiert war?

Vollkommen in Gedanken versunken bemerkte ich nicht, dass die Tür geöffnet worden war. Eine misstrauisch dreinblickende Frau mittleren Alters musterte mich. Die dunklen Haare hatte sie zu einem Knoten hochgesteckt. Natürlich waren es nicht meine Eltern, die hier wohnten.

»Hallo, kann ich Ihnen irgendwie weiterhelfen?«, fragte sie höflich und zog eine Augenbraue in die Höhe.

»Entschuldigen Sie die Störung. Eine Freundin hat hier mit ihren Eltern gewohnt. Sie sind anscheinend umgezogen, ohne es mir zu sagen. Ihr Nachname war Trembley, sagt Ihnen das etwas? Wissen Sie vielleicht, wohin sie gezogen sind?«

»Trembley, mhh. Es tut mir wirklich leid, aber ich fürchte, ich habe keine Ahnung, von wem Sie sprechen. Das Haus stand viele Jahre leer, bevor wir es gekauft und renoviert haben. Sind Sie sicher, dass Ihre Freundin hier gewohnt hat?«, erkundigte sie sich mit einem mitleidigen Blick.

Ich versuchte, den Kloß zu ignorieren, der sich in meinem Hals bildete. Vor dieser Frau in Tränen auszubrechen würde meine Lage auch nicht verbessern.

»Vermutlich hatte ich die falsche Hausnummer im Kopf. Ich werde es bei den Nachbarn versuchen. Danke für Ihre Zeit.«

Die Frau nickte überschwänglich und knallte mir die Tür vor der Nase zu. Die Tür, durch die ich jahrelang ein und aus gegangen war. Erst jetzt fiel mir auf, wie ich auf sie gewirkt haben musste mit meiner nassen Hose und den zuggeschwollenen Augen. Verdammt. Ich nahm alle Kraft zusammen, die mir geblieben war, drehte mich um und stieg die Stufen wieder herunter, warf dem Wagen in der Einfahrt einen abfälligen Blick zu. Bei genauerem Hinsehen fiel mir auf, dass es nicht dasselbe Modell wie das meines Vaters war.

Das Leben hatte wirklich einen seltsamen Sinn für Humor.

Ich ließ mich auf den Fahrersitz fallen, warf den Schlüssel auf den Sitz neben mir. Ignorierte den dunklen Wagen, der nur wenige Meter vor mir geparkt hatte. Der gleiche Wagen, der mir auch schon aus Thunder Bay gefolgt war.

Stattdessen versuchte ich gewaltsam, die Tränen zurückzuhalten, die in meiner Kehle brannten. Ich hätte nichts anderes erwarten sollen. Die Göttin hatte gesagt, dass sich niemand außer uns drei an den Abend im Museum erinnern würde. Dass alles, was mit ihrem Fluch zu tun gehabt hatte, für immer verschwinden würde. Ich hätte ihre Worte ernster nehmen sollen.

Gedankenverloren starrte ich aus der Scheibe, beobachtete das Treiben der Familie in dem Haus, in dem ich einst gewohnt hatte, als im obersten Stockwerk, in dem Zimmer ganz links, Licht angeschaltet wurde.

Das war mein Zimmer gewesen. Ein kleines Kind lehnte sich auf das Fensterbrett, starrte mit einem Grinsen im Gesicht nach draußen.

Zarte Hände, die mich zudecken, nachdem ich wieder einen Alptraum hatte.

Dutzende, hunderte Bilder von ägyptischen Hieroglyphen, die ich nur zur Hälfte zeichnen konnte.

Ein kaltes Glas Wasser, das mich aus der Ohnmacht reißt.

Meine Augen brannten, heiße Tränen strömten unaufhörlich über meine Wangen und tropften auf meine Hose, mein Oberteil. Nie wieder würden die zarten Finger meiner Mutter über meine Wange streichen. Nie wieder würde mein Vater morgens meinen Wecker spielen und mir ungenießbares Essen servieren. Nie wieder würde Adrian unerwartet vor meiner Tür auftauchen und mit mir einfach irgendwohin fahren, ohne Ziel und einfach nur, weil wir gerade Lust darauf gehabt hatten.

Meine Hände zitterten unkontrolliert, meine Sicht verschwamm und ich erlaubte mir endlich, einfach zu weinen, zu schreien, zu fluchen. Alle Emotionen aus mir heraus zu befördern, die sich über die vergangenen Tage angestaut hatten.

Die Tür war mittlerweile nicht länger von außen, sondern von innen abgeschlossen. Vor zwei Stunden hatte ich mich gegen das schwere Holz sinken lassen und damit begonnen, meinen Kopf rhythmisch dagegen zu schlagen. Die genervten Kommentare der Wachen vor meiner Tür ignorierte ich, konzentrierte mich vollkommen auf das dumpfe Klopfen, dass mein Kopf verursachte.

Klopf.

Klopf.

Vor einer Woche hatte ich mich von den Trümmern meines zerstörten Lebens verabschiedet. War zurück nach Thunder Bay gefahren und hätte Caleb bei meiner Ankunft am liebsten ins Gesicht gespuckt.

Glückwunsch, du hast gewonnen! Sie sind alle weg, es ist niemand mehr da! Ist es das, was du hören willst? Fahr zur Hölle!

Stattdessen war ich stumm an ihm vorbei in mein Zimmer gegangen, hatte mich eingeschlossen und nur dann etwas zu Essen zu mir genommen, wenn der Hunger mich förmlich umgebracht hatte. Zu Verhungern war anscheinend doch schwerer als gedacht.

In der ganzen Woche hatte ich exakt vier Stunden geschlafen. Das wusste ich, da ich durchgehend auf die große Wanduhr über dem Kamin gestarrt hatte. Meistens hatte ich nicht einmal versucht zu schlafen und wenn die Müdigkeit mich schließlich überrumpelt hatte, wurde ich von Alpträumen geplagt, die jede Erholung augenblicklich zerstörten. Nach den ersten drei Tagen hatte ich mich schließlich dazu aufraffen können, in den Spiegel im Badezimmer zu blicken.

Das Bild der Augenringe suchte mich noch immer heim.

Das Summen in meinen Adern wurde von Tag zu Tag lauter, ließ mich nicht länger in Ruhe. Doch ich fand keine Möglichkeit, ihm freien Lauf zu lassen. Keine Flamme, kein einziger Funke entwich meinen Fingern, egal, wie sehr ich es auch versuchte.

Hinter mir wurden Stimmen im Gang laut, nur Sekunden später hämmerte jemand mit voller Wucht gegen die Tür.

»Cari, du kannst nicht ewig da drin bleiben!«

Caleb.

Ich antwortete ihm nicht. Legte die Hände mit den Handflächen nach unten neben mich auf den Boden, schloss die Augen. Wir würden ja sehen, wie lange ich wirklich hier in meinem Zimmer bleiben könnte.

Klopf.

Klopf.

»Komm endlich raus! Sonst komm ich rein!«

Ich spürte seine Hände, die an dem Türgriff rüttelten. Wusste, wie schnell er das Schloss knacken konnte, wenn er wollte.

Doch ich war noch nicht bereit dafür, wieder anderen Menschen gegenüberzutreten. Ich konnte noch nicht weitermachen, als wäre nie etwas passiert, als hätte ich dieses neue Leben akzeptiert.

»Bitte lass mich in Ruhe. Gib mir noch ein paar Tage.«, flehte ich leise und das Klopfen auf der anderen Türseite verstummte einen Moment.

Dann begann es erneut.

»Du kannst dich nicht ewig verstecken. Du musst wieder zurück in die Normalität finden. Wie Nelio und ich.«

Diese Worte ließen mich rot sehen. Meine Lage, das, was ich erlebt hatte, war in keiner Weise mit der Situation von Nelio oder Caleb vergleichbar. Ich ballte die Hände neben meinen Oberschenkeln zu Fäusten, presste die Lippen zusammen, um mir Kommentare zu verkneifen, die ich später bereuen würde.

Plötzlich wurde ich von einer seltsamen Leichtigkeit erfasst.

Dann war ohrenbetäubendes Fluchen von der anderen Seite der Tür zu vernehmen. Erschrocken fuhr ich herum und mein Blick fiel auf die blau glühenden Scharniere, auf den dampfenden Türgriff. Sprachlos starrte ich zuerst auf die kleinen Flammen, die sich von den Flecken, auf denen meine Hände gelegen hatten, bis zur Tür vorgearbeitet hatten, dann auf meine Fingerspitzen, die noch immer in blaue Flammen gehüllt waren.

Ich hatte Caleb verbrannt.

In meinem Herzen breitete sich Genugtuung aus. Ich sollte nicht so fühlen. Sollte mich nicht darüber freuen, dass ich anderen Schmerzen zufügte. Doch ich tat es.

Danach versuchte niemand mehr, meine Zimmertür zu öffnen oder mit mir zu reden. Durch die Spalten in den zugezogenen Vorhängen drangen rötliche Lichtstrahlen der untergehenden Sonne auf mein Gesicht.

Mit der Dunkelheit kamen auch die Drohungen, Vorwürfe, die Schuldgefühle zurück.

Es ist deine schuld dass sie alle tot sind.

Wie konntest du so blind sein und Caleb vertrauen?

Warum hast du uns nicht zurückgeholt, als du die Chance dazu hattest?

Schatten wanderten an den Wänden entlang, krochen auf mich zu. Ich hielt es nicht mehr aus, den Druck, die Flut an Gefühlen und die gleichzeitige innere Leere, die mich Stück für Stück auffraß. Wenn diese Schatten mich erreichten, würde ich den Gedanken wieder nachgeben, sie würden mich wieder übermannen und zurück in die dunkle Tiefe ziehen, aus der ich so verzweifelt zu entkommen versuchte.

Meine Hände begannen zu zittern, die Schatten krochen immer näher. Aber heute Abend würden sie mich nicht erreichen.

Mühsam erhob ich mich, ging zu dem riesigen Kleiderschrank, den ich bis jetzt kein einziges Mal geöffnet hatte. Er war voller Kleidung. Hosen, langärmlige Oberteile, T-Shirts, Röcke, Kleider, Schuhe…

Ein besonders kurzes, silbern glitzerndes Kleid stach mir direkt ins Auge. Ich zog es hervor und betrachtete es genauer. Der leichte Stoff schien zwischen meinen Fingern zu zerfließen und überließ kaum etwas der Fantasie, so kurz wie das Kleid geraten war.

Perfekt.

Ich fand auch noch passende Absatzschuhe, sicherlich 12 Zentimeter hoch, und ging in das angrenzende Bad, um mich das erste Mal seit einer Woche zu duschen und erlaubte mir keine Fragen darüber, warum diese Kleidung überhaupt im Schrank gewesen war.

Das heiße Wasser tat meiner Haut extrem gut, ich schaffte es, die Knoten aus meinen Haaren zu bürsten und mich endlich wieder ein wenig wie ein Mensch zu fühlen. Als ich das Kleid anzog, bereute ich meine Entscheidung sofort. Es war kurz, *extrem* kurz und bedeckte tatsächlich nur das Nötigste. Der tiefe Rückenausschnitt fiel mir erst auf, als ich den silbernen Stoff so tief wie möglich zog. Nachdem ich die Schuhe ebenfalls angezogen und meine Haare geföhnt und hochgesteckt hatte, wagte ich einen Blick in den Spiegel.

Trotz meiner Situation musste ich zugeben, dass ich extrem gut aussah. Das Kleid schmiegte sich an den richtigen Stellen an meinen Körper, betonte jede Rundung, die durch den Mangel an Essen geschrumpft war.

Ich erlaubte mir weder einen Blick in mein Gesicht, noch einen weiteren Gedanken über mein Outfit sondern trat aus dem Badezimmer, schnappte mir irgendeine Jacke aus dem offen stehenden Schrank und blieb vor der Zimmertür stehen, die Hand auf dem Schlüssel.

Wenn ich diese Tür jetzt öffnete, gab es kein Zurück mehr.

Meine Eltern und Adrian würden wollen, dass ich versuchte weiter zu machen, mein Leben wieder so zu leben wie damals. Das war ich ihnen schuldig.

»Na dann mal los.«, flüsterte ich leise vor mich hin und drehte den Schlüssel im Schloss.

Die Wachen vor meiner Zimmertür saßen an die Wand gelehnt und redeten über irgendwelche geschäftlichen Dinge, doch als ich die Tür öffnete und heraustrat, sprangen sie sofort auf und verstummten.

»Miss, wir müssen Sie bitten, wieder zurück in ihr Zimmer zu gehen. Sie sollen sich ohne Caleb nicht allein im Haus bewegen.«, gab eine der Wachen von sich, doch ich erkannte die Unruhe in seinen Augen. Auch er hatte miterlebt, wie ich Calebs Hand verbrannt hatte.

»Keine Sorge, ich habe nicht vor, in diesem Haus zu bleiben.«, erwiderte ich zuckersüß, warf den beiden ein Lächeln zu, dass meine Augen nicht erreichte und wollte an ihnen vorbei durch den Gang laufen, doch sie stellten sich in meinen Weg. Dachten sie wirklich, sie konnten mich hier festhalten?

»Sie sind nicht befugt, sich außerhalb dieses Hauses aufzuhalten.«, sagte der andere der beiden steif und mit unbewegter Miene.

»Nicht befugt?«, wiederholte ich verächtlich und zog eine Augenbraue in die Höhe. Ich würde ganz sicher nicht zurück in mein Zimmer gehen und darauf warten, dass Caleb mich wieder belästigte.

»Ich gebe euch eine Chance, mich jetzt gehen zu lassen. Erzählt Caleb, was ihr wollt. Sagt ihm, ich sei wieder durch das Fenster gesprungen, es kümmert mich nicht.«

Ich wartete nicht auf ihre Antwort, sondern drängte mich an ihnen vorbei. Der eine trat hastig einen Schritt zur Seite, als sei eine Berührung mit meiner bloßen Haut tödlich. Der andere jedoch griff nach meinem Handgelenk, um mich aufzuhalten.

Ich war selbst erstaunt über die plötzliche Hitze, die sich in meinem Körper ausbreitete, die Wut, die über mich hereinbrach und der Mann wich schreiend zurück, hielt sich den Arm.

Das, was von dem Arm übrig geblieben war. Außer Knochen war es nicht sonderlich viel.

Der andere Mann begann zu zittern, wich noch weiter vor mir zurück.

»Ich… ich will sie nicht aufhalten. Aber… aber ich… ich habe meine Befehle.«, stotterte er und hob abwehrend die Hände.

»Hätte ich ein wenig Geld und eine Mitfahrgelegenheit, würde ich mir vielleicht überlegen, dich nicht sofort zu töten.«, erwiderte ich ungerührt und wunderte mich selbst über meinen kalten Tonfall. Das Versprechen in den Worten, die mir viel zu einfach über die Lippen gekommen waren.

Ohne zu zögern griff er mit zitternden Fingern in seine Hosentasche, zog seinen Geldbeutel hervor, gab mir sämtliche Geldscheine, die sich darin befanden.

»Vor dem Haus wartet ein Wagen. Er wird Sie bringen, wohin auch immer sie möchten. Einen schönen Abend wünsche ich Ihnen.«

Ich nahm das Geld lächelnd entgegen, nickte ihm einmal zu und ging Richtung Eingangstür, ohne mich noch einmal umzudrehen.

Vor der Haustür wartete tatsächlich ein schwarzer SUV, ein Mann in Anzug öffnete mir die Tür, nickte mir knapp zu.

»Miss Trembley, wohin darf ich Sie bringen?«

»Zur Mission Island.«

Die Mission Island war eine größere Insel auf dem Lake Superior, nur über eine einzige Brücke befahrbar. Für Außenstehende, die nicht aus Thunder Bay oder der Umgebung stammten oder die sich nie wirklich mit der Stadt auseinandergesetzt hatten, war es ein unbedeutender Fleck. Dort fand man nichts außer einem Anlegeplatz für Boote und ein paar Lagerhallen.

Was viele jedoch nicht wussten war, dass vor ein paar Jahren ein Club in einer solchen Lagerhalle geöffnet worden war. Ich war einmal mit Adrian dort gewesen, hatte mich in dem engen Raum, bis zum Bersten gefüllt mit Menschen, nie wirklich wohl gefühlt.

Doch es war der einzige Ort der mir einfiel, um die Schatten fern zu halten.

Es war genauso voll, wie ich es in Erinnerung hatte. Gedimmte Neonröhren tauchten die rissigen Betonwände in ein irisierendes Licht. Scheinwerfer warfen bunte Licher über die Gäste, die sich im Takt der lauten Musik bewegten. An den Wänden waren hohe Tische und Sitzecken aus dunklem Leder in regelmäßigen Abständen eingebaut worden. Der Türsteher hatte mich einmal von oben bis unten gemustert und dann mit einem leichten Schmunzeln eingelassen.

Nun ließ ich mich vollkommen von der Musik und den Menschen um mich herum forttragen. Irgendwie landete ich an der Bar, der Barkeeper warf mir ein umwerfendes Lächeln zu, das durch die Atmosphäre tausendfach verstärkt wurde. Ich unterdrückte die aufkommenden Erinnerungen an den Abend in der heruntergekommenen Kneipe und die Ereignisse, die darauf gefolgt waren. Mein Herzschlag passte sich dem Takt der Musik an, als ich einen Shot nach dem nächsten hinunterkippte. Der Barkeeper verlangte kein Geld von mir, schien zufrieden mit meiner Anwesenheit, doch er sagte kein Wort.

Wahrscheinlich hätten wir einander sowieso nicht verstanden.

Meine Sicht verschwamm, die Lichter um mich herum wurden zu einem einzigen Wirbel aus Farben und als sich eine warme Hand auf meine Hüfte legte und mich in die Menge zog, ließ ich es bereitwillig geschehen.

Die Hand gehörte zu einem Mann mit kinnlangen, blonden Haaren, die sich an den Enden kräuselten und grünen Augen, die so strahlend waren, dass sie die gesamte Umwelt in den Schatten stellten.

Strahlend grüne Augen. Dicke, schwarze Locken. Tätowierungen, die sich über muskulöse Arme winden.

Gewaltsam unterdrückte ich den Drang, mich aus der Umarmung des Mannes zu winden und ließ stattdessen eine Hand in seinen Nacken wandern. Er nannte mir seinen

Namen, ich vergaß ihn in dem Moment, in dem ich ihn hörte. Doch Namen waren nicht nötig, Worte waren nicht nötig. Ich ließ mich vollkommen in den Moment fallen, hieß die Taubheit meines Körpers willkommen, als seine Lippen federleicht über die Haut an meinem Hals fuhren.

An der Tür erklangen laute, wütende Stimmen. Eine von ihnen war mir wohlbekannt. Doch ich schaute nicht auf, schmiegte mich weiterhin eng an die Brust des namenlosen Mannes und lächelte stumm über Calebs Wut, als der Türsteher ihn wegen der Lügen aussperrte, die ich über ihn verbreitet hatte.

Als die Stimmen draußen verstummten, die Musik wieder alles übertönte, drehte ich mich in seinen Armen, sah zu ihm auf.

»Ich finde, wir sollten von hier verschwinden.«

Und obwohl ich mir nicht sicher war, ob er mich verstanden hatte, funkelte in seinen Augen das gleiche dunkle Versprechen, dass ich auch in meinen schimmern ließ.

26

Nelio

Meine Eltern hatten mir den Club auf der Mission Island gekauft, bevor ich all ihre Erwartungen enttäuscht hatte. Nach dem Streit mit Caleb hatte ich verzweifelt versucht, wieder zur Normalität zurückzufinden, irgendeine Beschäftigung zu finden, die mich ablenkte.

Ich hatte es nicht geschafft.

Und heute Abend hatte ich dem Drang nachgegeben und war hierher gefahren, um eine alte Freundin zu treffen.

Amara saß mir gegenüber auf einem schwarzen Ledersofa, ein Glas Schnaps in der Hand und den gelangweilten Blick auf die Menge unter uns gerichtet. Das war eine der ersten Veränderungen gewesen, die ich hier vorgenommen hatte. Ich hatte einen Platz für mich selbst gewollt, einen Ort, an den ich mich zurückziehen und trotzdem präsent sein konnte. Also hatte Amara eine Brücke hoch über der Tanzfläche errichten lassen, ausgestattet mit Sitzgelegenheiten und viel Alkohol. Gedankenverloren musterte ich ihre dunklen, glatten Haare und Augen, das weiße Kleid, das sich an ihren Körper schmiegte und die dunklen Tätowierungen, die sich um ihre Arme wanden. Die vielen Goldketten an ihrem Hals und ihren Ohren. Amara hatte keine Fragen gestellt, hatte nicht wissen wollen, warum ich mehrere Monate weg gewesen und mich nicht um den Club gekümmert hatte. Sie hatte ihn einfach für mich übernommen und mich wieder herzlich willkommen geheißen, als ich heute Abend hier aufgetaucht war.

Amaras Blick traf meinen eine Sekunde, huschte dann wieder in die Menge, als hielte sie nach einer bestimmten Person Ausschau.

»Hier ist vorhin ein Mädchen reingekommen. Neben der Tatsache, dass Luc ihr alle Drinks gezahlt hat, bis sie kaum mehr stehen konnte, hat sie meine Aufmerksamkeit erregt. Sie wirkte *interessant.*«, beantwortete sie meine unausgesprochene Frage.

Amara sagte immer direkt, was ihr durch den Kopf ging. Einer der Gründe, warum sie mir so wichtig geworden war, warum ich nicht einmal überrascht gewesen war als sie mir von ihrer Präferenz gegenüber Frauen erzählt hatte. Ich nahm einen tiefen Schluck meines Whiskeys, als sich ein kleines Lächeln auf ihre Lippen stahl und sie mit dem Kopf auf die Menschen unter uns wies. Ich drehte mich langsam um, folgte ihrem Blick.

Und erstarrte.

Sie hatte sich eingeschlossen, hatte tagelang nichts gegessen, war sogar zu schwach gewesen, alleine aus ihrer Dusche zu steigen. Es konnte nicht sein.

Und dennoch beobachtete ich Carietta, die eng umschlungen mit einem mir unbekannten Mann tanzte, ihre wilden roten Locken und das viel zu kurze silberne Kleid stachen deutlich aus der Menge hervor.

Sie war hier. Betrunken. Mit jemand anderem. Und sie schien sich prächtig zu amüsieren.

Ich wusste nicht, warum es mich störte. Ich sollte glücklich sein, darüber, dass sie sich endlich wieder hinaus in die Welt, ins Leben gewagt hatte. Doch irgendetwas an der Art wie sie sich bewegte, wie ihr Lächeln ihre Augen nicht erreichte und ihr Kleid an so vielen Stellen zu locker an ihrem zu dünnen Körper herabhing, machte mich wütend.

Unglaublich wütend.

»Hey, ganz ruhig. Du siehst aus, als würdest du den Typen, der bei ihr ist, am liebsten umbringen wollen.«, scherzte Amara, doch ich drehte mich nicht zu ihr um. Beobachtete mit versteinerter Miene, wie der Mann ihren Hals küsste, wie sie sich in diese Berührung schmiegte, es zu genießen schien.

»Kennst du sie?«

Kennen war das falsche Wort. Ich hatte die Leere in ihren Augen gesehen, den Schmerz in ihrem Gesicht und das pure Grauen, als Caleb ihr Vertrauen missbraucht und ihren besten Freund sterben lassen hatte. Ich hatte sie aus ihrer Dusche getragen, ihre Haut viel zu kalt an meiner und so lange an ihrem Bett gesessen, bis sie ruhig geschlafen und sich wieder einigermaßen aufgewärmt hatte. Ich hatte ihren Vater ermordet. Ich hatte sie gefoltert. Ich hatte ihr Leben zerstört.

Doch ich erzählte Amara nichts davon. Stattdessen sagte ich: »Das kann man so sagen. Sie… *wohnt* bei uns.«

Eine Mischung aus Verwunderung und Ekel bei der indirekten Erwähnung von Caleb spiegelten sich auf ihrem Gesicht, als ich mich schließlich wieder zu ihr umdrehte.

»Also habt ihr endlich beschlossen auszuziehen? Ich habe so lange auf diesen Tag gewartet. Wurde langsam mal Zeit, dass ihr auf eigenen Beinen steht. Aber eine WG? Ich dachte, ihr habt genug Geld, um euch einzelne Wohnungen zu kaufen?«

Ich bemerkte meinen Fehler zu spät. Jetzt hatte ich ihre Neugierde erstrecht geweckt.

»So ist es nicht. Es… es… ist kompliziert.«, stieß ich hervor und stellte das Glas auf den Tisch vor mir. Fuhr mir mit der Hand über das Gesicht, durch die Haare.

»Wow. Ich glaube, ich habe dich noch nie so aufgewühlt gesehen. Bist du etwa *eifersüchtig*?« ,fragte sie fassungslos und starrte mich mit aufgerissenen Augen an.

»Gott, nein! Sie ist die Freundin von Caleb, *war* seine Freundin.«, stellte ich klar und wandte mich ab, beobachtete Carietta.

»Was ist passiert? Rosenkrieg?«

»Wenn es nur das wäre.«, murmelte ich und erstarrte, als sie eine Hand auf meinen Oberarm legte. Widerwillig drehte ich mich zu ihr um.

»Ich weiß, dass ich nicht in deine Privatsphäre eindringen soll. Aber du sagst mir jetzt, was zum Teufel mit dir los ist. Du kommst plötzlich hier an, nachdem dich niemand gesehen hat - *monatelang*. Und dann bist du verschlossener, als ich dich jemals erlebt habe, nimmst dir den teuersten Whisky, den wir hier haben und trinkst die *ganze Flasche* innerhalb von zwanzig Minuten. Und jetzt das mit ihr. Was. Ist. Los?«

Natürlich war es ihr aufgefallen. Amara war eine extrem gute Beobachterin, ihren Augen entging nichts. Ich seufzte tief, drehte mich erneut zu ihr um, musterte ihr Gesicht, die Augen vertrauenswürdig und warm.

»Du würdest mir kein Wort glauben.«

»Versuch zumindest, es mir zu erklären. Ich wäre nicht deine beste Freundin, wenn du nicht über alles mit mir reden könntest. Auch wenn es verrückte Fantasien sind.«

Die Art wie sie *beste Freundin* aussprach, ließ den Kloß in meinem Hals schwinden, die Zweifel wurden kleiner. Ich holte tief Luft.

Und erzählte ihr alles, was in den vergangenen Monaten passiert war.

Lange Zeit blieb Amara still sitzen, analysierte jede Bewegung, die ich machte, jedes Wort, das ich gesagt hatte. Schließlich holte sie tief Luft.

»Eigentlich sollte ich dich in eine Psychiatrie einweisen und nie wieder raus lassen. Aber ein kleiner Teil von mir - ein sehr verrückter - glaubt dir. Wenn das alles wirklich so passiert ist, wie du behauptest, verstehe ich nicht, warum sie bei euch bleibt.«

»Sie hat kein Geld, keine Verwandten. Ich glaube, es würde ihr nichts ausmachen auf der Straße zu leben, aber sie hat noch eine Rechnung mit Caleb offen. Vielleicht hat sie es selbst noch nicht realisiert, aber sie wird Rache nehmen wollen. Nicht nur an ihm, sondern an uns beiden. Und wenn dieser Tag kommt musst du mir versprechen, nicht hier in der Stadt zu sein.«, forderte ich und Amara stieß ein abfälliges Lachen aus. Als ich nicht mit einstimmte, brach sie abrupt ab, sah mich stumm an.

»Du meinst das wirklich ernst?«, fragte sie fassungslos.

»Todernst. Wenn sie ihre Kräfte unter Kontrolle bekommt, das Bedürfnis nach Rache ausbricht, dann…«, setzte ich an, doch über das Dröhnen der Musik hörte man laute Männerstimmen von außerhalb des Eingangs. Eine Sekunde später klingelte mein Handy.

»Ihr Bruder ist hier. Er will in den Club.«, ertönte die tiefe Stimme des Türstehers am anderen Ende der Leitung.

»Dann lass ihn rein. Sag ihm, er soll sich von den Mädchen fern halten und sich lieber um das kümmern, das sich zu Hause in seinem Zimmer eingeschlossen hat.«

»Das würde ich sehr gerne aber...«, es war Fluchen und dann ein lautes Keuchen zu hören, »ich glaube, Sie sollten herkommen.«

Ich legte auf, warf Amara einen einzigen Blick zu und gemeinsam gingen wir zum Eingang des Clubs.

Draußen hatte sich eine lange Schlange gebildet, Menschen traten in der Kälte der Nacht unruhig von einem Fuß auf den anderen. Als sie Amara und mich erblickten, hatten jedoch alle entweder ein Lächeln oder ein kurzes Winken übrig. Wir waren bekannt in Thunder Bay. Am Anfang der Schlange, direkt vor dem Eingang, stand ein wütend aussehender Türsteher und neben ihm kniete Caleb, eine Hand auf den Bauch gepresst. Ich zwang mich, meinem Gesicht jeglichen Ausdruck zu nehmen, meine Stimme kalt und distanziert, arrogant klingen zu lassen, als ich schließlich mit den beiden sprach. *Ich würde Caleb keine Angriffsfläche bieten.*

»Die Leute warten. Was für ein Problem gibt es hier?«

»Ich will doch nur in deinen verdammten Club! Und dann hat er mich einfach geschlagen! Cari ist da drin.«, brauste Caleb auf und warf dem Türsteher einen wütenden Blick zu.

»Du meinst das Mädchen, dem du hinterher läufst wie ein treuer Hund?«, warf der Türsteher ihm entgegen und musterte Caleb mit kalter Berechnung, Abscheu.

»Sie hat mir ganz genau erzählt was du getan hast. Sie wusste, dass du herkommen würdest. Verschwinde, bevor ich die Polizei rufe.«

Einen Moment drohte meine Maske zusammenzufallen. Was hatte Carietta ihm über Caleb erzählt, dass den Türsteher so schnell so wütend gemacht hatte?

»Aber aber. Das ist doch kein Grund, hier alle Gäste aufzuhalten. Sag deinem Kollegen er soll für dich übernehmen und wir klären das an einem anderen Ort.«, fuhr ich betont ruhig dazwischen und bei dem Funkeln in Calebs Augen musste ich Schmunzeln.

Der Türsteher bellte etwas in sein Telefon, packte Caleb am Kragen und folgte Amara und mir zu der Backsteinwand des Nachbarhauses.

»Was genau hat dir das Mädchen denn erzählt?«, fragte Amara und musterte die beiden abfällig. Auch sie hatte ihre Maske aus kalter Arroganz über die Jahre perfektioniert.

»Er ist ihr Stalker. Er hat versucht, sie zu entführen. Sie wusste, dass er ihr heute Abend hierher folgen würde und hat mich gebeten, ihn aufzuhalten, falls er versuchen sollte, in den Club zu kommen. Ich würde die Wünsche eines unschuldigen Mädchens niemals ignorieren!«, erklärte der

Türsteher aufgebracht und ließ Calebs Kragen los, stieß ihn förmlich von sich.

Bei seinen Worten konnte ich mich gerade noch davon abhalten, laut aufzulachen. Caleb, ihr Stalker? Ich wechselte einen Blick mit Amara, auch sie hatte die Lüge sofort durchschaut. Ich dachte ein paar Minuten stumm nach, musterte Cal, der stur geradeaus blickte und sich weigerte, mich anzusehen. Er hatte gewollt, das Carietta sich wieder im normalen Leben einfand, wieder Spaß hatte. Anscheinend passte es ihm nicht, dass sie diesen Spaß *ohne* ihn hatte. Meine Worte waren sorgfältig gewählt, als ich mich schließlich vor ihn kniete und ihn belustigt anfunkelte. Ich ließ ihn die Wahrheit in meinen Augen sehen, ließ ihn sehen, dass ich Caris Lüge ebenfalls durchschaut hatte. Erleichterung durchflutete seine Züge.

»So sehr ich dich auch schätze, Bruder. Er hat recht. Wie könnte man die Wünsche eines unschuldigen Mädchens ignorieren?«

Sein Gesicht verzerrte sich vor Wut, doch ich würdigte ihn keines Blickes mehr, erhob mich und bot Amara meinen Arm an. Sie nahm ihn ohne zu zögern.

»Schick ihn weg. Wenn er noch einmal wiederkommt, kannst du die Polizei rufen.«

Ich suchte die Menge nach dem vertrauten Lockenschopf ab, dem auffälligen Kleid, doch Carietta war verschwunden.

Genauso wie der blondhaarige Typ. Stattdessen entdeckte ich Amara von meinem erhöhten Standpunkt aus, die an der Bar stand und mit Luc, dem Barkeeper, über Cari redete, während er ihr einen tiefrot schimmernden Cocktail in die Hand drückte. Als sie wieder bei mir ankam, hatte ich die zweite Flasche Whisky zur Hälfte geleert.

»Ich hatte ganz vergessen, wie viel du verträgst.«, murmelte sie, warf meinem leeren Glas einen skeptischen Blick zu und ließ sich gegenüber von mir auf das Sofa sinken.

»Ganz schön clever von ihr, Caleb so draußen zu halten.«

»Hast du rausgefunden, wo sie ist?«, fragte ich und ignorierte ihre Sticheleien. Ihre Miene wurde ausdruckslos, als sie hinunter zu Luc und der Bar blickte.

»Er hat gesehen wie sie mit dem blonden Typen hier rausgegangen ist. War ziemlich enttäuscht.«, erwiderte sie leise und richtete den Blick wieder auf mich.

Ich konnte mir die Wut und das andere stechende Gefühl nicht erklären, die sich in mir ausbreiteten, sprang blind auf und wollte ihr folgen oder mit Luc ein ernstes Wörtchen reden, doch Amara hielt mich zurück, sah mich eindringlich an.

»Wenn du ihr folgst und das kaputt machst, was sie sich heute Abend aufgebaut hat, machst du alles nur noch schlimmer. Jeder hat seinen Weg, mit Schmerz umzugehen. Calebs Weg ist pure Gewalt, deiner sind die«, sie deutete auf die Tätowierungen auf meinen Armen, »und vielleicht ist das hier ihr Weg. Gib ihr Zeit, sich zurechtzufinden, sonst verschreckst du sie nur.«

Ich schüttelte ihre Hand ab, blieb aber stehen. Sie hatte recht, *natürlich* hatte sie recht. In Caris Augen war ich noch immer das Monster, dass zwei der Menschen, die sie am meisten auf der Welt geliebt hatte, umgebracht hatte. Vielleicht würde ich in ihren Augen immer dieses Monster sein. Amara schien meine Gedanken lesen zu können, erhob sich neben mir, trank ihren Cocktail in einem Zug aus und verkündete: »Ich weiß was wir jetzt machen!«

Als sie nach meiner Hand griff und mich aus dem Club in die Nacht zog, folgte ich ihr, ohne zu zögern.

In dem Tattoostudio waren wir die einzige Gäste. Der Tätowierer kannte uns gut, so oft wie wir schon hier gewesen waren. Über die Jahre war es zu einer Tradition zwischen uns geworden, uns bestimmte Dinge auf der Haut verewigen zu lassen. In erster Linie waren es schlechte Entscheidungen, Dinge, die uns Schmerz und Trauer beschert hatten. Doch auch schöne Erinnerungen, die einen besonderen Platz verdienten, ließen wir uns tätowieren. Ich war als erster dran, legte mich bereitwillig vor den Tätowierer, der damit begann, meine noch nackte Brust mit Wirbeln und Buchstaben alter Alphabete und Sprachen ausgestorbener Kulturen zu füllen, wie es immer schon der Fall gewesen war.

Nur die Geschichten, die er verewigte, waren dieses Mal andere.

Das hier war ihre Geschichte. Cariettas Geschichte, die Wirbel für Wirbel in meine Haut gestochen wurde.

Ein Mädchen mit Licht in den Augen und Hoffnung im Herzen, gebrandmarkt von einer erbarmungslosen Welt.

Ein Unfall, der ihr Leben für immer veränderte.

Eine Liebe, an der sie zerbrach.

Zwei Leben, gefordert durch die Hand eines Verräters.

Eine Entscheidung, die alles veränderte.

Eine Entscheidung, die falsch getroffen worden war.

Das schwindende Licht, die sterbende Hoffnung im Herzen dieses Mädchens, das unter der Last ihrer Erinnerungen zusammenbrach..

Ich konnte ihre Geschichte hier nicht enden lassen. Sie *durfte* unter dieser Last nicht endgültig zusammenbrechen, dieser winzige Funken Hoffnung, den ich heute Abend in ihren Augen gesehen hatte, er durfte nicht sterben. Und deshalb spann ich die Geschichte weiter, schenkte ihr ein glückliches Ende.

Doch das Mädchen war stärker als die Dinge, die sie zu sich riefen. Sie überzeugen wollten, in den Abgrund zurückzuspringen.

Stattdessen kletterte sie, immer höher.

Bis zu dem Gipfel, auf dem sie ihr Licht wiederfand.

Der Tätowierer beendete seine Arbeit, Amara beugte sich über seine Schulter um das Kunstwerk auf meiner Brust zu begutachten, das er geschaffen hatte. In ihren Augen schimmerten Tränen.

Ich wollte sie darauf ansprechen, doch sie wedelte ungeduldig mit einer Hand um mir zu signalisieren, dass sie jetzt dran war. Widerwillig erhob ich mich, ließ sie an meine Stelle treten, doch als ich zusehen wollte, scheuchte sie mich weg.

»Es soll eine Überraschung werden.«, sagte sie nur und dann wurde mir die Tür vor der Nase zugeknallt.

Als sie schließlich fertig war und sich die Tür wieder öffnete, zog ich erwartend die Augenbrauen in die Höhe. Sie seufzte theatralisch und zog den Kragen ihres Kleides nach unten. Auf ihrem Schlüsselbein prangte ein neues Tattoo. Filigrane Linien aus längst vergessenen Sprachen wanden sich ineinander, aneinander vorbei und schimmerten auf ihrer dunklen Haut.

Ein Junge, verloren in Schatten und Finsternis.

Zurückgekehrt nach langer Zeit.

Mit Licht in den Augen und Hoffnung im Herzen bei ihrem Anblick.

Schenkte mir neuen Mut in dunkler Stunde.

Dieses Mal war sie es, die die Tränen in meinen Augen schimmern sah.

»Es ist schön, dass du wieder da bist.«

27

Carietta

Es war weit nach Mitternacht und ich war noch immer betrunken. Der Atem des Mannes neben mir, dessen Name mir immer noch nicht eingefallen war, ging ruhig und stetig. Ich spürte seine Berührungen noch immer auf meinem ganzen Körper. Er war zart gewesen, zurückhaltend. Und das hatte mich schmerzlich an Caleb erinnert. Sein Gesicht hatte ich jedoch erfolgreich verdrängt. Das Gesicht mit den grünen Augen und dunklen Locken hingegen war eindeutig schwerer zu vergessen gewesen.

Da ich sowieso keinen Schlaf mehr bekommen würde, weder heute Nacht noch sonst irgendwann, befreite ich mich vorsichtig aus seinen Armen und den Decken, zog mein Kleid wieder an und verließ die kleine Wohnung im Herzen Thunder Bays.

Die Nacht war angenehm, eine warme Brise wehte durch die Straßen. Die ersten Vorboten des Sommers. Ich war barfuß, da die hohen Absätze in der Stille der Nacht eindeutig zu laut gewesen wären. Die Taubheit, die durch den Alkohol hervorgerufen wurde verhinderte, dass ich die kleinen Steinchen spürte, die in meine Fußsohlen stachen.

Die Straßen waren menschenleer, nur an einer Ecke in einiger Entfernung erkannte ich ein paar Gestalten, die in den Schatten lungerten. Es gab keinen anderen Weg, ich musste an ihnen vorbei, um zurück zu Calebs Haus zu kommen.

Unauffällig drehte ich die Absatzschuhe so, dass ich damit im Notfall jemanden erstechen könnte. *Zwischen diesen Dingern und Dolchen gab es keinen großen Unterschied*, erzählte ich mir selbst immer wieder, als ich näher auf die Gruppe an Männern zulief, wie mir bei genauerem Hinsehen auffiel.

Es waren ältere Männer, alle mindestens in ihren Fünfzigern, die mich nur flüchtig musterten und sich dann wieder ihren Zigaretten widmeten. Ein seltsamer Geruch stieg mir in die Nase und ich erkannte mit einer Mischung aus Erleichterung und Belustigung, dass es keineswegs normale Zigaretten waren.

Diese Männer *rauchten Gras*.

»Willst du auch mal?«, fragte einer der Männer und erst in diesem Moment bemerkte ich, dass ich stehen geblieben war. In seinem Mund fehlten einige Zähne doch er brachte irgendwie ein Grinsen zustande. *Hier wurde eindeutig auch noch härteres Zeug als Marihuana konsumiert*, begriff ich nur Sekunden später.

»Danke aber ich muss zurück nach Hause.«, wich ich ungeschickt aus und verfluchte meine eigene Wortwahl. Ich klang wie ein verdammtes kleines Mädchen. Doch die Männer nickten nur, wandten sich von mir ab.

Verwundert ließ ich sie hinter mir und setzte meinen Weg fort.

»Stalker?«

»Wie oft muss ich es noch wiederholen? Es war eine billige Ausrede! Mir ist nichts Besseres eingefallen!«

»Du hättest dieses Haus nicht einmal alleine verlassen sollen!«

Ich hatte in der Nacht tatsächlich keinen Schlaf mehr gefunden, sondern hatte mich umgezogen und auf den Balkon gesetzt, dessen Türen nicht mehr verschlossen gewesen waren. Anscheinend hatte Caleb verstanden, dass er mich nicht gefangen halten konnte. Am nächsten Morgen hatte ich kaum Zeit gehabt zu duschen und ein Glas Wasser gegen meinen Kater zu trinken, da war Caleb auch schon in mein Zimmer gestürmt und hatte mich zur Rede gestellt.

»Du kannst mich nicht hier einsperren, als wäre ich dein Haustier!«, warf ich ihm entgegen und schob mich an ihm vorbei aus meinem Zimmer.

Er folgte mir.

»Vermutlich lässt er mich nie wieder in den Club wegen der Lügen, die du verbreitet hast!«

»Dann kannst du mich wenigstens nicht mehr mit deiner Anwesenheit belästigen!«

Ich hatte gar nicht so viel sagen wollen, doch die Kopfschmerzen und der Druck in meinen Adern, der über die Nacht zurückgekehrt war, machten jedes laute Geräusch unerträglich.

»Wie war sein Name?«

Die Frage warf mich vollkommen aus der Bahn. Hatte er mich und den blonden Typen gehen sehen? Unmöglich. Wir waren durch den Hinterausgang verschwunden. Doch dann folgte ich seinem Blick, der auf meinen Hals gerichtet war. Auf die Erinnerungen an die Nacht, über die ich heute Morgen noch geschmunzelt hatte.

Ich schwieg.

»Du kannst dich nicht einmal an seinen Namen erinnern?«, spottete er und ich hatte größte Mühe, ihn nicht auf der Stelle umzubringen.

»Störe ich?«, ertönte eine vertraute Stimme hinter mir und ich fuhr herum. Nelio stand im Gang, den arroganten Blick auf die dunklen Flecken an meinem Hals geheftet.

»Ich muss noch was erledigen.«, knurrte Caleb hinter mir und ich wagte es nicht, mich noch einmal umzudrehen, als er den Gang entlanglief und seine Zimmertür mit genug Wucht zuschlug, dass die Fensterscheiben klirrten.

»Wie es scheint hattest du heute Nacht deinen Spaß.«

Belustigung blitzte in seinen Augen und ich verdrehte meine, machte auf dem Absatz kehrt.

»Ich wollte mir das Trainingsstudio anschauen, vielleicht ein wenig mit den Messern üben.«, log ich und Nelio hinter mir lachte.

»Erstens: Das Studio liegt in der anderen Richtung. Zweitens: welch ein Zufall, dass ich auch dorthin wollte, bevor ich von eurem kleinen Kampf gestört wurde.«

»Danke. Aber ich glaube, ich schaff' das ganz gut allein.«, erwiderte ich, drückte mich an ihm vorbei und machte mich auf den Weg in das Trainingsstudio.

Nelio folgte mir.

So ging es Woche für Woche weiter. Ich trainierte den ganzen Tag in dem geräumigen Studio im Keller, in dem alle möglichen Waffen gelagert wurden, bis ich das Werfen mit Dolchen wieder bestens beherrschte und sogar blind das Ziel traf. Auch im Umgang mit meiner Kraft wurde ich besser und lernte, sie zu kontrollieren. Wie oft ich sie in meinem Kopf angeschrien hatte, mir zu gehorchen, würde ich niemals irgendwem erzählen. Irgendwann hatte ich auch angefangen, mit Nelio zu trainieren. Er gab ein gutes Ziel ab, war gleichzeitig aber auch ein ausgezeichneter Gegner. Unsere Kämpfe ähnelten Tänzen und ich lernte seine Bewegungen kennen. Wie er den Fuß leicht versetzte, bevor er zuschlug. Wie er den Kopf leicht neigte, um Entfernungen besser abschätzen zu können, bevor er einen Dolch warf. Caleb hatte ich seit unserem letzten Streit kein einziges Mal mehr gesehen. Ich versuchte auch, es dringend zu vermeiden.

Abends, wenn ich allein und erschöpft in meinem Zimmer saß, kamen die Schatten zurück, drohten mit dunklen Versprechen und Erinnerungen, trieben mich jede Nacht aufs Neue nach draußen. Die Wachen vor meiner Tür hatten sich daran gewöhnt, mich gehen zu lassen. Steckten mir sogar Geld zu, damit ich in dem Club auf Mission Island etwas trinken konnte. In dem Club, den ich ausnahmslos jeden Abend besuchte. Ich hatte über die Wochen herausgefunden, dass der Club ihm gehörte, doch ich sah ihn nie wenn ich dort war. Dennoch wusste ich, *fühlte* ich, dass Nelio mich beobachtete. Jeden Abend versank ich erneut im Alkohol, fand einen neuen Mann, dessen Namen ich mir nicht merken konnte. Und jede Nacht stahl ich mich aus seinem Bett und lief durch die dunklen Straßen zurück nach Hause. Nach zwei Wochen hatte ich absichtlich angefangen, die Strecke zu nehmen, die an den Männern vorbeiführte, die jeden Abend eine andere Droge zu probieren schienen. Ich lehnte jedes ihrer Angebote ab, doch es tat gut zu wissen, dass es noch andere Menschen gab, die so verloren waren wie ich.

Auch diesen Abend war ich wieder im Club gewesen, hatte einen süßen Typen mit kurzen, dunklen Haaren und tiefbraunen Augen gefunden, der mich mit zu sich genommen hatte. Doch als ich dieses Mal nach Hause kam, wartete Caleb an der Tür, den ausdruckslosen Blick auf mich geheftet.

»Was ist denn dir passiert? Hast du einen Geist gesehen?«, fragte ich und verfluchte mein betrunkenes Gehirn für die dummen Worte. Caleb lachte nicht, lächelte nicht, sagte nichts außer: »Komm mit.«

Wortlos folgte ich ihm in das Haus, war dankbar dafür, dass ich meine Absatzschuhe gar nicht mehr angezogen hatte und nun barfuß hinter ihm herlief und wir erreichten schließlich sein Arbeitszimmer, in dem ich mich in einen schweren Ledersessel sinken ließ. Caleb schloss die Tür hinter uns und als er sich wieder zu mir umdrehte, glühte sein Blick vor Wut und Abscheu.

»Ich habe heute mit einem meiner Freunde telefoniert. Weißt du, wie sie dich jetzt nennen? *Die Hure von Thunder Bay.* Ja, dein   N a m e   u n d   d e i n e nächtlichen Aktivitäten haben sich herumgesprochen! Weißt du, was das für ein Licht auf mich wirft? Auf meine ganze Familie?«

Ich versuchte, den Kloß in meinem Hals zu ignorieren, der sich trotz der Tatsache bildete, dass Caleb wieder nur an sich selbst dachte.

»Du zwingst mich, hier zu bleiben.«, erwiderte ich kühl.

»Ich zwinge dich? Ich habe dich nie gezwungen! Ich habe es *versucht*, aber du hast immer einen Weg raus gefunden. Du hättest gehen und niemals wieder zurückkehren können.

Aber du bist zurückgekommen, jede einzelne Nacht. Niemand zwingt dich hier zu bleiben, Carietta. Wenn du hier bleiben willst, und davon gehe ich aus, dann hör auf dich *so* zu benehmen!«

»Wie benehme ich mich denn?«, fragte ich leise und verengte meine Augen zu Schlitzen. Legte jeden Funken Hass, den ich noch in mir hatte, in diesen Blick.

»Wie eine gottverdammte *Schlampe*. Wie ein bockiges Kind.«, antwortete Caleb ebenso leise und mit genug Gift in der Stimme, dass sich mein Herz zusammenzog.

Die Wahrheit in seinen Worten bildete einen Kloß in meinem Hals, schlug mir wie eine Faust in den Magen. All die Gefühle, die sich über die letzten Wochen langsam zurück zu mir getraut hatten, wurden wieder von dieser inneren Leere verschluckt, in meinen Ohren setzte ein Dröhnen ein.

Langsam erhob ich mich aus dem Sessel, trat auf Caleb zu, meine Absatzschuhe noch immer in der Hand. Ich ließ beide zu Boden fallen, genau auf seine Füße und ich wusste, dass es wehtat, obwohl er nicht einmal mit der Wimper zuckte.

»Wenn du mich so verachtest,«, stieß ich hervor, »dann sollte ich wirklich gehen.«

Seine Augen weiteten sich, als hätte er die Tragweite der Worte erst jetzt verstanden, doch ich ließ ihn stehen und verließ den Raum, das Haus.

Ging zu dem einzigen Ort, den einzigen Menschen, mit denen ich mich in letzter Zeit verbunden gefühlt hatte.

Sie saßen noch immer an die Wand gelehnt, halb in den Schatten verborgen, doch als sie mich erkannten, begrüßten sie mich herzlich. Das war in den letzten Wochen Normalität geworden.

»Schon wieder zurück?«, fragte einer von ihnen und zog eine Augenbraue in die Höhe.

»Anstrengende Nacht.«, gab ich zu und blieb schließlich vor ihnen stehen. Ich würde sie meine Tränen nicht sehen lassen. Würde niemanden sehen lassen, wie sehr mich Calebs Worte tatsächlich verletzt hatten.

Gottverdammte Schlampe.

Sie nennen dich die Hure von Thunder Bay.

So falsch lag er damit gar nicht.

»So geht es uns doch allen mal.«, beschwichtigte ein anderer und klopfte neben sich auf den Boden. Mit einem Seufzen ließ ich mich an der kühlen Wand nieder. Ein paar Minuten war es still, dann hielt mir der Mann einen Joint entgegen.

»Das hier macht es besser. Versprochen.«

Ich erinnerte mich an die vielen Nächte, in denen ich ihr Angebot abgelehnt hatte. Sicher, dass ich diese Grenze niemals überschreiten würde. Doch die heutige Nacht hatte mir die Augen geöffnet. Ich gehörte nicht zu Caleb oder Nelio oder zu irgendwem. Ich gehörte nicht in diesen Club, in dem mir nicht einmal mehr Luc die Getränke spendierte. Ich war eine Schlampe und saß genau dort, wo ich hingehörte.

Meine Eltern hatten mir immer eingebläut, niemals eine Hand an Drogen zu legen. *Auch wenn du es nur versuchen möchtest. Einmal damit angefangen, kannst du nie wieder aufhören.*

Doch meine Eltern lebten nicht mehr. Sie hatten mir gesagt, Drogen würden meine Zukunft zerstören, meine Chancen im Leben minimieren.

Ich war schon ganz unten angekommen, realisierte ich in diesem Moment. Saß mitten in der Nacht betrunken auf dem Boden neben wildfremden Männern, die mir einen Joint anboten. Menschen mit Perspektiven sollten sich von Drogen fern halten. Doch ich hatte keine Perspektiven mehr. Ich war eine gottverdammte Schlampe und an meinem Ende angekommen.

Also nahm ich den Joint entgegen. Rauchte und schnupfte, bis ich keinen klaren Gedanken mehr fassen und kein vollständiges Wort mehr formulieren konnte.

Hure von Thunder Bay.

Vielleicht würden ausreichend Drogen auch diese Beschimpfung aus meinem Gedächtnis brennen.

28

Carietta

*H*ure von Thunder Bay.

Gottverdammte Schlampe.

Jeder hat mal einen schlechten Tag.

Hier, das macht es besser.

Versprochen.

Die Drogen hatten mein Gedächtnis nicht ausgelöscht.

Als ich die Augen aufschlug, blickte ich in das Gesicht einer fremden Frau.

Sie war wunderschön.

Glatte, schwarze Haare, dunkle Augen, die ihren Goldschmuck deutlich hervorhoben. Dunkle Haut, zum Großteil von einem schwarzen Hosenanzug verdeckt. Sie musterte mich mit einer Mischung aus Besorgnis und Belustigung. Und Verständnis?

Ich versuchte, mich aufzusetzen, doch der Raum um mich herum begann sich zu drehen. Mir wurde schlecht.

»Bleib liegen. Es ist ein Wunder, dass du an der Menge an Drogen, die du zu dir genommen hast, nicht gestorben bist.«, verkündete sie und trat einen Schritt zurück, ging zum anderen Ende des Raums, in dem ich eine Küche vermutete. Plötzlich schoben sich grüne Augen in mein Blickfeld.

Hatte der Typ von meinem ersten Abend im Club mich gefunden? Komplett zugedröhnt und wahrscheinlich sogar bewusstlos?

Zu den grünen Augen gesellten sich dunkle Locken, hohe Wangenknochen. Nicht der Typ aus dem Club.

Nelio.

Er half mir, mich langsam in einem riesigen Himmelbett aufzusetzen. Skeptisch begutachtete ich den Raum. Es war auf jeden Fall nicht mein Zimmer. Hohe Decken, helle Dielen, die zu bodentiefen Fenstern führten, die einen atemberaubenden Ausblick über den See boten. Auf jeder freien Fläche befanden sich Pflanzen in allen Farben und Formen und der Großteil des Bodens war mit schweren Teppichen bedeckt. Die Frau war tatsächlich zu einer weißen Küchenzeile gegangen, goss eine bernsteinfarbene Flüssigkeit in ein breites Glas. Whisky. Außer einem Esstisch, einem Sofa und einer weiteren Tür, die vermutlich ins Badezimmer führte, war in der Wohnung nichts anderes vorhanden. Kein Fernseher, nicht einmal ein Kleiderschrank. Mein Blick glitt zurück zu Nelio, der mich leicht kopfschüttelnd musterte.

»Was hast du dir nur dabei gedacht.«, murmelte er und ging ebenfalls in die Küche, schenkte sich ein Glas Wasser ein, während er mich weiterhin aufmerksam musterte.

»Du musst mir versprechen…«, fing er an, doch die Frau legte ihm warnend eine Hand auf den Arm. Sein Blick fand ihren und sie schienen sich stumm zu verständigen. Nelio seufzte genervt.

»Ich weiß, ich weiß. Aber ich kann sie sich doch nicht einfach selbst zerstören lassen!«

»*Ihr* Weg. Erinnerst du dich?«, erwiderte sie beschwichtigend, nahm ihm das Glas aus der Hand und ging damit zu mir, setzte sich auf die Bettkante.

»Ich bin Amara und du hast gestern die mit Abstand größte Menge Drogen zu dir genommen, die ich jemals in meinem Leben gesehen habe. Einer deiner *Freunde* hat uns detailliert aufgelistet, was er dir alles gegeben hat, nachdem Nelio ihn fast totgeprügelt hat. Es ist ein Wunder, dass du noch lebst, geschweige denn gerade sitzen kannst.«

Sie drückte mir das Glas in die Hand und ich nahm es dankbar entgegen. Trank mit zitternden Fingern ein paar Schlucke. Versuchte zu ignorieren, was Amara gerade über Nelio preisgegeben hatte. *Er hatte fast jemanden totgeprügelt?*

»Ich muss zugeben, dass ich deutlich mehr von dir erwartet habe. Bei deinem Ruf.«

Das Glas rutschte mir beinahe aus der Hand, mein Mund trocknete aus. Caleb hatte also die Wahrheit gesagt. Auch Nelio, der ein paar Schritte entfernt stand, erstarrte. Und dabei hatte ich doch so verzweifelt versucht, es zu vergessen.

»Was für ein Ruf?«, fragte er scharf und ich musste den Blick abwenden. Warum war es mir so peinlich, dass dieses Thema vor ihm zur Sprache kam?

»Du hast es wirklich nicht mitbekommen? Sie ist mittlerweile bekannt als die *Hure von Thunder Bay*.«

»Ich… das… das ist nicht wahr.«, flüsterte Nelio kaum hörbar und griff mit einer Hand nach einem Schrank neben sich, musste sich daran festhalten. Ich hatte ihn noch nie so wütend gesehen. Warum nahm in diese Situation auch so mit?

»Natürlich ist es nicht wahr. Caleb ist ein Arschloch. Wahrscheinlich hat er die Gerüchte selbst in die Welt gesetzt um sie zurückzubekommen.«, warf Amara unbeeindruckt ein und wandte sich Nelio zu, den ihre Aussage nicht zu beruhigen schien.

»Natürlich ist es wahr.«, flüsterte ich und senkte den Kopf erneut.

»Ich habe mit jedem erstbesten Typen geschlafen, der vor meinen Augen herumgelaufen ist. Caleb hat recht.«

Ich gab Amara das Glas zurück, kümmerte mich nicht um die Frage, wer sie überhaupt war, warum ich hier aufgewacht und wie ich überhaupt hierher gekommen war, warum auch Nelio hier war und warum meine Aussage ihn dermaßen zu verletzen schien. Stattdessen schlug ich die Decken zurück, erhob mich mit erstaunlich stabilen Beinen.

»Er hat mit allem recht. Ich verdiene, was man über mich sagt und ich verdiene, was mir passiert ist. Sei es gestern oder überhaupt.«, erklärte ich steif und versuchte, meinen Worten zu glauben.

Der schmerzliche Ausdruck in Nelios Augen wurde immer stärker, beunruhigte mich.

»Ich denke es ist besser, wenn ich jetzt gehe.«

Amara zuckte nur mit den Achseln, erhob sich ebenfalls und stellte das Glas wieder auf die Küchenoberfläche, bevor sie zu der verschlossenen Tür neben der Fensterfront ging.

»Nur zu.«, verkündete sie und deutete auf eine Tür, die mir erst jetzt auffiel. Sie befand sich nur wenige Meter neben dem Bett und führte vermutlich aus der Wohnung.

Ich weigerte mich, sie oder Nelio noch einmal anzusehen, als ich mich umdrehte und auf die Tür zulief, mich nicht dafür interessierte, wie ich aussah. Bildete ich mir ihr leises Zählen nur ein oder war es Wirklichkeit?

»Was tust du…«, hörte ich Nelio hinter mir fragen, doch Amara ignorierte ihn.

»Eins… Null…«

Ich blieb stehen, verharrte einen Moment, um zu erfahren, was nun passieren würde.

Und dann wurde ich von der schlimmsten Welle Übelkeit erfasst, die ich jemals erlebt hatte. Amara lachte nur trocken, als Nelio auf mich zugestürzt kam und es gerade noch schaffte, mich zum Bad zu ziehen, bevor ich mich heftig übergeben musste.

»Du hast gewusst dass das passieren würde?«, fragte er aufgebracht, als mein Magen sich ein weiteres Mal zusammenzog.

»Natürlich wusste ich, dass das passieren würde. Denkst du, ich hätte es mit diesem giftigen Zeug nie übertrieben? Ich habe darauf gewartet, dass ihr schlecht wird. Spätestens, als sie aufgestanden ist, um zu gehen, war es nur noch eine Frage von Sekunden.«

»Du bist unglaublich.«, murmelte Nelio, doch Amara lachte nur.

»Ich nehme an, Caleb soll von der ganzen Sache nichts mitbekommen?«, fragte sie und zog mir eine Locke aus dem Gesicht, die gefährlich nah an meinen Mund gekommen war.

»Bloß nicht.«, erwiderten Nelio und ich gleichzeitig.

»Ich werde das mit ihm klären. Er kann Carietta nicht einfach rausschmeißen, nachdem er sie so behandelt hat.«

Bevor ich Nelio erklären konnte, dass ich freiwillig gegangen war, hatte er den Raum schon verlassen, während Amara meine Haare festhielt und mir sanft über den Rücken strich.

»Nelio hat mir alles erzählt, also wirklich *alles*. Ich kenne die beiden schon sehr, sehr lange also kannst du mir glauben wenn ich dir sage, dass Nelio nicht so ist wie du denkst. Und was Caleb angeht, naja, er ist *ganz genau* so, wie du denkst. Aber das was er zu dir gesagt hat, das ist nicht wahr. Wir alle haben solche Zeiten hinter uns. Es wird besser.«

Das hier macht es besser. Versprochen.

»Ich brauche dein Mitleid nicht.«, würgte ich hervor, doch Amara lachte nur.

»Natürlich brauchst du es nicht. Aber manchmal tut es trotzdem gut.«

Bevor wir ein weiteres Wort wechseln konnten, platzte Nelio wieder in das Bad. An seiner schweren Atmung erkannte ich, dass er sich mit seinem Bruder gestritten hatte.

»Ich habe mit Caleb *geredet*. Er möchte sich persönlich bei dir entschuldigen, er hat es nicht so gemeint. Ich bringe dich jetzt nach Hause.«

Nur mit Mühe konnte ich ein Lachen unterdrücken. Auch Amara hinter mir musste kichern. *Er hat es nicht so gemeint.* Das hatte sich gestern Abend aber verdammt danach angehört.

Nelio ignorierte unsere Reaktionen und half mir auf. Instinktiv schlug ich seine Hände weg.

»Ich kann alleine gehen.«, sagte ich scharf und verließ das Bad, beide folgten mir.

»Danke für deine Hilfe, Am.«, hörte ich Nelio hinter mir sagen und drehte mich zu ihnen um.

»Keine Ursache, Nel. Du weißt doch, beste Freunde.«

Beste Freunde.

Mein Körper wurde von einem Gefühl der Taubheit erfasst, ein dumpfer Schmerz breitete sich in meinem Herzen aus, lähmte mich. *Auch ich hatte einmal einen besten Freund gehabt.* Meine Hände begannen zu zittern, meine Knie wurden weich. Amara schien die Wunde, die sie mir gerade zugefügt hatte, nicht zu bemerken und lächelte mich milde an. Auch Nelio schien meine Schwäche falsch zu interpretieren, dachte vermutlich, das Zittern käme von der Übelkeit.

Ich erwiderte das Lächeln nicht, folgte Nelio nur stumm aus der Wohnung.

Er versuchte nicht noch einmal, mich zu stützen.

29

Nelio

W arum hast du es ihr erzählt?«

Es waren die ersten Worte, die Carietta an mich gerichtet hatte, seit wir uns auf den Weg zurück zu unserem Haus gemacht hatten.

»Sie ist meine beste Freundin. Ich habe keine Geheimnisse vor ihr.«, antwortete ich wahrheitsgemäß. Ich würde Carietta nicht noch einmal anlügen. Ich spürte, wie sie neben mir erstarrte. Auch sie hatte einen besten Freund gehabt. Einen besten Freund, der jetzt tot war.

»Du hattest nicht das recht, es ihr zu erzählen.«

»Warum nicht? Es ist genauso meine Geschichte. Sie wollte wissen, wo ich die vergangenen Monate gesteckt habe.«

»Es wäre besser, wenn ich nicht wieder zu euch nach Hause zurückkehre. Ich komm schon irgendwie zurecht.«, wechselte sie das Thema und ich beschloss, auch nicht weiter über Amara sprechen zu wollen.

»Vergiss es. Das ist jetzt genauso dein Zuhause, wie es meins ist.«

»Es ist nicht mein Zuhause. In keiner Weise.«, bemerkte sie abfällig und ich musste über ihre Sturheit schmunzeln.

»Ganz genau.«

Frustriert wartete ich vor der Tür von Calebs Arbeitszimmer, während von drinnen laute Stimmen zu vernehmen waren. Carietta und er stritten sich mittlerweile seit einer Stunde. In dieser Stunde hatte Caleb sich *nicht* entschuldigt, sondern Carietta erneut alles vorgeworfen, was sie in den vergangenen Wochen getan hatte.

Als sich die Tür ruckartig öffnete, musste ich ein paar Mal blinzeln. Carietta stürmte an mir vorbei und ich versuchte die Erleichterung zu unterdrücken, die mich überkam, als sie sich in ihrem Zimmer einschloss, anstatt das Haus erneut zu verlassen.

Ich betrat Calebs Zimmer ohne anzuklopfen.

»Ich bin fertig mit ihr. Von mir aus kann sie jeden Typen mit ins Bett nehmen, den sie will.«

Als er aus seinem tiefen Sessel zu mir aufschaute, bemerkte ich seinen traurigen, müden Blick, der ihn Lügen strafte.

»Dir ist bewusst dass das alles nur wegen dir passiert ist?«, fragte ich unbeeindruckt und ließ mich gegenüber von ihm nieder.

»Wegen *uns*.«

»Mag sein. Aber ich gebe mir Mühe. Ich versuche es zumindest. Ich habe bis jetzt jeden verdammten Abend auf sie aufgepasst, habe sie sogar in Amaras Wohnung getragen, als sie sich *zugedröhnt* hat.«

Dass sie mir in diesen Momenten der Benommenheit ihr ganzes Herz ausgeschüttet hatte, verkniff ich mir. Dass ich danach erst einmal eine ganze Flasche Whisky gebraucht hatte ebenfalls. Ich biss mir auf die Zunge als ich meinen Fehler bemerkte, doch es war zu spät. Calebs Augenbrauen schnellten in die Höhe.

»Sie hat *was* getan?«, fragte er fassungslos und sprang förmlich von seinem Sessel auf. Ich packte ihn am Handgelenk, bevor er das Zimmer verlassen konnte.

»Lass sie in Ruhe.«, ermahnte ich ihn, doch Caleb schüttelte meinen Griff ab.

»Ich werde nicht dabei zusehen, wie sie sich selbst zerstört.«

Ich erinnerte mich an Amaras Worte.

»Jeder hat seinen Weg, mit Schmerz und Verlust umzugehen, vielleicht ist das hier ihrer. Gib ihr Zeit.«

Eine Sekunde starrte er mich nur an. Und dann lachte er. Es war ein Laut ohne jegliche Freude, einfach nur abfällig.

»Das hat Amara dir erzählt oder? Bestimmt hat sie dir wieder einen dieser Moralvorträge gehalten, von wegen *jeder muss seinen Weg finden* bla bla… Soll ich dir etwas erzählen? Auch Amara hat versucht, so ihren Weg zu finden. Bis sie mit einer Überdosis im Krankenhaus gelandet ist!«

Ich erstarrte. Diesen Teil ihrer Vergangenheit hatte Amara mir nie anvertraut. Es hatte eine Zeit gegeben, da war der Kontakt zwischen uns abgebrochen. Ich hatte es als persönliche Probleme abgetan und mir gedacht, dass sie schon wieder auf mich zukomme würde, wenn es ihr besser ginge. Aber *das* hatte ich mir im Traum nicht vorgestellt.

Caleb bemerkte meinen Schock und stieß erneut dieses freudlose Lachen aus.

»Ich habe sie damals gefunden. In ihrer Wohnung. Weil ich *dich* gesucht habe. Stattdessen fand ich sie halbtot und rief sofort den Krankenwagen. Als sie im Krankenhaus aufgewacht ist wollte ich dich rufen, aber sie hat es mir verboten. Wir hatten einen Deal geschlossen: sie machte eine Entziehungskur, dafür erzählte ich dir nichts von dem Vorfall. Auch wenn du es nicht hören willst: sie hat es nicht alleine aus diesem Loch geschafft. Und das wird Carietta auch nicht.«

Mit diesen Worten stürmte er aus dem Zimmer, ließ mich alleine sitzen.

Sekunden später hörte ich ihn laut fluchen.

»Das darf doch nicht wahr sein!«

Ich musste nicht aufstehen, geschweige denn nachsehen um zu wissen, dass Carietta wieder abgehauen war. Ihre Körperhaltung und ihr Blick hatten sie schon verraten, als sie aus Calebs Zimmer geflüchtet war.

»Was hast du erwartet? Dass sie wie ein braver Schoßhund hier bleibt und darauf wartet, dass du deine Predigt fortsetzt?«, rief ich in den Gang und Caleb knurrte irgendetwas Unverständliches.

Mit einem kleinen Lächeln stand ich auf und ging zu ihm, tätschelte seine Schulter und versuchte dabei meine eigene Enttäuschung über ihr Verhalten zu überspielen.

»Jeder hat seinen Weg, mit Schmerz und Verlust umzugehen. Find dich damit ab.«

Mit diesen Worten ließ ich ihn stehen und ging in mein Zimmer, um mich umzuziehen.

Auch an diesem Abend war der Club zum Bersten gefüllt, doch von Carietta fehlte jede Spur. Ich redete mir ein, dass es ihr gut ginge, dass sie nur ein wenig Abstand von allem gebraucht hatte und früher oder später hier auftauchen würde. Dennoch konnte ich nicht verhindern, dass meine Augen ständig nach diesen roten Locken Ausschau hielten.

»Sie ist wieder abgehauen, hab ich recht?«, ertönte Amaras Stimme hinter mir und ich versteifte mich.

»Warum hast du mir nicht erzählt, dass du fast an einer Überdosis gestorben bist?«, fragte ich leise. Hinter mir hörte ich, wie sie sich ein Glas Schnaps eingoss, tief durchatmete.

»Du hattest damals selbst so viele Probleme. Ich wollte dich nicht auch noch mit meinen belasten.«

»Aber Caleb schon?«

»Dass er in diesem Moment in meinem Apartment aufgetaucht ist, war reiner Zufall. Glaub mir, ich wäre lieber gestorben als mir von ihm helfen zu lassen aber ich hatte in dem Moment nicht wirklich die Kraft zu diskutieren.«

»Du hättest es mir sagen sollen.«

»Ja, vermutlich hätte ich das. Aber ich wollte dich schützen, verdammt, das will ich immer noch. Es tut mir leid, Nel.«

»Wie? Wie konntest du heute so ruhig bleiben, obwohl du genau wusstest was sie getan hat und wie es hätte enden können? Wie hast du *nicht* die Nerven verloren?«

»Ganz einfach: ich habe es damals geschafft, weil ich jemanden hatte, der sich um mich gesorgt hat. Auch wenn du nicht bei mir warst wusste ich, dass du an mich denkst und mich hassen würdest, wenn ich mein Leben nicht mehr auf die Reihe bekomme. Also habe ich gekämpft.«

»Und was hat das mit Carietta zu tun?«

»Sie hat auch jemanden, der sich um sie sorgt.«

Ich musste nicht nachfragen, um zu wissen, dass sie damit nicht Caleb meinte.

Carietta tauchte nicht mehr auf und um zwei Uhr morgens beschloss ich, mich auf den Heimweg zu machen. Die Nacht war ungewohnt kühl und der Wind trieb mir Tränen in die Augen, als ich den Kiesweg zur Eingangstür entlangging.

In dieser Nacht konnte ich nicht schlafen. Zu viele Gedanken wirbelten in meinem Kopf umher.

Ich wollte sie nur schützen.

Sie hat auch jemanden, der sich um sie sorgt.

Ich kann alleine gehen.

Ich musste ihr versprechen, dir nichts von diesem Vorfall zu erzählen.

Schließlich gab ich es auf und machte mich auf den Weg in den Trainingsraum. Als ich dort ankam und Licht hinter der Tür brennen sah, blieb ich abrupt stehen. War Caleb noch wach und versuchte auch, den Kopf frei zu bekommen? Oder war mein Vater von einem Geschäftstermin nach Hause gekommen und wollte ein wenig Dampf ablassen?

Vorsichtig öffnete ich die Tür einen Spalt und entdeckte Carietta. Sie hatte ihre Haare zu einem straffen Pferdeschwanz zusammengebunden, Schweiß glänzte auf ihrer Stirn und ihrem Hals. In jeder Hand hielt sie einen Dolch, mit denen sie auf imaginäre Gegner einstach. Als sie während einer Drehung herumwirbelte, entdeckte sie mich und verharrte mitten in der Bewegung.

»Was tust du hier?«, fragten wir gleichzeitig und sie verengte ihre Augen zu Schlitzen.

»Ich *übe*. Ist das nicht offensichtlich?«

»Ich muss zugeben, dein Abgang heute war einfach perfekt. Du hättest Calebs Gesicht sehen sollen als er dein leeres Zimmer entdeckt hat.«

Auf ihren Lippen breitete sich ein verhaltenes Lächeln aus.

»Dennoch solltest du dich nicht so überanstrengen. Dein Körper kämpft immer noch mit den Folgen deiner kleinen *Ausschweifung*.«, ermahnte ich sie und ihr Lächeln verschwand.

»Meinem Körper geht es bestens. Und wenn du nicht nur her gekommen bist um mit mir zu schimpfen so wie Caleb, dann lass mich doch einfach in Ruhe und tu was du tun wolltest.«, erwiderte sie zuckersüß und konzentrierte sich wieder auf ihre Dolche.

Einen Moment betrachtete ich die fließenden Bewegungen. Die Art, wie Cariettas Klingen förmlich mit ihrem Körper verschmolzen, zu einem Teil von ihr wurden. Dann fing ich an, mich diesen Bewegungen anzupassen.

Innerhalb kürzester Zeit hatte ich ihr einen Dolch abgenommen. Aus ihrer Miene sprach Abscheu, aber auch Bewunderung. Wir redeten kein Wort miteinander, wichen einfach nur den Angriffen des jeweils anderen aus und umkreisten uns, als wären wir in einem tödlichen Tanz gefangen. Obwohl ich schon früher mit ihr geübt hatte, war das hier etwas vollkommen anderes. Ich lernte ihre Bewegungen neu kennen und hatte gleichzeitig das Gefühl, in einen sehr privaten Teil ihrer selbst sehen zu können. Wie lange würde sie sich das gefallen lassen? Stundenlang beobachteten wir die Hiebe des anderen. Die kleinen Schritte oder Bewegungen, die uns verrieten, welchen Angriff das Gegenüber plante. Ich bemerkte die Müdigkeit, die sich in ihren Gliedmaßen ausbreitete, doch sie kämpfte erbittert weiter. Ihre Konzentration jedoch ließ nach, die Bewegungen wurden weniger koordiniert, die Hiebe unpräziser. Ich beschloss, den Kampf für heute zu beenden, entwaffnete sie mit einer schnellen Bewegung meines Handgelenks und ihr Dolch landete klirrend auf dem Boden. Die Spitze meiner Klinge verharrte genau vor ihrer Kehle, nur einen Zentimeter von der zarten Haut entfernt.

Wir würde es sich anfühlen, über diese Haut zu streichen? Sie mit meinen Händen, meinen Lippen zu erkunden?

Würde sie die gleichen Geräusche von sich geben, die ihr manchmal vor Schlägen entwichen, wenn ich über diese Haut fuhr?

Ich zwang mich, diese Gedanken abzuschütteln und ließ den Dolch sinken. Was war nur los mit mir?

»Genug für heute. Es ist ziemlich spät, wir sollten beide schlafen gehen.«, verkündete ich und räumte die Waffen wieder an ihren ursprünglichen Platz.

»Ja.«, erwiderte sie atemlos und stürmte förmlich aus dem Raum, ohne sich noch einmal zu mir umzudrehen.

Die Röte auf ihren Wangen hatte ich dennoch bemerkt.

Dieser Ablauf wiederholte sich über Wochen. Tagsüber schloss Carietta sich in ihrem Zimmer ein, redete mit niemandem und antwortete weder auf Fragen noch auf Rufe. Doch nachts, wenn alle Bewohner des Hauses schliefen, trafen wir uns im Trainingsstudio und trainierten die ganze Nacht durch. Und das Training endete immer damit, dass einer von uns einen Dolch an der Kehle hatte. Immer gab es diesen seltsamen Moment zwischen uns, in dem mich die wildesten Gedanken heimsuchten. Und immer ergriff einer von uns nur Sekunden später die Flucht. An den seltenen Tagen, an denen Carietta sich aus ihrem Zimmer traute um sich etwas zu Essen zu holen oder leise mit den Angestellten zu sprechen, die mit ihr ihr Zimmer dekorierten, kamen auch Streits mit Caleb.

Streits, die immer häufiger wurden. Es begann mit lauten Diskussionen, irgendwann schrieen sie sich an. Schließlich hörte man auch Gegenstände durch das Zimmer fliegen, bevor Caleb oder Carietta wutentbrannt aus dem Raum stürzten und sich für den Rest des Tages nicht mehr blicken ließen.

Heute war einer dieser Tage. Stundenlang hatte Caleb sich wieder darüber aufgeregt, dass Carietta sich nur noch in ihrem Zimmer einschloss und sich vollkommen isolierte. Irgendwann war mir das Geschrei zu viel geworden und ich war zur Mission Island gefahren, hatte Amara bei diversen Vorbereitungen für die Party geholfen, die heute Abend stattfinden sollte. Bei meinem Anblick war sie direkt sauer geworden, hatte sich darüber beschwert, dass ich nicht bei den Vorbereitungen meiner eigenen Geburtstagsfeier dabei sein sollte. *Man wird nur einmal 21! Das sollte eine Überraschung werden!* Vage erinnerte ich mich an einen Absatz aus Cariettas Akte. Sie hatte auch vor wenigen Wochen Geburtstag gehabt. *Und niemanden, der mir ihr hätte feiern können.*

Jetzt strömten unzählig viele Menschen in den Club, der bis auf Hochglanz poliert und mit schwarzen Akzenten ausgestattet worden war. Amara hatte mich gezwungen, neben dem Eingang stehen zu bleiben und die Gratulationen aller Gäste entgegenzunehmen. Von dem vielen Lächeln hatte ich mittlerweile Schmerzen im ganzen Gesicht.

Caleb hatte mir heute Morgen ohne große Umschweife gratuliert, meine Eltern hatten mich wie immer gekonnt ignoriert. Und Carietta? Sie wusste nicht einmal, dass ich heute 21 wurde.

Stunden später hatte ich genug von den fremden Menschen, die behaupteten, meine Freunde zu sein und von dem Alkohol der meinen Kopf zum Summen brachte und verabschiedete mich von Amara, bevor ich zurück nach Hause ging.

Instinktiv steuerte ich auf die Tür des Trainingsstudios zu, doch der Raum war dunkel und verlassen. Ein seltsames Gefühl beschlich mich. Auf meinem Weg nach oben beobachtete ich die Regentropfen, die gegen die Scheiben trommelten und ein leises Klopfen verursachten.

Zu meinem Erstaunen stand Cariettas Zimmertür offen. Nach dem Streit mit Caleb heute hatte ich erwartet, sie tagelang nicht zu sehen. Vorsichtig betrat ich den dunklen Raum, es war eiskalt. Ich sah mich genauer um und entdeckte den Grund: die Balkontüren standen sperrangelweit offen, dicke Regentropfen färbten den schweren Teppich dunkel.

Doch von Carietta fehlte jede Spur.

Ich ging zu den Fenstern, um sie zu schließen, als ich die dunkle Silhouette bemerkte, die sich schwer auf das metallene Geländer stütze. Ihre Haare hingen in nassen Strähnen um das abgewandte Gesicht, die Schultern ließ sie hängen, als lastete eine viel zu schwere Bürde darauf.

Geräuschlos trat ich zu ihr auf den Balkon und atmete scharf ein, als der kalte Regen auf meine überhitze Haut traf.

»Du solltest bei dem Wetter nicht hier draußen sein. Du wirst noch krank.«, sagte ich leise und weckte damit ihre Aufmerksamkeit. Als Carietta sich zu mir umdrehte, drohte mein Herz zu zerspringen. Unter ihren Augen entdeckte ich dunkle Ringe, als hätte sie tagelang kein Auge zugetan. Ich hätte besser auf sie achten sollen, als wir zusammen trainiert hatten.

Doch das Schlimmste waren ihre Augen an sich. Dieser leere Ausdruck, den ich niemals mehr vergessen würde. Wie damals in der Kammer im Brooklyn Museum, als ihr Freund gestorben war. Wie an dem Abend in der Dusche, an dem sie sich nicht einmal dazu hatte aufraffen können, wieder aufzustehen.

Und als ich sie hier stehen sah, die Tränen, die sich mit den Regentropfen auf ihren Wangen vermischten, wusste ich es.

Ich wusste, dass ich alles tun würde, dass ich die ganze Welt zerstören würde, einfach nur um diesen Ausdruck aus ihren Augen verschwinden zu lassen.

Wortlos trat ich auf sie zu, öffnete die Arme und sie vergrub das Gesicht an meiner Brust. Sie zitterte am ganzen Körper, doch ich wagte es nicht, sie nach drinnen bringen zu wollen.

»Ich bin das alles so leid.«, flüsterte sie und ein riesiger Kloß formte sich in meinem Hals. Ich nickte nur stumm, das Gesicht an ihre Haare geschmiegt.

»Ich bin so, so müde. Ich kann das einfach nicht mehr. So tun, als sei alles normal. So tun, als ob Caleb mein Leben nicht zerstört hätte, als ob nicht alles in einem riesigen Scherbenhaufen vor mir liegt und ich mich bei dem Versuch blutig schneide, die Teile wieder zusammenzusetzen.«

Doch das Mädchen war stärker als die Dinge, die sie zu sich riefen.

»Ich weiß, ich weiß.«

Ich wollte ihr sagen, dass alles besser werden würde, dass sie es schaffen würde wieder Licht in ihrem Leben zu finden, doch jedes zusätzliche Wort könnte dieses zerbrechliche Band zwischen uns wieder zerstören.

Schließlich löste sie sich zögerlich von mir, nur ein Stück, und schaute zu mir auf. Ihr Blick wanderte über mein Gesicht, blieb an meinen Lippen hängen. Der leere Ausdruck in ihren Augen schwand, ein schwaches Licht kehrte zurück. Und obwohl ich wusste, dass es falsch war, so falsch, konnte ich nicht anders als zu sagen: »Weißt du eigentlich, wie sehr ich dich gerade küssen will?«

Ihr Atem geriet ins Stocken, doch schließlich erwiderte sie: »Dann küss mich.«

»Ich kann nicht.«

Ihr Blick fand meinen, ein verletzter Ausdruck spiegelte sich in ihren Augen.

»Warum nicht?«

Ich hob eine Hand, strich ihr eine nasse Locke aus dem Gesicht, ließ meine Finger an ihrem Kiefer verharren. Versuchte die Tatsache zu ignorieren, dass sie sich in diese Berührung schmiegte.

»Wenn ich dich jetzt küsse, werde ich nicht mehr damit aufhören können.«, wisperte ich, plötzlich vollkommen atemlos.

»Es ist nur ein Kuss.«

»Mit dir«, ich strich ihr eine weitere Strähne hinter das Ohr, »wäre es niemals *nur ein Kuss*.«

Ich wollte nicht darüber nachdenken, wie verletzlich ich mich gerade gezeigt hatte. Welche Schwachstelle ich offenbart hatte. Wir schienen beide den Atem anzuhalten, der Regen trat in den Hintergrund, verstummte. Ein Blitz durchzuckte den Himmel, riss mich aus meiner Starre. Mein Fehler wurde mir schmerzlich bewusst. Ich war eines der Monster, die ihr Leben zerstört hatten. Einer der Gründe, dass dieser leere Ausdruck in ihren Augen gestanden hatte.

»Ich… das hier war ein Fehler. Es tut mir leid.«, stieß ich hervor und ließ die Hand sinken. Auch Carietta schien wieder zurück in die Realität zu finden, blinzelte verwirrt.

»Ja, das war es.«, flüsterte sie und ich wartete nicht auf weitere Worte, bevor ich mich umdrehte und förmlich von dem Balkon und aus dem Raum flüchtete. Zu der einzigen Person, die mir jetzt noch helfen konnte, das Chaos in meinem Kopf zu ordnen.

Amara öffnete den Mund, vermutlich um mir eine Predigt über die Uhrzeit zu halten, schloss ihn aber wieder, als sie meine vollkommen nassen Klamotten und den allem Anschein nach ziemlich aufgelösten Blick von mir sah. Wortlos trat sie einen Schritt zur Seite und ließ mich in ihre Wohnung eintreten. Dankbar ließ ich mich von der Wärme umhüllen.

»Was ist passiert, Geburtstagskind? Schlecht geträumt?«, fragte sie scherzhaft, doch ich konnte mich nicht dazu aufraffen, in das Lachen mit einzustimmen. Ich hatte Carietta einfach stehen lassen. Über Wochen schon malte ich mir aus wie es wäre, ihre Lippen auf meinen zu spüren und heute hatte ich die Chance dazu gehabt. Und ich war verdammt nochmal *abgehauen.*

»Der Traum war wohl eher viel zu schön um wahr zu sein.«, murmelte ich resigniert und Amara legte mir eine Hand auf die Schulter.

»Was ist passiert, Nel? Ich habe dich noch nie so fertig erlebt.«

Ich erzählte ihr die ganze Geschichte. Von dem lauten Streit zwischen Carietta und Caleb, von der Tradition des Kämpfens, die wir über die vergangenen Monate entwickelt hatten. Wie ich heute Abend abgehauen war und Carietta auf ihrem Balkon gefunden hatte. Wie ich zu ihr geflüchtet war, um mit jemandem reden zu können.

»Und du Idiot hast sie einfach stehen lassen?«, fuhr Amara mich an und ließ ihre Hand sinken.

»Verdammt nochmal! Ich bin einer der Gründe, warum es überhaupt soweit gekommen ist! Ich habe ihr Leben zerstört!«

»Nel, ist das dein Ernst? Wie lange willst du dich noch in deinem Selbstmitleid verkriechen? Ja, du hast Scheiße gebaut. Ziemlich viel Scheiße sogar. Aber hast du es nicht gesehen? Sie ist bereit dir zu vergeben! Das heute Abend war der Anfang! Wenn ich das richtig einschätze, hat sie sich das erste Mal seit Monaten wieder wie ein normaler Mensch verhalten! Siehst du denn nicht, dass sich bei ihr die gleichen Gefühle aufbauen wie bei dir?«

Als ich sie nur misstrauisch musterte, seufzte sie theatralisch.

»Du *liebst* sie, du gottverdammter Idiot! Es könnte gar nicht offensichtlicher sein!«

»Das ist doch Blödsinn.«

»Nein ist es nicht. Du hast die Wahl: entweder, du drehst dich jetzt sofort um, fährst zurück zu dir nach Hause und klärst die Sache mit ihr, oder *ich* fahre jetzt dahin und habe meinen Spaß mit ihr, während du hier herum sitzt und schmollst. Ich habe noch nie in meinem Leben einen so starken Menschen getroffen und du bist ein Idiot - der größte Idiot - wenn du nicht alles tust, um sie zurückzugewinnen.«

Ich warf ihr einen wütenden Blick zu, doch sie streckte mir nur die Zunge raus und deutete auf die Haustür.

»Na gut, du hast gewonnen. Wünsch mir Glück.«, murmelte ich und wandte mich zum Gehen.

»Wenn sie deine Gefühle erwidert, brauchst du mein Glück nicht.«

Ich hatte mir die Worte, die ich zu Carietta sagen würde, genau zurecht gelegt und fand mich nun vor ihrer Tür wieder. Als ich anklopfte, blieb auf der anderen Seite der Tür alles still. Vielleicht war sie schon eingeschlafen? Plötzlich waren von unten laute Stimmen zu vernehmen.

Carietta und Caleb.

Ich atmete tief durch und ging hinunter zum Esszimmer, dem Raum, aus dem die laute Diskussion zu stammen schien.

»Ich habe dich so satt!«

»Denkst du, dass es mir anders geht? Ich hätte dich in dieser Kammer sterben lassen sollen, dann wäre mir Vieles erspart geblieben!«

»Dann tu es jetzt! Töte mich, mach schon. Eine weitere Person auf der Liste der Menschen, die du auf dem Gewissen hast.«

Das war von Caleb gekommen.

»Wage es nicht, über sie zu reden.«, knurrte Carietta.

»Warum nicht? Du weißt genauso gut wie ich, dass es deine schuld ist, dass Adrian gestorben ist.«

Damit war Caleb zu weit gegangen. Ich riss die Tür in dem Moment auf, in dem Carietta ihn wütend von sich stieß. Aus ihren Fingern löste sich eine blaue Druckwelle und Caleb wurde so heftig gegen die Wand geschleudert, dass der Backstein Risse bekam. Eine dünne Spur aus tiefrotem Blut lief über seine Stirn, sammelte sich im Kragen seines Shirts.

Cariettas Blick fand meinen. In ihren Augen erkannte ich puren Terror. Sie hatte die Kontrolle verloren, hatte das nicht tun wollen. Ich war unfähig mich zu bewegen, etwas zu sagen um sie zu beruhigen.

Hilflos musste ich dabei zusehen, wie sich eine Mauer in ihren Augen aufbaute, die Gefühle, die über die Monate zurückgekehrt waren, wieder verschwanden, verschluckt wurden.

»Carietta…«, setzte ich an, doch sie stürmte an mir vorbei, schaute nicht nochmal zurück. Ich benötigte nur Sekunden, um mich aus meiner Starre zu lösen und rannte ihr hinterher. Als ich ihre Zimmertür erreicht hatte und nach der Klinke griff, verbrannte ich mir augenblicklich die ganze Hand.

»Carietta! Du musst mich die Tür öffnen lassen!«, rief ich ihr zu und das unterdrückte Schluchzen von der anderen Seite brach mir fast das Herz. Ich ignorierte den sengenden Schmerz, den der glühende Griff verursachte und versuchte immer wieder, die Tür zu öffnen. Doch es war sinnlos.

Alles um mich herum wurde zu einem Nebel aus Geräuschen und Farben. Schwach nahm ich wahr, dass Caleb neben mir auftauchte und meine verbrannten Hände von dem Türgriff riss. Er schrie mir irgendetwas zu, doch ich verstand seine Wort nicht. Dann war er verschwunden. Als er zurückkam, komplett durchnässt und mit versteinerter Miene, konnte ich mich so weit beruhigen, dass ich seine Worte verstand.

»Über die Fenster kommen wir auch nicht in ihr Zimmer. Sie kontrolliert jeden Eingang mit ihrer Kraft.«

»Wir müssen irgendetwas tun!«, fuhr ich ihn an und konnte die Panik nicht aus meiner Stimme verbannen. Gemeinsam versuchten wir immer wieder, die Tür zu öffnen, das Schloss zu knacken, die Scharniere zu lösen. Immer wieder rief ich ihren Namen, nie erhielt ich eine Antwort.

Und als die Tür endlich aufhörte, blau zu glühen, wusste ich, dass etwas schreckliches geschehen war. Wie betäubt sah ich dabei zu, wie Caleb das Schloss mühelos knackte und die Tür aufstieß.

Meine Beine trugen mich nicht mehr, mein Blick verschwamm. Auf dem Bett lag Carietta, die Augen friedlich geschlossen. Und neben ihr auf dem Boden lag eine leere Tablettendose.

30

Nelio

elio!

Sie atmet nicht!

Wir müssen sie dazu bringen, die Tabletten wieder auszuspucken!

Ruf den Krankenwagen!

NELIO!

Alles um mich herum wurde abgedämpft, als befände ich mich in einem Ball aus Watte. Ich spürte, wie Caleb mich zuerst an der Schulter rüttelte und schließlich unsanft zur Seite riss, als mehrere Sanitäter in das Zimmer gestürmt kamen und Carietta aufbahrten, mit ihr ins Krankenhaus fuhren, während Caleb und ich ihnen in seinem Wagen folgten.

Sie lebt noch.

Ihr Zustand ist kritisch aber sie wird es schaffen.

Sie wird es schaffen, wenn sie will.

Aber wollte Carietta es schaffen?

Innerlich verfluchte ich mich selbst, immer und immer wieder. Wäre ich nicht so ein dämlicher Feigling gewesen und zu Amara abgehauen, wäre all das nicht passiert. Ich hätte schon von dem Moment an besser auf sie achten sollen, als ich sie an dieser Straßenecke gefunden hatte. Die Dinge, die sie damals zu mir gesagt hatte, hätten mich hellhörig machen müssen. Und ich hatte gedacht, dass es einfach nur wirres Zeug gewesen wäre.

Nelio, ich weiß nicht wie lange ich das hier noch aushalte.

Caleb hasst mich, du hasst mich, jeder hasst mich.

Was hält mich noch davon ab, einfach endgültig zu gehen?

Jetzt endlich begriff ich, dass sie mit gehen nicht gemeint hatte, uns zu verlassen und sich an einem anderen Ort ein Leben aufzubauen.

Stunden verstrichen und irgendwann schlief Caleb neben mir auf einem Stuhl ein. Erst als seine Atmung ruhig und gleichmäßig ging, traute ich mich, Cariettas Hand zu ergreifen, mit dem Daumen sanft über die kalte Haut zu streichen.

»Warum hast du das nur getan? Ich hätte dir doch helfen können.«, wisperte ich und fuhr mir mit der Hand über die Augen. Jetzt mit weinen anzufangen würde ihre Situation nicht verbessern.

»Ich bin zurückgekommen, weil ich einen riesigen Fehler gemacht habe. Ich habe es nicht erkannt, aber Amara hat mir die Augen geöffnet. Ich *liebe* dich, schon seit einer Weile. Und du kannst dir nicht vorstellen wie sauer ich werde, wenn du aufhörst zu kämpfen und deine Augen nicht mehr öffnest. Hörst du? Du sollst kämpfen!«, flehte ich, doch sie erwiderte meine Berührung nicht. Weiterhin lag sie reglos da, bis auch mir die Augen zufielen.

»Nelio, sie wacht auf!«

Calebs Stimme riss mich aus meinem leichten Schlaf und ich setzte mich ruckartig auf. Tatsächlich, Cariettas Brust hob und senkte sich stetig, ihre Augenlider flatterten. Ohne zu zögern setzte Caleb sich auf die Bettkante und griff nach ihrer Hand, die über die Nacht anscheinend aus meiner gerutscht war.

Carietta schlug die Augen auf, schaute sich desorientiert um, erblickte Caleb.

Und ihre Augen begannen zu leuchten wie in dem Moment, in dem ich sie hatte küssen wollen.

»Es… es tut mir so leid.«, flüsterte sie und Tränen stiegen in ihre Augen, doch Caleb zog sie ohne zu zögern in seine Arme.

»Mir tut es leid, alles was in den vergangenen Monaten passiert ist. Versprich mir, das nie wieder zu tun!«

Carietta nickte heftig, schmiegte sich in Calebs Berührung und ich wusste dass das, was sich zwischen uns aufgebaut hatte, restlos eingestürzt war.

Ihr Blick fand meinen.

Und da durchschaute ich ihre Täuschung.Noch immer lauerte diese bodenlose Leere hinter dem falschen Licht, dass sie in ihre Augen gezwungen hatte. Doch zu diesem Ausdruck hatte sich noch etwas anderes gesellt. Etwas Tödliches, das mir die Nackenhaare zu Berge stehen ließ.

Sie hat noch eine Rechnung mit Caleb offen. Vielleicht hat sie es selbst noch nicht realisiert, aber sie wird Rache nehmen wollen. Nicht nur an ihm, sondern an uns beiden. Und wenn dieser Tag kommt musst du mir versprechen, nicht hier in der Stadt zu sein.

Carietta wandte den Blick wieder ab, vergrub ihr Gesicht in Calebs Nacken. Doch ich hatte einen Blick hinter diese neue Fassade erfasst. Einen Blick auf das Mädchen, das die Tabletten überlebt hatte.

Und ich war mir sicher, dass der Moment ihrer Rache gekommen war.

Danksagung

Wow. Einfach nur wow.

Ich habe es tatsächlich geschafft, mein erstes eigenes Buch zu veröffentlichen! Ich muss zugeben dass ich am Anfang echt ratlos war, wie ich das Ganze überhaupt anfangen soll - und wie ich es jemals schaffen soll, auf mindestens 300 Seiten zu kommen. Schlussendlich behaupte ich einfach einmal, dass ich mich selbst übertroffen habe. Wie ihr sicherlich bemerkt habt, bekommt *Glowing Vengeance* einen zweiten Teil - und ich hoffe der wird euch genauso gefallen wie er mir gefällt! Aber genug von zukünftigen Büchern meinerseits, ihr habt ja gerade erst eins fertig gelesen.

Meine Mutter lässt mich jeden Tag wissen, dass sie sauer auf mich ist, weil sie nicht in der anfänglichen Widmung vorkommt, deswegen dachte ich mir, ich würdige sie zumindest hier in der Danksagung: danke Mama, dass du mich stundenlang bis tief in die Nacht an deinem PC hast arbeiten lassen, weil ich nicht gewusst habe, dass ein Programm wie Pages existiert. Aber ich möchte nicht nur meiner Mutter danken, sondern auch Jacqueline (ja die aus der Widmung), die mich jedes Mal telefonisch oder zumindest moralisch unterstützt hat, wenn ich stundenlang an dem Computer meiner Mutter saß. Vermutlich weißt du mittlerweile besser über meine Charaktere Bescheid als ich selbst, aber das ist in Ordnung.

Ich hoffe, dass ich noch viele weitere Bücher (die schon in Planung sind!) mit deiner Hilfe fertigstellen kann, dieses Mal sogar an meinem eigenen Computer!

Spaß beiseite, ich bin wirklich sehr dankbar für die Menschen, die es mir ermöglicht haben, auch ohne die Hilfe eines Verlags so weit zu kommen und werde diesen Menschen auch auf ewig dankbar sein. Genauso wie ich dir, dem Leser, dankbar bin, dass du meinem Buch eine Chance gegeben hast.

Ich hoffe es hat dir gefallen und ich schaffe es auch zukünftig, dich und alle anderen weiter zu begeistern.